Holub, Emil; Pelzeln,

Beitraege zur Ornithologie

Holub, Emil; Pelzeln, August von

Beitraege zur Ornithologie Suedafrikas

Inktank publishing, 2018

www.inktank-publishing.com

ISBN/EAN: 9783747797990

Ornithologie Südafrikas.

Mit besonderer Berücksichtigung
der von Dr. Holub auf seinen südafrikanischen Reisen gesammelten
und im Pavillon des Amateurs zu Wien ausgestellten Arten.

Von

Dr. Emil Holub und Aug. von Pelzeln.

Mit 2 Tafeln in Farbendruck, Holzschnitten und 32 Zinkographien.

11.54.36

è·

WIEN.
Alfred Hölder, k. k. Hof- und Universitäts-Buchhändler.
1882.

Seiner

Kaiserlichen und königlichen Hoheit

dem

Allerdurchlauchtigsten Kronprinzen

ERZHERZOG RUDOLF

in tiefster Ehrfurcht

gewidmet

vom

Verfasser.

VORWORT.

Ob den unausgesetzten, seit dem Schlusse meiner südafrikanischen Ausstellung in Wien in Angriff genommenen Vorbereitungen für meine nächste Forschungsreise nach Süd- und Centralafrika, Vorbereitungen, die einestheils das Beschaffen der zu einem solchen Unternehmen nöthigen Geldmittel, dem Kaufe der nöthigen Objecte und eine weitere wissenschaftliche Ausbildung in sich begreifen, ist es mir leider nur in einem beschränkten Masse möglich, die wissenschaftlichen Resultate meiner Reise der Oeffentlichkeit zu übergeben. Fachmänner, deren Namen sich eines ausgezeichneten Rufes erfreuen, *Prof. Steindachner, v. Pelzeln, Baron v. Thümen, Prof. Neumeyer, Prof. Zittel Sir Josef Hoocker, Prof. Bommer, Dr. Berwerth, Dr. Nickerle, Dir. A. Dohrn, Prof. Jeiteles* und Andere, haben mit meiner Wenigkeit die wissenschaftliche Bearbeitung einzelner Partien übernommen. Manche dieser Arbeiten sind bereits im Drucke erschienen, andere werden eben dazu vorbereitet. Der mir mehrmals gestellten Anforderung, ein ethnologisches Werk über Südafrika zu schreiben, konnte ich aus der Ueberzeugung — zu den gesammelten Erfahrungen noch weitere über die mir noch nicht oder weniger bekannten Stämme hinzufügen zu müssen — nicht nachkommen, doch hoffe ich diese Arbeit nach der nächsten Rückkehr aus Afrika ausführen zu können.

Eine der ersteren Arbeiten, deren Revision mir jedoch ob wichtigen, mit der nächsten Reise zusammenhängenden Verpflichtungen nicht eher als bis in den letzten Wochen möglich war, ist die vorliegende. Ich suchte wo möglich ihren Umfang einzuschränken und erlaube mir in einer gewissen Hinsicht, z. B. bezüglich der Jagdskizzen, die

südafrikanischen Vogelwelt betreffend, auf die »Sieben Jahre in Südafrika« zu verweisen.

Da ich die meisten Beobachtungen auf dem Marsche machte und
an Orten eines längeren Aufenthalts zu sehr von der Ausübung meiner
für den täglichen Unterhalt so nothwendigen ärztlichen Praxis in
Anspruch genommen wurde, so war ich nicht in der Lage mehr über
den Nestbau und das Brutgeschäft der einzelnen Arten zu berichten,
als es hier geschehen ist!

Was das Descriptive betrifft, so wurden in der folgenden Zu-
sammenstellung nur von jenen Arten, die als »neu« erschienen und
von solchen Exemplaren, die der Form oder dem Gefieder nach
besonderer Erwähnung verdienten, Beschreibungen geliefert. Vorwiegend
war die Aufmerksamkeit der Verfasser auf die geographische Verbreitung, sowie auf das Biologische der Vögel gerichtet.

Wien, k. k. Prater, im September 1881.

Dr. Emil Holub.

I.

Accipitres — Raubvögel.

___

Accipitres diurni — Tagraubvögel.

I. Vulturidae — Geier.

Otogyps auricularis (Daud.) — Ohrengeier.

Sharpe Cat. Brit. Mus. I Sp. 5.

Gemein in Südafrika, wenn auch nicht so häufig wie der Fahlgeier. Die dunkle Farbe seines Gewandes und seine Grösse erlauben
es dem Beobachter, ihn von diesem schon von der Ferne zu unterscheiden, selbst auch dann, wenn er hoch über uns dahin segelt,
wobei jedoch die einzeln sichtbaren grossen Schwungfedern, (namentlich bei umwölktem Himmel), das wichtigste Unterscheidungsmerkmal
bilden. Bei einer Versammlung von etwa 30 Fahlgeiern findet sich ein
Ohrengeier vor. Die ersteren räumen ihm dann auch willig eine Stelle
an dem Cadaver ein, ohne dass sich das grössere und stärkere Thier
rauflustiger als seine fahlen Genossen zeigen und diese vielleicht von
dem gemeinsamen Mahle verdrängen würde. An einem Nachmittage
im Winter des Jahres 1877 brachten mir zwei Schwarze von der die
Central-Diamantenfelder von Süden her begrenzenden Ebene einen
der grössten Ohrengeier, die ich je in Afrika beobachtet habe. Der
Vogel hatte sich an einem Maulthiere so gütlich gethan, dass er
trotz der mächtigen Schwingen die höheren Sphären nicht mehr
gewinnen konnte und sich den herantrollenden Menschen auf Gnade
und Ungnade ergeben musste. Hätten die Schwarzen nicht zufällig
schon öfters an meinem Hofzaune gegafft und so Kenntniss von meiner
Menagerie genommen, wäre wohl der »dunkle Abdecker« für seine
»Völlerei« mit dem Tode entlohnt worden; so jedoch dachte man sich,
den Aasgeier nutzbar zu machen und ihn an den weissen Naga* für
einige Schillinge zu veräussern. Während der eine Schwarze den
Vogel reizte, so dass dieser den einen Flügel ausspannte und ihn zur
Abwehr erhob, fasste der Andere die eben ausgestreckte Flügelspitze

---

* Medicinmann.

und als sich darauf der Vogel mit dem zweiten Flügel zu befreien suchte und auch diesen erhob, ward er auch vom zweiten Angreifer erfasst und in dieser Stellung, wie ein Kind bei den Fingern seiner ausgestreckten Arme, zu mir geführt! Die zufällig bei mir anwesenden Kranken wie meine Wenigkeit konnten uns eines herzlichen Lachens nicht erwehren, so komisch war der Anblick der nahenden Gruppe! Das neu aufzunehmende Mitglied meiner Menagerie schritt gravitätisch zwischen seinen Schergen einher, nur zeitweilig neigte er den Kopf nach der oder jener Richtung hin, und da er dann in der Regel einer solchen Bewegung einen wuchtigen Schnabelhieb nachfolgen liess, so sprang dann der oder jener der beiden Schwarzen rasch zur Seite, wobei sie jedoch den Flügel festzuhalten suchten. Bald waren wir auch über den Kauf einig. Mit je einem Schilling stellten sich die dunklen südafrikanischen Söhne des Basutostammes zufrieden und ich machte mich noch in der folgenden mondhellen Nacht daran (bei Tage hätte es meinem ärztlichen Berufe zu sehr geschadet), dem neuen Ankömmling einen grossen Behälter zu bauen. Der Vogel gedieh sehr wohl, ward von mir nach Europa gebracht und befindet sich gegenwärtig in Prag, ohne dass ich ihn jedoch im Laufe der letzten zwölf Monate wieder gesehen hätte. Er gab mir nicht viel Mühe, noch bereitete er mir so oft Verdruss, wie das wilde Geschwisterpaar der Steppenadler. Obwohl mit keinen besonderen Fähigkeiten ausgestattet, war er doch oft wegen einer Eigenthümlichkeit, einer auffallenden »Eitelkeit«, bewundert. Hierin übertraf er selbst die schönen Pfauenkraniche!

Ein kalter Morgen zwingt uns das Lager in dem durch einen riesigen Feuerherd mit der Aussenwelt und ihrer Kälte communicirenden Lehmhäuschen zu verlassen und uns durch eine Bewegung draussen im Höfchen zu erwärmen. Die meisten Thiere in dem Höfchen rings um uns schlummern noch. Dafür sind die Silberschakale vollkommen munter, auch die Springhasen, welche die wiederholten vergeblichen Scharrversuche in ihrem gepflasterten Behälter noch nicht aufgegeben haben und endlich Prinz, der Löwe! Zuerst zu ihm, und nachdem wir ihm geschmeichelt, hinüber zu dem dunkelbraunen Ohrengeier. Wie gerufen erhebt er den Kopf; der dichtbefiederte Halsmuff verhüllt noch den Hals und das Hinterhaupt. Es ist eben empfindlich kalt, ja es friert und da mag der schnurrige Otogyps seinen nackten Hals wie den von Federn entblössten Kopf ebensowenig partiellen Erfrierungen aussetzen, wie er diese Organe gegen Regenwetter, kalten Wind und andere Witterungs-Unannehmlichkeiten mit einem gleichen Emporziehen des befiederten Halsmuffes zu schützen sucht. Doch wir wollen einmal den hässlichen Nackthals, wie auch etwas von der Eitelkeit des Vogels sehen, und so holen wir rasch ein Fleischstück, rufen das Thier mehrmals an und zeigen ihm den vielversprechenden Bissen. So angesehen, angesprochen und gekirrt, kann der Otogyps nicht gar lange widerstehen. Gravitätisch, seitwärts und äusserst langsam auf dem Sitzbalken ausschreitend, nähert sich das Thier der weitmaschigen Drahtgitterwand seines Behälters und eben jener Stelle, an der wir stehen.

Wir treten ein wenig zurück, denn ohne eigentlich heimtückisch zu sein, hat der Vogel seinen rohen, für Hiebe und Haue — die er bei den überaus zahlreichen Meetings an den Cadavern erlernte — so sehr empfänglichen Charakter beibehalten. An der Käfigwand angelangt, beäugelt uns der eitle Patron und will sich uns nun in seiner ganzen Grösse und seiner vermeintlichen Schönheit zeigen. Der Körper wird gestreckt, Hals und Kopf aus dem Muff hervorgeholt und bald nach vorne, bald nach aufwärts gewendet, einmal die nackten Halsfalten des Halses über das Cranium gezogen, um im nächsten Augenblick wieder ausgeglitten und der Kopf von neuem gestreckt und dabei — doch all' dies in sehr bedächtiger Weise — hin und her gedreht, förmlich verrenkt zu werden! Diese Ausstreckungen und Verrenkungen seines edelsten Organes begleitete der dunkle Aasgeier mit nicht minder bedächtig ausgeführtem Hin- und Hertreten auf dem breiten Querbalken, ohne dass er die Stelle verlassen hätte, als bis er mit dem Fleischstücke für seine zur Schau getragene Eitelkeit entlohnt worden war! Zuweilen färbte sich dabei, wie auch im Momente der Aufregung, die blasse Hals- und Kopfhaut dunkelroth, welche Befriedigungs- und Zornröthe dann entweder rasch verschwand, oder auch stundenlang sichtbar blieb. Einigemale kamen Thiere in seinen Behälter gelaufen; kleinere, wie Igel, Klippdachs, Chenalopex, Schildkröten etc. wurden langsam, mit halbausgebreiteten Flügeln umschritten, ohne dass ihnen ein Leid zugefügt wurde, grössere, wie Hunde etc., flössten dem Vogel einen solchen Schrecken ein, dass er von seinem Querbalken zur Erde sprang und laut schreiend in einen Winkel flüchtete.

Ich wunderte mich nicht wenig über seine geringe Gefrässigkeit. Er frass nicht mehr wie einer der Steppenadler und brachte mir so die Ueberzeugung bei, dass an der Uebersättigung, die zuweilen den Vogel an einer raschen Flucht hindert, nur ein lang erduldeter Hunger schuld sein möge. Das dargereichte Fleisch verzehrte er zumeist auf der Erde, wobei er sich dasselbe mit den starken breiten Klauen von der Verunreinigung mit Erde und Sand rein zu machen suchte.   *H.*

Gyps Kolbii (Daud.) — Südafrikanischer Fahlgeier.

Sharpe Cat. Brit. Mus. 8.

Zu tausenden von Exemplaren während meines siebenjährigen Aufenthaltes im Süden des afrikanischen Continentes beobachtet. Sowohl die Küstenstriche, wie die Karoo und die hochbegrasten oder auch stellenweise mit Bäumen und Gebüsch überwachsenen Ebenen zwischen dem Oranjeflusse und dem Molapo und Limpopobogen bilden in Südafrika seinen Hauptaufenthaltsort. In den mittleren und nördlichen Betschuanaländern, wie im allgemeinen in ausgedehnten, ebenen Waldpartien ist er spärlicher anzutreffen; am centralen Zambesi habe ich ihn während eines siebenmonatlichen Aufenthaltes auch nicht ein einziges Mal erschaut! Seine Lieblingsorte sind schroff abfallende Felsenhöhen in einer Höhe von 50 bis 200 Meter unabsehbare Gras- oder Karoo-Hochebenen überragend; an den Küstenstrichen jedoch werden höhere Felsenpartien gewählt. Es sind dies theils isolirte Tafel- und Spitzberge, theils Ausläufer und hervorragende Kuppen von mehr oder weniger ausgedehnten Höhenzügen.

Dem Reisenden fallen diese von dem Geier seit Jahren und wohl Jahrhunderten behaupteten Wohn- und Schlummerstätten leicht und weithin — schon aus einer Entfernung von 10 bis 20 englischen Meilen — in die Augen. Wir sehen hier zu unserer Rechten an einer nahen, im bräunlichen Gewande, dort zur Linken an einer entfernten, vom bläulichen Schimmer übergossenen, uns entgegenwinkenden Höhe weisse Punkte. Es sind riesige, schroffe Felsenpartien, von dem Unrath des Vogels weiss getüncht. Von diesen Standorten unternimmt der Aasgeier seine weiten Züge in die Nachbargebiete, um seine hungrigen Gefühle und den Hunger seiner Brut zu stillen, doch auch — um sich als Wohlthäter des Menschen zu erweisen.

Früh am Morgen, zumeist bevor noch im fernen Osten das goldene Himmelsgefährt seine Laufbahn in dem unendlichen Aether begonnen, verlassen die Hungrigsten der Colonie ihre felsigen Schlummerstätten und machen sich daran, die nächste Umgebung abzusuchen. Der namentlich in den Sommermonaten so reichliche Thau und die hellen Herbst-Reifkörnchen werden von dem starken, durch die Bewegungen auf dem Boden an den Schwingen und am Stosse abgewetzten Gewande abgeschüttelt, der beflaumte Hals gestreckt und man verlässt den heimischen Ort. Sind es Commandorufe, denen gemäss sich hie und da einer aus der Gesellschaft ablöst, um nach dieser oder jener, ein jeder nach einer bestimmten Richtung, zuerst mit raschem Flügelschlag (um vollends die Nässe vom Gefieder abzuschütteln und, um die Muskeln zu einem stundenlangen Fluge aufzumuntern), dann langsamer und allmälig höher steigend, davon zu rauschen? Die ersten Kundschafter, ob freiwillige oder dazu wach gerufene — was zu constatiren ausser unserer Möglichkeit liegt — haben sich schon auf 1000 auch bis auf 2000 Schritte entfernt, als eine zweite, etwas zahlreichere, Schaar den Felsen verlässt, um sich wie die erste nach allen Richtungen zu zerstreuen; so wiederholt sich dieses Schauspiel, bis die meisten der Vögel, mit Ausnahme der kranken und jungen Thiere, ihren Wohnort mit den Lüften vertauscht haben. Jene, die ausgeflogen waren, sind nun über eine riesige Strecke Landes vertheilt; das weitsichtige, ausgezeichnete Auge eines Einzelnen beherrscht mit voller Sicherheit aus einer Höhe von 1000-2000 Fuss eine Strecke von dem Umfange einiger englischen Meilen, sie Alle aber — ein riesiges Gebiet. Manche schweben so hoch, dass wir sie von Adlern und Kranichen nicht zu unterscheiden vermögen, und doch entgeht ihnen keine versprechende Beute. Das scharfe Gesicht sucht nicht allein da drunten die Erde sorgsam ab, es schweift auch nach vorne und hinten, ja nach allen Seiten hin, da wo die nächsten Geier kreisen, so dass sich die gesammte nahrungsuchende Gesellschaft von den kranken und zurückgebliebenen, oder den wenigen wohl durch langes erfolgloses Suchen müde gewordenen und heimgekehrten Thieren — bis zu den 10-30 englische Meilen und darüber von der Ruhestätte entfernten, miteinander in vollster Verständigung befindet. Hat einer dieser Abdecker ein todtes, grösseres Thier etc. erschaut, so senkt er sich sofort auf dasselbe herab. Und diese seine Bewegung wird auch sofort, kaum dass sie begonnen, von den in der Ferne sichtbaren Gefährten wahrgenommen und als Lockruf aufgefasst; sie kommen, sich langsam in einer allmäligen schiefen Linie herabsenkend, — herangerauscht. Das Verlassen der Schwebstelle eines jeden der neuen Ankömmlinge war auch von seinen Nachbaren bemerkt, wohl gedeutet und auch schon befolgt worden, und so langen denn immer wieder weitere Vögel an,

ja noch dann, wenn schon das Meiste des Cadavers bis auf die Gebeine
aufgezehrt erscheint, und sich die ersten Ankömmlinge bereits als
»gesättigt« zurückgezogen haben. Hat man sich in der Nähe verborgen,
so fühlt man den starken Luftdruck, durch das rasche Senken der
langbeschwingten Geier erzeugt, und hört auf hunderte von Schritten
das damit verbundene Geräusch. Da, wo noch vor wenigen Minuten
der Cadaver eines weissrothgescheckten Rindes lag, sehen wir nun
eine wogende graubraune Masse, es sind einige 20 Vögel, die da um
das Fleisch laut hadern, sich kneifen und gegenseitig besudeln. Jene,
die sich gütlich gethan, gehen abseits und hocken sich an den Termitenhügeln nieder, um dann einzeln nach und nach emporzufliegen und
langsam kreisend ihrer früheren Schwebestelle, doch zumeist ihrer
Schlummerstätte, zuzusteuern. Jene, die sich schwer angefressen hatten,
ruhen dann hie und da eine kurze Zeit aus, hier auf einem Baume, dort
an den auf ihrem Heimweg liegenden Höhen, während eine von ihrer Beute
wiederholt verscheuchte Schaar noch auf einige Minuten, immer höher
und höher steigend, über der ungastlichen Stelle schwebend verbleibt,
dann noch eine Zeitlang en bloc die Gegend absucht, bis einzelne
scheiden und sämmtliche nach und nach auf ihre Posten in den
Lüften zurückkehren. Der Abend aber vereint wiederum alle, die am
Morgen ausgezogen waren, auf der heimischen Felsenstätte.

Beim Anschleichen eines Hundes, der Schakale, des Canis pictus
und der Hyänen weichen wohl die Geier, doch nur, um sich in kurzer
Entfernung niederzulassen und die Sättigung der vierfüssigen Räuber
ruhig abzuwarten. Den Menschen lassen sie auf 100 bis 50 Schritte
herankommen. In Südafrika werden im Allgemeinen die Aasgeier
geschont, obgleich so Mancher sein neues, eben erkauftes Gewehr an
den nützlichen Thieren zu erproben sucht. Es sind wohl Fälle bekannt,
doch nur wenige und aus Gegenden, wo den Thieren selten ein
Cadaver vorliegt, dass sie verwundete Thiere und gesunde Kälber angegriffen und getödtet hätten. Der dadurch erzeugte Schaden ist jedoch im
Vergleich zu dem Nutzen, welcher der Gesundheit des Menschen durch
die Vertilgung faulender thierischer Organismen von Seite dieser Vogelarten erwächst, so gering, dass man mit Recht die südafrikanischen
Aasgeier dem Schutze der betreffenden Regierungen und der Dankbarkeit der Privaten warm anempfehlen muss.

Die häufig auftretende Lungenfäule der Rinder, die jährlich in
den Herbstmonaten, vom Februar bis Mai wiederkehrende endemische

Pneumonie bei Pferden, welche in manchen Districten diese nützlichen Thiere mehr denn decimirt, die zuweilen unter dem Kleinvieh ausbrechenden Seuchen, welche bei den Tausenden von Schafen und Ziegen, die wir in sehr vielen Farmgehöften vorfinden, oft sehr rasch um sich greifen und durch ihre zahlreichen Opfer die Atmosphäre verpesten, stellen sich die Otogypse und Gypse sofort als die einzigen, raschesten und billigsten Abdecker ein. Sie lassen die reinen Skelette zurück und diese, in wenigen Stunden von der Sonne trocken gedörrt, sind der menschlichen Gesundheit nicht nur nicht schädlich, sondern den sich gegenwärtig in Südafrika so mehrenden Strausszüchtern, in Folge des, für das Gedeihen der Strausse so nöthigen Phosphorkalkbedarfes, sehr nützlich. Von den mir bekannten und theilweise erwähnten Krankheitsstoffen, welche neben der Ueberanstrengung der Ochsen und Maulessel von Seite der die meiste Verfrachtung in Südafrika bewerkstelligenden Transportriders, den Aasgeiern die meiste Nahrung zuführen, kenne ich nur einen, der dem Aasvogel schädlich, ja sogar tödtlich wird, — es ist der Milzbrand, und mir sind Fälle bekannt, wo die Eltern, die ihren Jungen Fleisch von den an diesem schrecklichen Uebel zu Grunde gegangenen Thieren heimzubringen suchten, während des Fluges todt niederfielen. Zum Glück für den Menschen, wie für die nützlichen Geier, gehört dieses Uebel nicht zu den häufigeren Krankheitstypen der Hausthiere Südafrikas. Ausser durch ihre Abdeckerdienste in den civilisirten südlichen Landgebieten, erweisen sich die Otogypse und Gypse zuweilen auch für einige der uncivilisirten Eingebornen-Stämme von einem besonderen Nutzen. Unter den letzteren meine ich die frühesten Mischlinge der Betschuanas mit den Buschmännern, die Barwas und Masarwas, sowie die späteren, zwischen diesen und den Betschuanas, die Makalahari. Doch kann man diesen Umstand, wenn auch in einem geringeren Grade, das heisst seltener und in der Regel nur, wenn dazu durch Nahrungsnoth getrieben, auch bei den Batlapinen, Barolongen etc. beobachten. Es ist die Nutzmachung einer kreisenden und einfallenden Aasgeierschaar in wildreichen Gegenden, wo thierische Seuchen seltene Erscheinungen sind und wo die Geier zumeist von dem von schlechten Schützen verwundeten und auf der Flucht zu Grunde gegangenem Wilde leben, oder wo sie die Reste einer Löwenmahlzeit für sich in Anspruch nehmen. Der Masarwa, ohnehin als Jäger und Betschuanasklave, mit dem Absuchen der Wildniss begriffen oder auf dem Anstand lauernd, folgt so rasch er kann

2

durch Schluchten und dichtes Gebüsch der für ihn so vielverheissenden Vogelschaar, um noch rechtzeitig beizukommen und einen Antheil an der Löwenbeute, oder an dem einige Meilen oder auch Tagreisen weit von der Stelle seiner Verwundung (wie beim Elephanten) verendeten Wilde zu beanspruchen.

Während meiner ersten Versuchsreise kam ich eines Tages selbst mit meinen Gefährten in eine ähnliche Lage und musste zu einem Stücke Wild meine Zuflucht nehmen, das von irgend einem Boer angeschossen, unweit des von Bloemhof nach Klerksdorp (südwestliche Transvaal) führenden Weges seinen Wunden erlag, und worauf wir eben durch die einfallenden Geier aufmerksam geworden waren. Das Thier, ein starker Blässbockramm, musste vor 2-3 Stunden verwundet worden sein, es war, wie die frische Wunde deutlich bewies, an einer allmäligen Verblutung erlegen, ohne dass eines seiner edleren Organe verletzt worden wäre. Die Geier hatten an dem Cadaver Augen und Zunge herausgerissen, den Brustkorb eröffnet, da sie jedoch den von uns gesuchtesten Theil, die hintere Hälfte, noch unberührt gelassen hatten, war diese bald von dem Körper abgetrennt und auf den Wagen in Sicherheit gebracht worden.

Dass sich die Vögel nur zuweilen an noch lebende und verwundete Geschöpfe wagen, beweisen die äusserst seltenen Fälle, wo sie sich auf die namentlich zur Zeit der Dürre allenthalben liegen gebliebenen Zugthiere stürzen. Weder meine Wenigkeit noch einer meiner Berichterstatter hatte je einen solchen Fall beobachtet, obgleich ich sie doch für möglich halte. Zur Winterszeit, da oft die Gegenden in der centralen und nördlichen Capcolonie und in dem Gebiete zwischen dem Oranje und Vaal ob langer Regenlosigkeit einen traurigen Anblick gewähren, wo selbst in ausgedehnten Landstrecken die fahle Erdfarbe praevalirt, haben die behörnten Zugthiere der Frächter viel von Hunger und Kälte zu leiden. Die Folgen davon stellen sich bei den altersschwachen oder überangestrengten Thieren in einer raschen Ermattung ein; solch ein Thier wird dann — leider — einfach zurückgelassen, es wankt seitwärts ab, um an dem unwirthlichen Lateritboden niederzustürzen und liegen zu bleiben, oder bei seinen wiederholten Versuchen sich einem Gewässer zu nähern, in dem Schlamme der Flüsse und Teiche einzusinken und an beiden Orten langsam und auf die elendeste Weise zu verschmachten. Die armen Thiere sind vollkommen wehrlos, und doch bleiben sie bis zu ihrem Absterben vor den Angriffen der Geier verschont.

Ich sah nur wenige südafrikanische Fahlgeier, an einigen Gehöften gezähmt gehalten, ziemlich zutraulich, jedenfalls zutraulicher als Otogyps auricularis.

Der Gyps Kolbii verbreitet einen starken Moschusgeruch und ist gleich seinen übrigen südafrikanischen Familien-Mitgliedern gar sehr von zahlreichen äusseren wie inneren Parasiten, unter den ersteren namentlich von an ein Centimeter grossen Läusen geplagt.   *H.*

II. Falconidae — Falken.

Aquila rapax (Temm.) — Steppenadler, Raubadler.

Sharpe Cat. Brit. Mus. I 242.

Aquila naevioides (Cuvier); Falco rapax (Temm.) Pl. Col. 455.

Schnabel bläulichgrau; Iris gelblichgrau; Füsse schwefel- und auch ockergelb.

Mehrere Thiere erlegt, einige gefangen gehalten, unter den Ersteren auch zwei noch nicht vollkommen erwachsene Thiere, eines im Limpopothale (Bakwenaland), das zweite im Tschanengthale, im Lande der östlichen Bamangwato erbeutet.

Ein muthiger, in der Capcolonie, dem Oranje-Freistaate und in den Betschuanaländern ziemlich häufiger Vogel. Paarweise streicht er langsam in den hohen Lüften dahin. Sein durchdringender Ruf ist gewöhnlich das leitende Motiv für seine Wahrnehmung und der vorsichtige Boer greift sofort nach der verlässlichen Rifle, um den gefürchteten Lämmerfänger, falls er sich senken würde, nicht wieder in die Lüfte aufsteigen zu lassen. Paarweise und einzeln sah ich diese Adler an den Felsenhöhen hocken; an Stellen. wo sich ihnen zahlreiche Beute bot, wo ihnen jedoch keine hervorragenden Felsenzacken eine Umschau gönnten, waren es kleine, auf der Höhenkuppe emporstrebende Zwergbäumchen, zumeist Mimosen, die sich die Thiere zum Ausruhen und Auslugen wählten. Auf den Ebenen traf ich das Thier sehr selten an, häufiger schon den Gaukler. Höhen und Höhenzüge, die ihm reichliche Nahrung bieten, verlässt der Raubvogel nur ausnahmsweise, und dann versucht er sich blos in so kurzen Ausflügen in die Ebenen ringsum, dass der Farmer, der sein Gehöfte am Fusse einer solchen Höhe gebaut, die Nachbarschaft des Vogels kaum gewahr wird. Auf einer der vielen, mit Gestrüpp und niederen Mimosen bewachsenen, oben abgeflachten Tafelhöhen ist das Thier nicht leicht zu ersehen, doch reichliches Gewölle und zahlreiche Knochenüberreste der Berghasen und Klippschliefer, hie und da der Klippspringer und Roiböcke, ja selbst der Günsterkatze und der am Fusse der Höhen in Erdbauen wohnenden Mangusten und Erdeichhörnchen zeugen nur zu deutlich von seiner unumschränkten und sicheren Herrschaft. Wenn der Steppenadler auch nicht einer der schönsten seiner Sippe genannt werden kann, so besitzt er doch die übrigen Eigenschaften, die das Thier zum Adler prägen und verdient unsere Beachtung. Da er bald auf den mässig hohen Bäumen, an den Ufern der Flüsse und am Fusse seiner Lieblingshöhen, oder in den Mimosenkronen auf den Flächen der Höhenkuppen sein grosses Nest baut, so wird seine Brut häufig ausgenommen und auf die Frühmärkte gebracht. So erwarb ich mehrere Exemplare und brachte zwei davon mit mir nach England. Im Jahre 1877 und 1878 zählte ich drei zu meinen Gefangenen. Alle drei stammten aus einem Neste; der mir zuletzt überbrachte war in seiner Entwickelung bedeutend zurück. Das Gefieder war heller, der Vogel schien so matt und schwach zu sein, dass er kaum zu sitzen vermochte, und obgleich er sich mit der Zeit im Allgemeinen besserte, blieb er doch in der Körperentwickelung hinter seinen beiden Genossen zurück. Was mir jedoch bei seinem Zustande besonders auffiel, das war seine Zutraulichkeit und Gutmüthigkeit, und eben diese seine leichte Zähmung stach von der unverminderten Scheu und Wildheit seiner beiden Genossen grell, doch lobenswerth ab. Er nahm die dargereichte Nahrung aus der Hand, spielte mit dem ihm gereichten Stabe und besah sich neugierig die Umstehenden. Seine beiden Geschwister, die ich anfangs von ihm getrennt hielt, geberdeten sich schon bei unserem Herantreten an ihren geräumigen Behälter wild und flogen wiederholt gegen das Drahtnetz, so dass sie sich ihre Flügel mehr weniger blutig schlugen. Jedes plötzliche und laute Geräusch, ein Schrei, Schlag oder Schuss hinter ihrem Behälter, regte die beiden wilden Genossen in ähnlicher Weise auf, während Asi dabei ruhig blieb, und später, als ich ihn ob Raummangels seinen Geschwistern beigesellte, von diesen so stiefmütterlich behandelt wurde, dass ich doch für das arme Aschenbrödel einen neuen Behälter erbauen musste. Ruhig liess er die Kinder und kleines Gethier: wie Katzen, kleine Hunde, die Wildenten etc. herankommen, während seine Genossen aus ihrer Behausung zu entfliehen und sich auf dieselben zu stürzen suchten. Ebensowenig wie eine solche Aussicht auf Beute meines

trauten Asi's Raubsucht reizte, ihm die blassen, um das zweite Jahr
dunkler gefärbten Kopffedern in Aufruhr brachte und sträuben machte,
ebensowenig störte ihn das Erscheinen von grösseren Thieren: von
Schakalen, grossen Hunden, einem Pferde etc., von Geschöpfen, deren
Herannahen sein wildes Brüderpaar entsetzte, dass es sich wie bei
der Annäherung des Menschen äusserst wild geberdete.

Asi frass halb so viel wie seine Genossen, die je einer etwa ein
halbes bis ein Pfund Rindfleisch verzehrten und sich oft dabei um dasselbe zausten. Hieben sie dann ausnahmsweise unsanfter als gewöhnlich
auf einander ein, so geschah der erste Angriff mit einem Klauenhiebe.
Einen Adler oder Geier in den Lüften erspähend, liessen sie sofort
ihren Ruf hören; machte sich bei ihnen das Hungergefühl kund, so
flogen sie auf den Boden herab und eilten längs der Sprossen, die
den Unterbau ihres Behälters bildeten, hin und her, um dann sofort
das ihnen gereichte Fleisch zu erfassen; Asi fasste es stets bedächtig
mit dem Schnabel oder hob den ihm auf die Erde geworfenen
Bissen gelassen auf.

Seine Brüder fuhren auf das Fleisch mit gesträubten Kopffedern los und suchten es mit kräftigen Klauenhieben scheinbar
zu tödten.

In den endlosen Walddickichten der Betschuanaländer wählen
sich die Adler die einzeln stehenden Bäume auf den Lichten zu ihrem
Lieblingsplätzchen aus.

Unbeweglich, ja recht träge ruht hier der Vogel von seinen kurzen
Flügen aus, zu denen er sich nur dann bequemt, wenn das wache und
scharfe Auge eine Bewegung in den Lüften, im Grase oder an den kahlen
Bodenstellen erspäht und ihm eine Beute gezeigt. Die beiden jungen,
von mir im Bamangwatolande erlegten Exemplare hatten ihre Ver-
dauungsreservoirs mit Eidechsen gefüllt, und es machte mir viel Mühe,
den auf einem wohlgewählten hohen Posten Umschau haltenden Räubern
mich zu nähern.

Ich erlaube mir noch von einem der Steppenadler zu berichten.
Der folgende Fall dünkt mir hinreichend, um darzuthun, dass die
Fähigkeiten dieses Raubvogels seine Abrichtung zu Jagdzwecken gestatten, ja vielleicht reichlich entlohnen würden. Der Versuch müsste
jedoch mit einer Zähmung in frühester Jugend beginnen, da man wohl
sonst (an meinen beiden Gefangenen ersichtlich) auf keine nennenswerthen Erfolge rechnen dürfte.

Ich war auf meiner Zambesireise in das freie Ländchen der Korannas gekommen. Nach einem mühsamen Uebergange des Hartsflusses zogen wir quer durch die rechte Thalsohle gegen die Höhe von Mamusa. Letztere ist von einem mässigen, nach drei Seiten schroff abfallenden Felsen gebildet, der auf seiner flachen Kuppe die Ueberreste der noch vor wenigen Jahren an 10.000 Einwohner zählenden Korannastadt Mamusa trägt und nach Nordwest in ein bewaldetes Hochplateau übergeht. Wir hatten nach einer kleinen Stunde diese Partie erreicht und fuhren unter hundertjährigen Kameeldornbäumen über den Sattel zum zweitenmale hinab zu dem Hartsflusse, um an dem Einzelgehöfte des Herrn *Merguson*, der mit den Korannas, den Batlapinen und Barolongen rege Tauschgeschäfte betrieb, einige Stunden zu rasten. In der Betrachtung der Gegend versunken, ward ich plötzlich durch meines dunklen Dieners Mahnruf gestört. »Herr, nimm rasch Dein Kugelrohr zur Hand, ich sehe vom Thal herauf einen Lämmerfänger heranfliegen.« Auch diesmal bekundete das Auge des Mischlings seine überlegene Schärfe. Ein alter Steppenadler, der dunkelste, den ich je beobachtet, von einfärbig-dunkelbraunem Gefieder, kam langsam und bedächtig herangerauscht und liess sich auf dem untersten Queraste eines etwa hundert Schritte abstehenden niedrigen Kameeldornbaumes nieder. Ich liess das Gefährt stille halten, um den Vogel nicht aufzuschrecken, schlich mich, durch zwei der Mimosen gedeckt, bis auf 60 Schritte an und feuerte dann den rechten Lauf meiner kleinen Schrotflinte auf das Thier ab. Da ich mit Hilfe dieses Gewehres bereits zwei mächtige Geier aus den Lüften herabgeholt hatte, fühlte ich mich diesmal durch meinen Misserfolg sehr enttäuscht; denn nach dem Schusse flüchtete der Vogel nach derselben Richtung, von wo er gekommen war. Wir fuhren die Höhe hinab, spannten aus und ich machte mich sofort auf, um Herrn *Merguson* als Reisenden, der nach Norden bis zum N'Gami-See vorgedrungen war, kennen zu lernen. Vor dem flachgedeckten ebenerdigen, aus Steinen aufgeführten Waarenlager stand der Gesuchte, eben im Begriffe, von einigen zugereisten Batlapinen einige 20 Gnu- und 60 Blässbock-(Antilopen-)felle für Schiessbedarf und Branntwein zu erstehen. Ich aber fand bald an einigen gezähmten Turteltauben, Francolinusarten und Perlhühnern hinreichenden Beobachtungsstoff. »Halte zuweilen viel von solchem Zeug da,« meinte der herantretende Händler und wies damit auf die Objecte meiner Betrachtung, »gegenwärtig habe ich nur diese und einen prächtigen Lämmerfänger; muss

mich nach Jack umsehen«. Als jedoch der Vogel dem wiederholten
Rufe seines Herrn nicht folgte, umgingen wir die Besitzung, um ihn
zu suchen. »Dort auf dem Schuppen sitzt er ja, der faule Jack und
kommt nicht? Komm herab, du sollst etwas dafür haben;« doch der
Vogel kam nicht und ich sah zu meiner Ueberraschung, dass er jenem
aus den Kameeldornbäumen sehr ähnlich sehe, ja ob den, dem Schnabel
entfallenden Bluttropfen mit ihm auch identisch sei. Die kleinen
Schröte hatten ihn nur leicht verwundet, doch auch in eine unbe-
hagliche Stimmung versetzt und darob des Vogels ungewohnte Weigerung,
dem Rufe seines Herrn Folge zu leisten! Ich konnte mich nur glücklich
schätzen, ihn nicht vollends getödtet zu haben. Nachdem ich meinem
Führer die Ursache des Ungehorsams seines Lieblings auseinander-
gesetzt hatte, bat ich ihn, eine entsprechende Vergütung von mir
anzunehmen, die er jedoch sofort ausschlug und nur damit vorlieb nahm,
dass er sich von mir eine Skizze seines Gehöftes erbat, welchem Ansuchen
ich auch sofort zu willfahren suchte und *Merguson* noch am selben
Abend das Verlangte überreichte. Sein Jack war weit und breit den
Eingebornen, wie auch den von der Transvaal nach den Diamant-
feldern mit Korn und Mehl fahrenden Boers und den vorüberziehenden
Elfenbeinhändlern wohlbekannt, von Allen wohl gelitten und, sozusagen,
von einem jeden für seine Zutraulichkeit reichlich entlohnt. Leider
hatte ich die letztere missverstanden, ja sogar in der Sucht, einen
schönen Adlerbalg für meine Sammlungen zu gewinnen, gar schlecht
vergolten.

So wie sich — zuweilen schon auf eine Entfernung von 2-3
engl. Meilen — eine der Riesenpeitschen hören liess, stiess der Adler
von dem Gehöfte ab, hob sich, rasch und ziemlich gerade aufstrebend,
in die Lüfte empor, um dort oben Rundschau zu halten, und dann,
nachdem er hinreichend ausgekundschaftet, rasch auf die heran-
ziehenden Riesenwägen loszusteuern. Denselben genaht, senkte er sich
entweder sofort zu ihnen herab, oder umkreiste sie einigemal, bevor
er sich auf das Wagendach niederliess. Ohne durch die fortgesetzte
Fahrt beunruhigt zu fühlen, blieb er eine Zeit lang auf dem
Wagen und nahm von den Wageninsassen am liebsten rohe Fleischstücke, doch auch erlegtes Haar- und Federwild entgegen. Nachdem
er dies theilweise oder vollständig verzehrt hatte, verliess er das gast-
liche Gefährt und begleitete dasselbe in mässiger Höhe über demselben
hin- und herkreisend bis zu *Merguson*'s Gehöfte. Es geschah oft, dass

er im Laufe desselben Tages von dem letzteren aus noch einigemale dieses Gefährt besuchte. Mit der Hühnersippe des Hofes lebte er im besten Frieden und machte nur manchmal den Hunden einen Bissen streitig. Er begleitete Herrn *Merguson*, dessen Bruder und die dunklen Diener, sowie er sie mit Gewehren bewaffnet, auf die Ebene hinausziehen sah, auf ihren Pfaden und nahm von den trefflichen Schützen wiederholt manche Beute entgegen, um sie theils sofort zu verzehren, doch zumeist heimzutragen und sich hier ihrer zu erfreuen, oder sie sich auch manchmal für ein Stück rohen Fleisches als Tauschobject abnehmen zu lassen.

Als ich zwanzig Monate später auf meiner Rückreise vom Zambesi Mamusa zum zweitenmale besuchte, fand ich die Brüder *Merguson* nicht vor, das Gehöfte ziemlich verwahrlost, sah auch keine Spur von Jack, der sich, wie ich ein Jahr zuvor von einem Elephantenjäger im Bamangwatolande vernommen, von der ihm von mir beigebrachten Verwundung vollkommen erholt hatte. —

In England schenkte ich Asi und einen seiner wilden Brüder dem Regentpark (Zoological Society of London), der zweite der letzteren war mir auf dem Wege nach der Küste in Cradok entflogen. Nach meiner Rückkehr in die traute Heimat und zur Zeit meines Aufenthaltes in Prag hatte ich Gelegenheit, von dem hohen Interesse Kenntniss zu erlangen, das Seine kaiserl. Hoheit Kronprinz *Rudolf* vor Allem der südafrikanischen Vogelwelt und speciell den mächtigsten Beherrschern der Lüfte angedeihen lasse. Dies hohe Interesse, das Seine kaiserl. Hoheit den Adlern widmet, machte den Entschluss in mir reif, bei der Rückkehr nach Südafrika, von Neuem nach einem Brüder-Trio des A. rapax zu fahnden und es der Menagerie zu Schönbrunn zu übersenden. *H.*

Aquila Verreauxii (Less.) — Kaffernadler.
Sharpe Cat. Brit. Mus. 234.

Das freie Kaffraria und die bewaldeten, hügeligen Küstenstriche der Capcolonie bilden die eigentliche Heimat dieses kräftigen und schönen Adlers. Ich beobachtete ihn im centralen Südafrika nie über die Capcolonie nach Norden hin und ersah das schönste Exemplar in Grahams-Town, wo der Vogel von dem Curatorium des städtischen Museums in einem geräumigen Behälter im Hofraume des Gemeindehauses gehalten wurde. *H.*

Spizaetus Coronatus (Linn.) — Gekrönter Adler.

Sharpe Cat. Brit. Mus. 266.

Beobachtete den Vogel zweimal während meines Aufenthaltes in Südafrika. Ein Specimen, äusserst zahm, von einem Händler aus den südlichen Betschuanaländern nach Kimberley zu Markte gebracht, und ein zweites, mir aus der südlichen Transvaal zugesandt. Dieses geberdete sich sehr wild und schien unter all' den Vögeln, die als Vertreter sämmtlicher Ordnungen von mir gepflegt wurden, am meisten unter dem Einflusse schlechter Witterung zu leiden. Kälte, Regen und Winde trieben das Thier sofort in die Ecke seines Behälters und nur diesen Uebelständen habe ich den Verlust des schönen, durch das Emporrichten seiner prächtigen Federkrone auffälligen Adlers zuzuschreiben. Ich halte das Thier für einen ständigen Bewohner der bewaldeten wärmeren Küstenstriche Südafrikas.   *H.*

Haliaetus vocifer (Shaw.) — Schreiseeadler.

Sharpe Cat. Brit. Mus. 310.

Schnabel bläulichgrau; Iris, Schnabelhaut, Füsse gelb.

Obwohl von Vielen in der Capcolonie und an dem Oranje- und Limpopoflusse beobachtet, habe ich selbst den Vogel zum erstenmale an den Ufern des mächtigen Zambesistromes erschaut. An den fernen Makumba-Stromschnellen, nahe bei Impalera (im Marutsereiche) erlegte ich das erste Exemplar, das mir in Südafrika zu Gesichte kam. Trotz meines Erfolges gelangte ich doch nicht in den Besitz des schwerverwundeten Vogels; denn durch wiederholte Flügelschläge und von der Strömung fortgerissen, kam derselbe in wenigen Minuten in Tiefwasser, wo er mir sofort von den heranschwimmenden Krokodilen streitig gemacht wurde.

Der Schreiseeadler gehört zu den Charaktervögeln der unmittelbaren Zambesiufer. Man zollt immer wieder den in der Regel in einzelnen Pärchen auf dem Uferrande, zuweilen auch auf den Uferbäumen anscheinend träge hockenden Adlern die gebührende Aufmerksamkeit, die auch ohnehin schon der weit hörbare, scharfe Doppelruf des Vogels auf sich lenkt. Unter den Fischen fallen ihm zumeist die seicht gehenden Raubfische — von den Marutse Inquisi genannt — zum Opfer und wiederholt nahm ich wahr, wie vorüberfahrende Fischer den Vogel verscheuchten, um sich der, in dem Sande zurückgelassenen, von ihm nur zur Hälfte verzehrten Beute zu bemächtigten. Nie sah ich ihn Angriffe auf Sumpfvögel wagen, und dennoch waren die Uferstellen, die er occupirte, auf einige hundert Meter nach beiden Richtungen hin sehr arm an den sonst am Zambesi so zahlreichen Stelzen- und Schwimmvögeln. *H.*

Helotarsus ecaudatus (Daud.) — Gaukler.
Sharpe Cat. Brit. Mus. I 300.

Ein Weibchen. Eierstock in beginnender Grössenzunahme.

Haut an der Schnabelwurzel zinnoberroth; Iris violett; Füsse hellzinnoberroth; Klauen schwarz.

Ich beobachtete den Gaukler viel seltener in Südafrika als die erstgenannte Species, doch auch wie diese hoch in den Lüften segelnd, zuweilen langsamer in einer geraden Richtung dahinschwebend, öfter aber auch in weitem Bogen, wohl über einer beuteversprechenden Stelle kreisend. Hat dem schönen Raubvogel eine nähere Betrachtung des etwaigen Opfers das Hungergefühl rege gemacht, die Raublust gesteigert, so senkt er sich langsam »streichend« zu demselben herab, oder er wendet sich scheinbar ab, segelt rasch zurück oder seitwärts, um sich plötzlich zu wenden und mit stark nach oben gekehrten Flügelspitzen ziemlich rasch in einer schiefen Richtung auf das Opfer einzufallen. Dadurch wird es ihm auch zuweilen möglich, das durch das Herniedersausen aufmerksam gewordene, geängstigte und sich in raschem Laufe oder in niedrigem Fluge zu retten trachtende Wild durch einen raschen Vor- oder Längsstoss über dem Boden hin, zu erfassen und emporzutragen. Er bäumt gerne auf isolirten Bäumen und vorragenden Felsenzacken auf und ist unstreitig in seiner Erscheinung wie in seinem Gebahren der schönste und edelste der Adlersippe Südafrikas.

Der Vogel wurde von einem meiner Patienten zwischen Kudusplace-Farm und Du-Toits-pan (centrale Diamantenfelder) im Spätsommer 1878 erlegt. *H.*

Der oben erwähnte Vogel ist ein typisches Exemplar, das ganz mit *Levaillant*'s Bateleur (Ois. d'Afr. t. 7) übereinstimmt. Er zeigt intensiv rostrothen Rücken, graue Binde der Secundarien, die Unterseite der Flügel ist rein weiss.

Es scheint mir zweifelhaft, ob nicht der Gaukler ohne Flügelbinde (Helotarsus brachyurus L. *Brehm*) dennoch als artlich verschieden zu betrachten sei. *P.*

Falco biarmicus (Temm.) — Feldeggsfalk.

Falco cervicalis (Licht).

Falco biarmicus (Temm). *Sharpe* Cat. Brit. Mus., 1391 etc.

Unterseite röthlichweiss; ganz einfärbig; an den Flanken einige schwarze Flecken.

Im Westmatabele am linken Ufer des Tatiflusses von *Dr. Bradshaw* erlegt und von ihm erkauft. Wählt sich hervorragende Bäume auf den felsigen Höhen an den Tati- und Schascha-Ufern zur Rundschau aus und stellt Eidechsen und Vögeln nach.   *H.*

Falco minor (Bonap.) — Kleinwanderfalk.

Sharpe Cat. Brit. Mus. I 383 12.

Von *Dr. Bradshaw* im Thale des Panda-ma-Tenkaflusses im nördlichen Theile des Ost-Bamangwatolandes erlegt. Schnabel schwarzgrau, an der Wurzel gelb; Füsse ockergelb. Nahrung: Vögel, Mäuse, Heuschrecken.   *H.*

Stimmt mit dem von Baron *Hügel* vom Cap erhaltenen Exemplare der kaiserlichen Sammlung ganz überein, nur sind an der Brust statt Flecken Schaftstriche.   *P.*

Falco Dickinsonii (Sclater.) — Dickinson's Falke.

Cerchneis dickersoni. *Sharpe* Cat. Brit. Mus. 447.

Ein Weibchen ausgestellt. Iris braun; Augenringe und Schnabelwurzel goldgelb; Schnabel schwarzblau; Füsse gelb; Nägel schwarz.

Am 20. April im nördlichen Theile des Ost-Bamangwatolandes in den sandigen »Lachenplateaus«, nahe den Tamafophaquellen, von *Dr. Bradshaw* erlegt.

Gehört zu den selteneren Arten der Falken des centralen Südafrika. Bewohnt den aus Laubbäumen gebildeten Niederwald, auf ausgedehnten Lichten und hochbegrasten Ebenen jedoch die bebäumten Flussufer; ich beobachtete ihn nicht südlicher als bis zum 22.⁰ südl. Breite. Seine gesuchteste Nahrung sind kleine Vögel, vor Allem werden die kleineren Finkenarten häufig seine Beute. In kleinen Gesellschaften lebend und träge im Fluge, bieten sie dem Räuber hinreichende Gelegenheit für einen erfolgreichen Angriff.   *H.*

Tinnunculus rupicolus (Daud.) — Südafrik. Thurmfalk.

Cerchneis rupicicoloides. *Sharpe.* Cat. Brit. Mus. 432.

Weibchen. Füsse hell orangegelb; Nägel schwarz; Schnabel schwarz, gegen die Wurzel schwefelgelb; um die Augen einen schwefelgelben Hautring.

Am 2. Juli im Thale des Matebeflüsschens bei Linokana (West-Transvaal) erlegt.

Einer der kleinsten der südafrikanischen Tagraubvögel. Sein Lieblingsaufenthaltsort sind kahle, trockene Wegstellen, doch zuweilen auch hochbegraste und bebuschte Partien der riesigen Ebenen Südafrikas. An den ersteren sind es isolirte Steine, auf der begrasten Ebene »Termitenhaufen« und in den stellenweise bebuschten Partien die Spitzen der hervorragendsten Mimosen-, Fahl- und Blaubüsche, die er aufsucht, um nach einer Beute zu spähen oder nach genossenem Mahle seine Siesta zu halten. Zuweilen lässt sich der Falke in der Nähe menschlicher Wohnstätten nieder und wird zutraulicher, wenn er auch sonst, eine Annäherung auf 60-30 Schritte gestattend, nicht besonders scheu genannt werden kann.

Seine tägliche Tafel besteht meist in Mäusen, Eidechsen und Heuschrecken, die er theils über dem Boden dahinstreichend »aufnimmt«, theils durch einige Minuten 4-8 Meter hoch über ihnen schwebend, auf sie »einstösst«.

Zu verschiedenen Perioden hielt ich das Thier in Behältern (in den Jahren 1876, 1877 und 1878 nicht weniger als acht Stück); die Thiere gewöhnten sich ziemlich rasch an den Menschen, wenn auch nicht alle in gleichem Masse und gleich rasch. Die Zutraulichsten nahmen das Fleisch (etwa $6\frac{1}{2}$ Decigr. in einem Tage) aus meinen Händen, und hatte ich nicht hinreichend geboten, so suchten sie die Finger mit dem Schnabel zu fassen, doch verwundeten sie nicht, ausser man neckte sie mit einem Strohhalme, Blatte etc. Um so eher vergriffen sich die Scheuen, von denen zwei die ganze Zeit ihrer Gefangenschaft hindurch etwas zurückhaltend blieben, an der Hand, wobei man auch leicht ersehen konnte, dass manche ihren Fürsorger sofort von Fremden, namentlich die weisse Hand von der des dunklen Dieners zu unterscheiden vermochten.

So oft man mit der Hand im Käfige erschien, erhoben die Scheuen ein durchdringendes Zetergeschrei; ähnlich schmähend eiferten auch die vollkommen Zahmen, wenn sich eine Katze, ein fremder

Hund oder Schakal etc. ihrem Käfige näherte, oder man sie zu necken suchte, ja sie eilten dann mit gesenktem Vorderkörper auf den Halm oder die Hand los und suchten einen der scharfbekrallten Fänge einzuschlagen, wobei sie die Halsfedern sträubten und, zum Schnabelschlage bereit, den gehobenen Kopf zurückbogen.

Im Allgemeinen vertrugen sie sich leidlich untereinander, doch versäumten es die meisten nicht, die nach genossenem Mahle in dem Näpfchen zurückgebliebenen Fleischstücke bei Seite zu tragen und über denselben zu wachen. Eines Tages brachte man mir einen Thurmfalk zum Kaufe, den man angekettet hielt. Das arme Thierchen geberdete sich sehr wild, und ich kaufte es nur, um es von dem Kettchen, welches die Arterien des Unterschenkels durchgeschnitten haben mochte, zu befreien. Der Fuss starb ab, trocknete ein und entfiel dem Vogel bei einer Gelegenheit, als er sich etwas mehr ereifert hatte. Der Vogel aber gedieh ganz vortrefflich mit seinem Stelzfusse, doch entkam er mir auf der Heimreise, als einst der Diener seinen Käfig zu schliessen vergass. Todte Mäuse, weniger Eidechsen, zogen meine Gefangenen den vorgeworfenen frischen Fleischstücken vor. Da sie in der Regel auf mässig hohem Mimosengebüsch ihre Nester errichten, werden sie häufig von den Holländern, wie auch von den Eingebornen ausgenommen und zu Markte gebracht.   *H.*

Tinnunculus rupicoloides (Smith.).
Sharpe Cat. Brit. Mus. I 432.

Weibchen. Füsse dunkelocker; Nägel schwarz; Nahrung der des Vorigen ähnlich.

Am 6. August im Thale des Matebeflüsschens bei Linokana (West-Transvaal) erlegt. Ein Gleiches wie über die vorigen Species ist bezüglich des Aufenthaltsortes zu sagen, wenn der Vogel auch nicht gleich häufig genannt werden kann.   *H.*

Milvus aegyptius (Gmel.) — Schmarotzermilan.
Sharpe Cat. Brit. Mus. I 320.

Schnabel, Füsse hell schwefelgelb; einer der gewöhnlichsten der südafrikanischen Raubgesellen unter den befiederten Bewohnern der Lüfte; am häufigsten in den südlichen Hochplateauländern bis zum

22.⁰ südl. Breite gegen Norden, von da ab selten. Jagt alles, was er bezwingen kann, ist ebenso muthig wie verwegen, doch durchaus nicht einer der Scheuesten seines Geschlechtes; oft schwebte er nur 5-6 Meter über uns dahin oder liess uns, auf einem Termitenhügel, Teichdamme etc. hockend, auf 60-30 Schritte herankommen: Die Meisten, die ich erbeutete, schoss ich über mir aus dem Fluge herab. Auf wasserarmen Ebenen stellt er den Steppenhühnern, Lerchen, Mäusen und Heuschrecken, in bewaldeten Partien und Thälern den Turteltauben, Baumeichhörnchen etc. nach; auf Dämmen und in der Nähe von Regenlachen findet er sich nicht minder häufig, um Mäuse, Schwimmvögel und Reptilien zu erhaschen. Da, wo sich die Vögel in den menschliche Wohnungen überhängenden Felsenhöhen eingenistet haben, werden sie sowohl zu regelmässigen als unangenehmen Besuchern der Hühnerhöfe. Ich fand folgendes Mittel wohl erprobt, um sich ihrer zu entledigen: Man befestigt an einem im Hofraume eingetriebenen Pfahl ein handbreites Stück Fleisch. Es währt nicht lange, und schon kreisen einige über dem Hofe, plötzlich stösst einer der Räuber ein und muss, so wie er die Pfahlspitze berührt, mit einem wohlgezielten Schusse niedergestreckt werden. Die Dreistigkeit des Vogels gestattet es, zuweilen zwei bis drei an einem Morgen, und einige Tage oder Wochen darauf abermals einen oder mehrere zu erlegen. Sein schöner Flug ist der Beachtung werth. Er kreist hoch, streicht auch niedrig dahin, doch meist in mittlerer Höhe von 20-40 Meter, führt rasche und langsame, wohl berechnete, horizontale, wie schief abfallende Schwenkungen aus und dies oft ohne mit den Flügeln zu schlagen; doch um so kräftiger und rascher, ja oft blitzschnell steuert der prächtige Gabelschweif des dunkelbraunen Räubers ein. Erlegte mehrere Exemplare, so eines bei Kimberley, je eines im Banquaketse und Bakwenalande, am Limpopo, in der Transvaal etc. Zur Zeit der Heuschreckenschwärme erweisen sich die Schmarotzermilane, wie die meisten der auf lebende Thiere stossenden Tagraubvögel, äusserst nützlich. *H.*

Elanus coeruleus (Derf.) — Gleitaar.

Sharpe Cat. Brit. Mus. I 336.

Ein Weibchen, am 29. August an einem Gartenzaune unmittelbar bei Linokana erlegt. Eierstock mit zuckererbsengrossen Eiern.

Ein Männchen, am 31. Juli in den Schilfrohrdickichten des Matebeflüsschens, beide in der Umgegend von Linokana, der Baharutsestadt im Maricodistrict der westlichen Transvaalrepublik erbeutet. Iris roth, zwischen Carmin und Zinnober; Schnabel schwarz, gegen die Wurzel, sowie die ein wenig umgeschlagene Mundschleimhaut schwefelgelb; Füsse schwefelgelb, mit einem Stich ins Orangefarbene; Nägel schwarz. Nahrung meist kleine Singvögel.

Ich fand die schmucken Raubvögel nicht wieder. Um Linokana bemerkte ich einige Pärchen. Sie schienen nicht besonders scheu und liessen mich bis auf 30 Schritte herankommen. Da ich mir einen der Vögel lebend verschaffen wollte, und mich dabei, wie gewöhnlich, nur auf mein Gewehr verlassen konnte, so scheuchte ich einen aus dem Feigenzaune des Missionsgartens auf und wagte dann den oft schon glücklich erprobten Flügelschuss. Ich traf und gewann das Thier. Es erholte sich, blieb jedoch sehr wild und starb, nachdem ihm unvorsichtigerweise einer meiner Diener einen Vogel zum Frasse gereicht, dessen Fleisch einige Schrotkörner enthielt. Blutzersetzung, bewirkt durch das in den Eingeweiden zurückgebliebene Blei, führte seinen Tod herbei.   *H.*

Von Interesse ist die abweichende Zungenbildung der Geschlechter.   *P.*

Melierax musicus (Daud.) — Singhabicht.

Melierax canorus.

Sharpe Cat. Brit. Mus. I 87.

Drei Exemplare ausgestellt:

1. Ausgefärbter Vogel, im Hartriverthal im Jahre 1873 erlegt.

2. Ein Vogel im Jugendkleid, erlegt im Vaalthale im Februar 1872. Der Vogel folgte den Heuschreckenschwärmen, die Insecten im Fluge erhaschend, wobei er neben Vögeln dahinjagte, die sich sonst in seine Nähe nicht gewagt hätten.

3. Ein Vogel im Jugendkleid bei Linokana am 16. Juli 1876 erlegt. Männchen im Wintergewand, Sommergewand der ersten Jahre heller.

Iris citronengelb; Schnabel schwärzlichgrau an der Spitze, gegen die Wurzel in Blauroth, dann Orange und endlich ins Zinnoberfarbige übergehend; Füsse zinnoberroth; Nägel schwarz. Hatte Eidechsen, Mäuse, Vögel und Insecten im Kropfe und Magen.

Häufig im centralen Südafrika, im Gebiete des Oranje- und Vaal-flusses beobachtet und an Flussufern, auf freien Grasebenen, sowie in bewaldeten und bebuschten Felsenpartien angetroffen. Er lässt den Menschen nahe herantreten. Wiederholt beobachtete ich den schmucken Raubvogel längere Zeit hindurch über die Erde dahinstreichend und fand, dass seine Nahrung zumeist in Reptilien und zwar hauptsächlich in Eidechsen bestehe. Sein langsamer »Strich«,* dann wiederum sein Schweben über der Stelle, wo sich eben eine flüchtige Eidechse in ein Erdloch gerettet, das Ueberstürzen im Fluge, d. h. das rasche Umschwenken — wenn eben im Fluge, einige Meter hoch über dem Boden begriffen — von einem plötzlich nach unten geführten Stoss begleitet, machen den Raubvogel immer wieder der Betrachtung werth. Das grau melirte Gewand, der zinnoberrothe Schnabel und die gleich grell gefärbten Füsse lenken jedoch auch schon die Aufmerksamkeit eines vorüberreitenden Laien auf sich und erhöhen das Interesse, welches der Forscher dem schönen Vogel entgegenbringt.   *H.*

Das erst erwähnte Exemplar ist bedeutend grösser als das zuletzt angeführte. Seine Flügellänge beträgt 12″ 8‴ (33 Cm). Es ist in der Färbung einem in der kaiserlichen Sammlung befindlichen jungen M. musicus sehr ähnlich. Das zuletzt erwähnte Individuum zeigt ein sehr eigenthümliches Kleid, von dem hier eine Beschreibung folgt:

Oberseite ziemlich lichtbraun, die grösseren Flügeldecken licht gesäumt, einige der grossen Deckfedern an der Basishälfte mit 3-4 unregelmässigen weissen Flecken, im Nacken eine neue, ganz schiefer-graue Feder, Oberschwanzdecken weiss, Ohr- und Stirngegend schiefer-grau, unterer Theil der Kehle gelblichweiss mit braunen Schaftstrichen, Brust blassbraun, die einzelnen Federn braun mit weisslichen Rändern und dunkelbraunen Schäften; Bauch lichter, die einzelnen Federn weiss mit dunkler Basis, einer breiten, braunen, nach hinten in eine Spitze ausgezogenen Binde und ockerfarbenen Enden; weiter unten wird die ganze Zeichnung ockerfarbig; ein paar einzelne Bauchfedern sind weiss mit 6-9 braunen Querbinden (wie am alten Vogel); die kleinen Unterflügeldecken ockerfarbig mit braunem Schaft und breiter weisser Binde, die grösseren gelblich mit etwa fünf dunklen Quer-binden. Hosen weisslichgelb mit undeutlichen, dunklen, welligen Quer-bändern; Schwingen dunkelbraun, Mittelschwanzfedern dunkelbraun,

* Dahinstreichen.

3

die folgenden immer lichter, die äussersten gelblichweiss mit vier winkeligen dunkelbraunen Binden. Ganze Länge 20″ (53 Cm.), Flügel 12″ 8‴ (33 Cm.), Schwanz 9″ (23 Cm.), Tarse 3″ 3‴ (8 Cm.) Die einzelnen schiefergrauen Federn am Kopf und Nacken, sowie die ebenso vereinzelt gewellten Bauchfedern scheinen unzweifelhaft zu beweisen, dass wir hier ein junges Männchen vor uns haben, das im Begriffe steht, durch Mausen das Kleid des ausgefärbten Vogels abzulegen.   *P.*

Melierax gabar (Daud.) — Gabar-Sperber.

Sharpe Cat. Brit. Mus. I 89.

Zwei Weibchen Mitte Juli und ein Männchen am 6. August in der Umgebung von Linokana im Matebethal erlegt. Eine in Südafrika sehr gemeine Sperberart. Nährt sich von Mäusen in erster Ordnung, dann auch von Insecten; kleine Vögel zeigten sich nicht scheu vor ihm; er schien mir der gemüthlichste unter dem kleinen Raubgezüchte und durchaus nicht scheu. Seitlich vorragende Aeste der Quitten- und Granatäpfelzäune waren der häufigste Aufenthaltsort dieser zahlreich im Matebethal vertretenen Art.   *H.*

Der südafrikanische Gabar ist bedeutend grösser als jener von West- und Nordostafrika, wie *Temminck* (Pl. col.) bereits erwähnt, und wie es auch die im kaiserlichen Museum befindlichen Exemplare zeigen. Die letzteren sind ein altes Männchen aus Nubien, vom Berliner Museum ein junges Männchen, ein altes und ein junges Weibchen aus dem Sennaar von *H. Kotschy*.

Ein ausgefärbtes Exemplar vom Cap, welches erstere Sammlung 1820 von *Temminck* in Tausch erhielt, zeichnet sich durch besondere Grösse aus; seine Flügellänge beträgt 8½″ (22 Centimeter).   *P.*

Melierax gabar. var. nigra — Schwarzer Gabar.

Melierax niger.

Sharpe Cat. Brit. Mus. I 91. *T. Ayres* und *J. H. Gurney*, Wien. 1878, 282.

Männchen und Weibchen. Das erstere von *Bradshaw* im Mai am unteren Marico (linkes Ufer) im Lande der Bakwena, das Weibchen am Vaalufer nahe bei Bloemhof in der Transvaal von *Walsh* erlegt.

Iris schwefelgelb; Schnabel schwarz; Füsse hellorange mit schwarzen Deckschuppen; die Tarsusfläche auch hinten schwarz gesprenkelt; Nägel (Zehen) schwarz. Lebt von kleinen Vögeln und ist unstreitig einer der seltensten der südafrikanischen Raubvögel. *II.*

Das kaiserliche Museum besitzt vom dunklen Gabar folgende Exemplare: eines aus dem Sennaar von *H. Kotschy;* ein männliches von Fazoglu vom Prinzen von *Württemberg;* eines aus dem Sudan, aus dem Nachlasse des Consuls *Josef Natterer;* eines aus dem Bari-Negerland von *H. v. Heuglin.*

Von diesen unterscheiden sich die vorliegenden Vögel durch bedeutendere Grösse. Männchen, Flügel 7" (18½ Cm.), Weibchen 7" 10''' (20½ Cm.); die Wachshaut des Schnabels ist schwarz (nicht licht), die Beine zeigen schwarze Schilder auf Lauf und Zehen, die Hinterseite des Tarsus ist schwarz gefleckt. *P.*

Astur polyzonoides (Smith.) — Vielbindiger Sperber.

Astur Badius subsp. E. polyzonoides.

Sharpe Cat. Brit. Mus. I 113.

Ausgefärbte Exemplare: Zwei Weibchen, ein Männchen; in der Nähe der Stadt Linokana, im Missionsgarten erlegt.

Schnabel schwärzlichgrau, gegen die Wurzel blass zinnoberroth; Füsse hell orangegelb; Klauen schwarz; die Iris nicht angemerkt, doch wenn ich mich recht erinnere, dunkelbraun. Ferner auch junge Vögel ausgestellt. Ein Pärchen von mir am linken Tatiufer, nahe der Tati-Handelsstation in West-Matabele am 4. April erlegt. Iris grell orangefarben; Schnabel schwarz; Zunge schwärzlich.

Die Thiere sind nicht minder dreist und gefrässig, wie ihre europäischen Brüder und jagen Vögeln von Taubengrösse nach. Geht man ihnen nicht zu Leibe, so nisten sie mit Vorliebe in der Nähe der menschlichen Wohnungen, an denen viele der kleineren Vögel aus den Ebenen ringsum, sowie Turteltauben etc. und zwar zumeist in den Gärten und Zaungebüschen zu übernachten pflegen. Der Vogel hat einen sehr grossen Verbreitungsbezirk und reicht bis zum Zambesi hinauf. Ich fand oft seinen Magen und die Speiseröhre mit Eidechsen (den schmalen Rotheidechsen (Eremias lineo-ocelata) vollgepfropft.

H.

3*

Serpentarius reptilivorus (Daud.) — Secretär.

Serpentarius secretarius. *Sharpe* Cat. Brit. Mus. I 87.

Ich fand das Thier einzeln, doch häufiger in Pärchen, die einzelnen Thiere 10 bis 200 Schritte von einander entfernt, emsig das »Feld absuchen«.

Sie schreiten gravitätisch einher, den Kopf vor- und zurückbeugend. Ihr Gang ist eben so stolz wie leicht, ja selbst graziös zu nennen. So wie sie auf ihrem Wege irgend eine Beute erschauen, springen sie auf dieselbe los. In der Regel theilt der Fuss, welcher der Beute näher steht, den tödtlichen Schlag aus, einen heftigen Schlag, mit oder ohne einen Schnabelhieb begleitet. Wurde eine Schlange erspäht und ist sie von dem Schlage nicht betäubt worden, so dass sie auf ihren Angreifer losfährt, streckt dieser sofort den Flügel der angegriffenen Seite, mit demselben wie mit einem Schilde den Leib deckend, der Schlange entgegen, beugt Kopf und Hals ein wenig zurück, und während das Reptil nun blindlings und erfolglos in das Gefieder der Schwinge einzubeissen sucht, wird sein Kopf oder Nacken von einem wuchtigen Schnabelhiebe getroffen und sein Widerstand vollkommen gebrochen. Ausser Reptilien verschmähen die Secretäre auch Ratten, Mäuse und Vögel nicht, letztere in der Regel in ihrem Neste überraschend. Gezähmt gewöhnen sie sich so sehr an dieselben und an rohes Fleisch, dass sie sehr oft Schlangen und andere Kriechthiere verschmähen. So fütterte einer meiner Berichterstatter aus der westlichen Transvaal einen Secretär zumeist mit Turteltauben und anderem, gleich grossen Wildgeflügel, von dem es in der Nähe seines Gehöftes wimmelte.

Junge Thiere, wenn zu früh aus dem Neste genommen, und selbst, wenn sie schon zwei Drittel ihrer vollen Grösse erreicht hatten, erkrankten an allgemeiner Knochenerweichung; ich beobachtete Fälle wo solch' eine Osteomalatia schon acht Wochen nach der Nestausnahme eine allgemeine zu nennen war.

Der so zu früh dem Neste entnommene Vogel sucht herumzulaufen, doch scheint er bald wie müde zu werden, und hockt sich oft nieder; schon nach wenigen Tagen bemerkt man eine Verdickung an den Epiphysen der Längsknochen, und das arme Thier legt sich nieder, um nicht wieder aufzustehen.

Wenn in einer solchen Lage durch die Annäherung eines Menschen oder Thieres in Aufregung versetzt, wie auch bei seinen Schlingversuchen, beginnt sich ein solcher Vogel hin- und herzuwerfen, welche Bewegungen und Anstrengungen auch nicht wenig zu den auffallenden Verkrümmungen der übrigen erweichten Knochenpartien beizutragen pflegen.

Seitdem ich diese Beobachtung gemacht, strebte ich den Leuten, die mir von Serpentarius-Nestern berichteten, das Ausnehmen derselben auszureden. Die Thiere scheinen erst im Laufe von mehreren Monaten vollkommen gangfähig zu werden. Dies muss wohl auch der Grund sein, dass der Vogel trotz der schonenden Weise, mit der man ihm von Seite der Weissen in Südafrika begegnet, verhältnissmässig nicht so sehr, oder doch nicht so häufig, als es allgemein wünschenswerth wäre, angetroffen wird. Ob seiner grossen Nützlichkeit können wir ihn dem Schutze der Colonisten nicht genug anempfehlen. In den südafrikanischen Colonien wird ein zweckloses Tödten des Vogels mit 5 Pfund Sterling bestraft.

Nach meinen fruchtlosen, in den Diamantenfeldern angestellten Versuchen, »junge Secretäre« aufzuziehen, nahm ich mir vor, falls sich mir noch eine Gelegenheit bieten sollte, nur erwachsene Thiere zu erwerben; eine solche Gelegenheit wurde mir auch auf meiner Heimreise in der Stadt Cradock (Cap-Colonie) geboten. Ich erstand hier um den Preis von 5 £ St. ein schönes Specimen, das eben seine volle Entwickelung erreicht hatte. Es zeigte sich Anfangs weniger scheu, da ich es in Cradock in einer geräumigen Kammer und später, in Grahamstown, in einem Schuppen hielt. Nur zu Zeiten meiner Uebersiedlungen von einer der auf meiner Heimtour liegenden Stadt nach der anderen und auf der hohen See wurde der Vogel in einem Käfig untergebracht; hier geberdete er sich jedoch äusserst wild, suchte bei unserer Annäherung ununterbrochen aufzufliegen und stiess dabei wiederholt mit dem Kopfe an die Decke seines Gefängnisses, so dass ich ihn, um seine Erhaltung sehr besorgt, gleich nach meiner Ankunft in London an den Regent-Park zu verschenken für gut fand. Hier legte er auch in kurzer Zeit seine Wildheit ab und nahm dem Wärter die Nahrung aus der Hand. Fühlte er sich sehr hungrig, so eilte er dem ankommenden Pfleger entgegen und suchte den zumeist absichtlich die Ratte Zurückhaltenden durch wiederholte, mit dem Watbein auf dessen Fuss geführte Schläge zur Ausfolgung des Leckerbissens zu bewegen. Nach dem, was ich an meinem Gefangenen beobachten konnte, zu urtheilen, kann ich das Thier wohl etwas zutraulich, doch nur mit einem geringen Unterscheidungsvermögen, mit Rücksicht auf seine Pfleger und die an ihn zufällig herantretenden Fremden, begabt nennen. Im Verhältniss zu anderen gezähmten Raubvögeln (mehreren Aasgeier-Arten, Steppenadlern, Schmarotzermilan etc.), muss ich den Beobachtungen Anderer, welche die Secretäre in ihren Gehöften duldeten, beipflichten, dass der Vogel auch nach seiner Zähmung seine Raubgier beibehält, dem Hühnerhofe, wie auch anderen Mitgefangenen, gefährlich wird und auch kleinere Hunde, jedoch noch häufiger den zutraulichsten Hausgefährten aus der Felis-Sippe, angreift. Mein Vogel nahm nur rohes, reines Fleisch zu sich. Er benahm sich jedoch bei dem Auflesen seiner Nahrung äusserst ungeschickt, ausser wenn er auf dieselbe lossprang; dann nahm er sie sofort auf, und schluckte den ganzen Bissen hinunter. War er jedoch dem Futternapf oder dem flachen Fleischteller langsam genaht, so schien es ihm Mühe zu machen, das Fleischstück aufzulesen, so dass es ihm wiederholt entfiel und dabei zumeist mit Erde verunreinigt, von ihm in diesem Zustande nicht weiter berücksichtigt wurde. Treu seiner Gewohnheit, im Freien, verhielt er sich in steter Bewegung, ging in seinem geräumigen Behälter bedächtig auf und ab, oder rannte von einem Ende zum andern; bewohnte er, wie auf meinen Wanderungen, einen Käfig und war er durch die Gegenwart eines Menschen nicht in Unruhe versetzt, so ging er die meiste Zeit des Tages im Kreise herum, oder drehte sich doch wenigstens hin und her.   *H.*

Circus ranivorus (Daud.) — Froschweih.

Sharpe Cat. Brit. Mus. I 71.

Ein Weibchen, den 30. September über den Sümpfen von Linokana (Maricodistrict, West-Transvaal) schwebend, von mir erlegt. Eierstock im zweiten Drittel seines Reifestadiums begriffen. Iris stechend schwefelgelb; Schnabel schwarz, gegen die Wurzel bläulichgrau, mit einer gelben Wachshaut; Füsse citrongelb; Nägel schwarz; Gefieder auffallend weich, flaumig. Nicht selten und nicht häufig; nährt sich von kleinen Vögeln, hauptsächlich aber von den schwarzen, die Sümpfe und Gräben des Matebeflüsschens zahlreich bewohnenden Wasserratten und kleineren Reptilien.

Ein männlicher ausgewachsener Vogel, am 7. October 1876, ebenfalls im Matebethal erlegt. Iris braun; Schnabel ähnlich dem des vorigen; Füsse ockergelb; Nägel schwarz.

Zwei Pärchen davon hielten sich seit Mitte September in dem Bereiche von Linokana auf, sie waren wohl vom Süden hergewandert.

Durch drei Monate pflegte ich ein ausgewachsenes Exemplar, welches als solches im Oranjefreistaate gefangen wurde, und durch die ganze Dauer seiner Gefangenschaft äusserst wild und scheu verblieb. Der Vogel nahm als Nahrung täglich nur einige wenige Fleischstücke zu sich, hielt sich nicht besonders rein und starb an den Folgen seiner Wildheit, indem er bei Annäherung der Menschen wiederholt gegen die Wand seines Behälters anflog und sich dabei erheblich verletzte. Er scheint mir einen weiten Verbreitungsbezirk zu haben und ausser den Marschweihern in der Colonie besonders zahlreich, jene zwischen dem Oranje einerseits, dem Limpopo-Bogen und dem Sirorume andererseits zu bewohnen. *H.*

Accipitres nocturni — Nachtraubvögel.

Strigidae — Eulen.

Glaucidium perlatum (Vieill.) — **Südafrik. Zwergeule.**

Sharpe Cat. Brit. Mus. II 209.

Die im centralen Südafrika allgemein verbreitete Zwergeule; zwei Exemplare von mir, eines von *Dr. Bradshaw,* zwei von *Walsh* präparirt; diese drei letzteren gegen Elfenbein umgetauscht. Ausserdem ein Männchen, von mir am 9. März im Yoruahwalde. Ost-Bamangwatoland erlegt. Iris grell schwefelgelb; Schnabel schwefelgelb, nach der Wurzel zu ins Grünliche übergehend; Zunge an der Spitze etwas gespalten; Füsse blass schwefelgelb; Klauen grauschwarz.

Man sieht die Thiere häufig auf Bäumen im Niederwald, an halbwegs beschatteten Stellen der Flussufer, doch zuweilen auch an vollkommen hellen Orten und im Gezweige abgestorbener Bäume sitzen. Abends, doch häufiger am Morgen bis acht und neun Uhr, lässt die Eule ihr Pfeifen hören, welches auch zumeist den Reisenden auf das Thier aufmerksam macht.

Bei der Eröffnung des winzigen Magens dieses kleinen, ziemlich munteren Thierchens fand ich meist nur Insecten, darunter wiederum zumeist Termiten vor, so dass selbst dieser kleine Vertreter die Nützlichkeit der grossen Ueberzahl der Eulen bekundet. *H.*

Bubo lacteus (Temm.) — Grauer Uhu.

Sharpe Cat. Brit. Mus. II 33.

Von der südlichen Meeresküste bis hinauf über den Zambesi verbreitet. Auf hohen Bäumen, mit dichten Kronen, zumeist an Flussufern, wie überhaupt in der Nähe von Gewässern, wo wir zahlreiches Vogelwild antreffen, und wo sich auch so manches Haarwild zur Tränke einstellt, meist einzeln vorzufinden.

Beobachtete das Thier in dem ganzen centralen Südafrika, wenn auch vom Oranjeflusse nach Norden zu häufiger als in der südlichen Capcolonie. Der Vogel ist weniger scheu wie sein Nachfolger der B. maculosus, und auch weniger häufig. Unter den südafrikanischen Eulen und nach den leicht zähmbaren Stringineen, erkannte ich den B. lacteus in der Gefangenschaft als einen zutraulichen recht komischen Gesellen, und jener, dem ich durch zwei Jahre die Freiheit entzog, entlockte beinahe ausnahmsweise einem Jeden, der meine Menagerie in Bultfontein besuchte, ein aufrichtiges Lächeln. Jedenfalls ist selbst das im Freien lebende Thier weniger wild und reizbar als sein in Mitteleuropa lebender, stärkerer Bruder. Obigen Gesellen erkaufte ich für drei Schillinge von einem Boer aus dem Oranjefreistaate. So lange ich ihn in einem besonderen Käfige hielt, hockte er oft stundenlang auf einer Stelle, liess sich streicheln, wobei er den Kopf vorbeugte und die grossen Augen schloss. Er erfasste kleine, mit der Hand dargereichte Fleischstücke mit dem Schnabel: jene, die man ihm auf einem Brettchen vorlegte, wurden mit den Krallen gehoben, zu wiederholten Malen mit dem Schnabel befühlt, dann zerstückelt oder auch ohne diese Procedur als »ganze« Portionen hinabgewürgt. Seine Zufriedenheit, deren er sich während und nach der Mahlzeit, bei dem Erscheinen von Personen und nach irgend welcher Ansprache, sowie bei dem Vorpfeifen eines Liedes — beide Ovationen, wenn jedoch nur aus unmittelbarster Nähe dargebracht — bewusst zu sein schien, brachte er mit einem zwitschernden Pipen zum Ausdruck. Da jedoch mein Vogel noch nicht vollkommen erwachsen war, so musste ich an eine in der Folge zu erwartende Modulation seiner Stimme glauben, wie ich Aehnliches auch später an dem Vertreter einer weitabstehenden Ordnung, einem jungen Tetrapteryx paradisea beobachtete, der, obgleich schon im Sprunge, sein volles Wachsthum zu erreichen, und auch bereits von normaler Grösse, doch noch das Pipen eines Küchleins von sich gab, was ebenso, wie beim Anhören der Winseltöne des grauen Uhus dem Beschauer unwillkürlich ein Lächeln abnöthigte. Während ich den Vogel im Freien nie auf Felsen oder in Höhlen beobachtete und ihn nur dichte Baumpartien bewohnen sah, scheute mein Thier jegliche Sprossen und Aeste und nahm stets nur mit dem Boden seines Käfigs vorlieb. Seine Zutraulichkeit brachte mich auch dazu, ihn nach einigen Monaten, als ich für mehrere Exemplare der folgenden Uhuart einen geräumigen,

oben gedeckten, ziemlich schattigen und in seiner Mitte eine Felsenpyramide aufweisenden Behälter erbaut hatte, diesen Wellenuhus beizugesellen; es war ein Versuch, den ich durchaus nicht zu bereuen
hatte. Er lebte mit seinen Blutverwandten in inniger Freundschaft
und brachte dieselbe nur zuweilen in einer gar zu innigen und fühlbaren Weise zum Ausdruck. So suchte er mit seinem wuchtigen
schwarzen Schnabel das Gefieder seiner Genossen zu reinigen, wobei
er dieselben in Folge der unmittelbaren Annäherung und seiner Grösse
zurückdrängte und zuweilen, wenn dies an einer der soliden Käfigwände oder auf der Felspyramide geschah, recht unsanft an diese
andrückte! Auch in diesem Behälter mied er das Emporklimmen,
höchstens, dass er sich auf die untersten, etwa zwei Fuss hohen Felsenzacken emporarbeitete, sonst begnügte er sich mit einem Plätzchen
am Fusse der Pyramide oder nahm an der einen Daubenwand
Stellung, um von da durch die Ritzen nach aussen zu schauen. Wenn
ich nicht eben — seiner Formen halber — einen wahren Uhu vor
mir gesehen hätte, das Gebaren des dummdreisten, komischen Gesellen hätte auf einen so mächtigen Raubvogel nicht schliessen lassen.
Von den mitgebrachten und ausgestellten Exemplaren wurde das eine
in einem der gruppenförmig auf den weiten Grasebenen der südwestlichen Transvaal auftretenden, niederen Mimosengehölze, das
zweite in den Uferbäumen des Tsitaniflusses im Ost-Bamangwatoland,
das dritte im Sibananiwalde (an der Grenze des letzteren gegen das
Matabelereich) erlegt. All' diese Fundorte waren reichlich von Galagas,
Mangusten, Rohrrüsslern, Erdeichörnchen, gestreiften Mäusen, schwarzen
Wasserratten, Sing-, Kletter- und Schwimmvögeln bewohnt, so dass
die Uhus ohne besondere Mühe ihren Nahrungsedarf decken konnten
und sich als ziemlich träge erwiesen. Aufgeschreckt suchten sie in
einem der nächsten Bäume eine neue Zufluchtstätte, kaum dass sie
nach dem jedesmaligen Aufstöbern je 100 Meter weitab geflogen
waren. Wie die meisten südafrikanischen Eulen, liessen sie den
Menschen ziemlich nahe herankommen, zeigten sich in dieser Hinsicht
neben Glaucidium perlatum und Strix flammea, als die am wenigsten
scheuen. In dem Magen des im Sibananiwalde erlegten, fanden wir
einen Schizorhis concolor im vollen Gewande eingebettet.

Die Thiere sind wohl sehr gefrässig, ihr Rachen und Schlund
so weit, dass sie einen Vogel von der Grösse einer Holztaube, ohne
sich erst an ihr Abrupfen zu machen, verschlingen können. Gefangen,

43

gewöhnen sich die Thiere an rohes Fleisch, nehmen es jedoch, wenn dasselbe durch Sand, Erde, etc. verunreinigt wurde, nicht zu sich. Erwähnenswerth ist vielleicht auch noch, dass der Federkranz im Gesichte bei manchen so hell ist, dass man ihn als nur »eben deutlich«, bei anderen als grau bezeichnen kann, dass er in der überwiegenden Zahl. der Fälle jedoch vollständig und schwarz erscheint. *H.*

Bubo maculosus (Vieill.) — Wellenuhu.

Sharpe Cat. Brit. Mus. II 30.

Zwei Männchen ausgestellt. Eine grössere Anzahl längere Zeit der Beobachtung halber gefangen gehalten. Von den beiden ersteren wurde eines an der Notuanymündung im Bakwenalande, das zweite an der Farm Oliphantfontein im Oranjefreistaate, erlegt.

Iris schwefelgelb; Schnabel und Klauen schwarz; Füsse grau. Hat denselben Verbreitungsbezirk wie die vorige Species; nur ist sie bedeutend häufiger und gesellschaftlich lebend anzutreffen, indem oft mehrere Thiere in einem Umkreise von 20-1000 Metern ihren Wohnsitz aufgeschlagen haben. Sie gedeihen in der Gefangenschaft sehr wohl, doch fand ich, dass sie sich beinahe in keinem Falle ordentlich zähmen liessen. Wiederholt hatte ich einige in der Pflege, doch kaum, dass mir zwei aus der Gesammtzahl das Fleisch aus der Hand nahmen; meist geschah es, dass die ganze Familie das Erscheinen des Menschen in ihrem Behälter mit Fauchen und Schnabelschlag, ja oft mit duckenden und drohenden Körperbeugungen missbilligte.

Im Allgemeinen würde mir der Bubo maculosus, was sein Gebahren, vor Allem was seine Raubsucht anbetrifft, als ein dem europäischen Uhu nahezu ebenbürtiger Bruder erscheinen, wenn er ihm glücklicherweise eben im Vergleich zu seiner Grösse und Kraft nicht bedeutend nachstehen und sich so weniger schädlich, vielmehr durch die Vertilgung von Ratten, Mäusen und Insecten etwas nützlich erweisen würde. Wenn wir jedoch berücksichtigen, dass bis jetzt und noch auf viele Jahre hin, nur ein verschwindend kleiner Theil des südafrikanischen Continentes, von der Südküste bis zum 16° s. B. dicht bevölkert ist (die Menschen wohnen noch auf jenen grossen Strecken allzu schütter), dass im Vergleich zu dieser Bevölkerungszahl noch all-

zuwenig Land urbar gemacht wurde und dass es eine Legion von
wildlebenden Vierfüsslern und auch zahlreiche Raubvögel gibt, welche
sämmtlich jenen Nagethieren nachstellen, so erweist sich der nun-
mehrige Nutzen der Wellenuhus kaum nennenswerther, als jener der
mittelgrossen Eulen. Der Nutzen ist um so geringer, als die Thiere
eine Masse insectenfressender Vögel, die Millionen von Insecten ver-
zehrenden Scharrthiere und Rohrrüssler etc. neben jenen schädlichen
Nagern mit beanspruchen. Am nützlichsten erweisen sie sich noch
zur Zeit der Heuschreckenschwärme, wo wir sie, ebenso wie die Tagraubvögel und bis auf die Schwimmvögel, wohl wie alle die Ordnungen
der Vögel in Südafrika, im »feisten« Zustande vorfinden!

Meine Gefangenen erhielt ich aus verschiedenen Partien des
Oranjefreistaates und der östlichen Provinz der Capcolonie, und obwohl sämmtliche in ihrer frühen Jugend gefangen waren, so wurde
doch keines so zutraulich wie der Bubo lacteus. Sie erschienen ihm
gegenüber als wahre Gegensätze und zeigten sich böswilig, trotzig,
raubsüchtig, unterschieden weder den Pfleger von dem Fremden, noch
das Pferd von einem Thiere, das ihnen gefährlich werden konnte; alle
lebenden Objecte wurden, sowie sie herangetreten waren, angefaucht.
Wie schon erwähnt, zeigten sich nur zuweilen zwei von allen
etwas weniger scheu und bösartig, wenn auch noch so mürrisch, dass
man ihnen wohl die Nahrung reichen konnte, ihr Gewand jedoch
nicht streicheln durfte.

Im Freien sah ich sie zuweilen, wenn auch beschattete Orte, so
doch solche occupiren, von welchen aus man die nächste Umgebung leicht
besichtigen konnte. Zuweilen sassen sie schon am Tage an ziemlich
hellen, wenn auch nicht gerade grell von der Sonne beschienenen
Felsblöcken. Ich fand die Thiere mit Vorliebe felsige, niedrige wie hohe,
doch nur stellenweise mit Büschen überwachsene Höhenabhänge bewohnen. Sie fliegen dann 2 bis zu 6 Meter hoch auf, streichen leise,
und sich allmälig senkend den Abhang entlang, um sich 50-150
Schritte weit ab, wieder niederzulassen. Ich beobachtete während des
(siebenjährigen) Aufenthaltes in Südafrika wenigstens hundert Exemplare und von diesen mehr denn 70 an felsigen Höhenabhängen, ohne
Rücksicht der Lage der letzteren zum Sonnenlauf, d. h. ohne dass
sie vielleicht den nach Norden und Süden abfallenden Höhenabhängen
den Vorzug vor mehr sonnigen, den östlichen und westlichen gegeben
hätten.

Der Vogel geht erst in vorgerückter Abendstunde auf seinen Raub aus, obwohl er mir auch bei Tage — doch abermals nur auf Objecte, die er von seinem Standpunkte ersehen kann — Jagd zu machen scheint. *H.*

Otus capensis (Smith) — Südafrikanische Sumpfeule.

Sharpe Cat. Brit. Mus. II 239.

Iris dunkelbraun; Schnabel schwärzlich; Füsse schmutzig grünlichgelb.

Eines der ausgestellten Thiere ein Männchen, die übrigen drei Exemplare Weibchen. Ende Juli und Anfangs August erlegt, wobei der Eierstock der Weibchen bereits in zunehmender Reife angetroffen wurde.

Häufig, namentlich in den südlichen Betschuanaländern beobachtet. Die vier vorliegenden wurden von mir in den Schilfrohrdickichten im Matebethale, nahe bei der Baharutsestadt Linokana, erbeutet. Sonst sah ich sie noch in der Transvaal und gegen Süden bis an den Oranjefluss; doch glaube ich, dass sie auch südlicher angetroffen werden; ich beobachtete sie stets in Schilfrohrdickichten, nicht allein in solchen, wie jene von Linokana, wo stellenweise in denselben trockenes Land zu finden war, sondern auch in ausgedehnten Sumpfweihern, dort auf dem Boden, hier auf geknickten Schilfrohrschäften den Tag über hockend. Nähert man sich ihnen, so fliegen sie zuerst in einer Entfernung von 20-40, später von etwa 60 Metern auf und sind im Allgemeinen bedeutend scheuer und vorsichtiger als andere der von mir in Südafrika beobachteten Eulenarten. Sie können auch mehr wie andere der Nachtraubvögel das grelle Sonnenlicht vertragen, was ich sehr oft in den Schilfrohrdickichten des Matebethales zu beobachten Gelegenheit hatte. Nie sah ich eine zweite Eulenart in Südafrika sich im grellsten Sonnenlichte rasch 14-20 Meter und darüber emporschwingen und dann sorgsam hin und her steuernd, langsam kreisen, um sich eine bestimmte und passende Stelle zum Niederhocken auszuwählen. Da ich die zahlreichen kleinen Rohrvögel, meist Finken und Sänger, unbehelligt um die Aufenthaltsorte der Eule und in unmittelbarer Nähe derselben sich tummelnd erblickte, so glaube ich, dass sich diese Nachtraubvögel meist von gestreiften Mäusen, die ohnehin sehr zahlreich die Ufer der Sumpfgewässer bewohnen, sowie von den schwarzen

Wasserratten nähren und auch nächtlich lebende Insecten nicht verschmähen. Zeitlich schon am Abende sieht man sie allenthalben über den Schilfrohrdickichten schweben, doch auch nebenbei das nächstanliegende Feld und dann dicht, über den Boden dahinstreichend, fleissig absuchen. Aufgescheucht wie bei ihrem ersten spontanen Auffliegen am Abend und so lange noch die gesammte Gesellschaft über dem Moraste schwebt — geben die Thiere ein lautes, schnalzendes Gekrächze von sich.

Trotz emsigen Nachforschungen, wobei ich mit meinen Dienern wiederholt die Linokanasümpfe durchkreuzte, vermochten wir kein Nest, weder bebrütet noch verlassen, vorzufinden, und doch wurde mir von den Schwarzen, wie von einigen Boers die glaubwürdigste Versicherung zu Theil, dass die Eulen im dichten Schilf brüten, und vorzüglich in solch' marschigen Partien, wo man nur seichte und kleine Wasserstellen vorfindet. Auf meiner Zambesireise berührte ich auf der Hin- wie Rückfahrt eine der südwestlichen Grenzfarmen der Transvaal, nach ihrem Besitzer *Houman* (einem Boer) und einem Sumpfweiher (Vley) »Houmansvley« genannt. Zu beiden Zeiten bemerkte ich einige Familien der Sumpfeulen den etwa 500 Schritte langen und 100 bis 200 Schritte breiten, vor dem Farmhause sich erstreckenden Weiher bewohnen. Die Beobachtungen aus dem Matebethale fand ich hier bestätigt, nur dass der Weiher neben dem morastigen Charakter auch grössere freie Wasserstellen aufwies, welche von Fischreihern, Blässhühnern, Steissfüssen und Enten bewohnt waren, und von welch' letzteren auch drei Unterfamilien in ·dem Schilfe nisteten. *Houman*, der dem Thierleben auf seiner Farm ein mehr denn gewöhnliches Interesse entgegenbrachte, und der auf seinem grossen, theilweise schütter und niedrig bewaldeten, doch zumeist begrasten Besitz so wohl zu Hause war, dass er von jedem Bau der zahlreichen Höhlenthiere, wie von jedem Neste der grösseren und nennenswertheren Vögel zu berichten wusste, erinnerte sich auf keiner anderen Stelle als eben in dem Gesümpfe Nester der südafrikanischen Sumpfeule gefunden zu haben. Die Vögel schienen hier ähnlich wie in den Weihern am Calvert-Salzsee mit den Stelzen- und Sumpfvögeln in bester Eintracht zu leben. Auch der versumpfte und bebinste Weiher auf Houmans-Farm war, wie jener im Matebethale, von Rauchschwalben, einer Bachstelzenart, von Rohrsängern, der Platysteira pririt, dem Kaffer- und Feuerfink reichlich bewohnt.   *H.*

Ephialtes leucotis (Temm.) — Weissohrige Zwergohreule.
Scops leucotis, *Sharpe* Cat. Brit. Mus. II 97.

Von *Dr. Bradshaw* im nördlichen Ost-Bamangwatolande, in dem das Panda-ma-Tenkalhal umschliessenden Walde erlegt. Selten'; nährt sich von Insecten. Hie und da in den Mimosen- und anderen Wäldern bis zum Vaalflusse nach Süden und aus dem Innern bis über die Drakensberge nach Osten zu, zumeist einzeln angetroffen. **H.**

Ephialtes capensis (Smith) — Cap'sche Zwergohreule.
Scops giu Sub. Sp. & Scops capensis *Sharpe* Cat. B. M. II 52 t. 3 f. I.

Ein ausgewachsenes Zwergeulenweibchen, am 17. März am Wege zwischen dem Sibananiwalde und dem Nataflusse in Ost-Bamangwato (in einem Mimosenbaume) erlegt. Selten; von meinen Bekannten nur zweimal, von mir nur das ausgestellte Exemplar beobachtet worden. Nährt sich von Insecten. Iris schmutzig schwefelgelb; Schnabel schwarz mit einem Stich ins Braune; Füsse und Nägel grünlichgrau. **H.**

Strix flammea (Linné.) — Südafrikanische Schleiereule.
Sharpe Cat. Brit. Mus. II. B. p. 291.

Das ausgestellte Exemplar in dem Sibananiwalde erlegt und ein zweites lebend nach Europa gebracht.

Gemein wie Bubo maculosus, an manchen Orten sehr scheu, an manchen das Gegentheil davon. Wohnt auf Bäumen, auf Felshöhen, in tiefen Erdlöchern, halbverschütteten Brunnen und lässt sich sehr leicht zähmen. Im Freien wählen sich die Vögel mit Vorliebe trockene Orte zu ihrem Aufenthalte. Nässe wird ihnen mehr schädlich als wie ihren Verwandten, sie hat bösartige Augenkatarrhe zur Folge, an denen die Thiere zu erblinden pflegen. Das Pärchen, das ich gefangen hielt, und von dem ich ein Thier nach Europa brachte, nahm die Nahrung aus der Hand, wetzte oft seinen Schnabel an meinen Fingern und geberdete sich sehr zutraulich. Die Thiere horchten auf den ihnen beigelegten Namen und hielten stets getreulich zusammen; ihre Fresslust übertraf die des Circus ranivorus und kam jener des gewellten Uhu gleich. Dafür zeigten sie sich in der Dunkelheit viel munterer und beweglicher als die letzteren und wussten durch ihr allseitiges Gebaren die

Aufmerksamkeit meiner Besucher auf sich zu ziehen. Sie verübelten auch kleine Neckereien nicht, fassten wohl den neckenden Finger oder sonst ein Object, mit dem man sie zu necken suchte, ohne jedoch — wie die Tinnunculi — darauf loszukneifen. Das mit mir eingeschiffte Exemplar erkannte in wenigen Tagen seinen Pfleger, wenn es ihn auch mehrmals wechseln musste und flog ihm entgegen, sowie er das Zimmer betrat. Meiner blieb es so ziemlich stets eingedenk, und wenn ich es nicht aus dem Arbeitszimmer entfernte, flog es am Abend immer wieder an den Schreibtisch und hockte sich nahe an oder selbst auf meinem Buche nieder. Frass es am Tage, so verhielt es sich ruhig bei Nacht und ward zuletzt neben dem Hunde Spot, das einzige mir von den aus Afrika nach Europa herübergebrachten Geschöpfen übrig gebliebene Thier; dies wohl der Grund, warum ich es nicht verschenken wollte. Bald jedoch hatte ich auch dieses Letztere zu bedauern; während meines dritten Aufenthaltes in London kam die Eule durch die Unachtsamkeit meines kleinen Betschuanamädchens ums Leben.

Im Allgemeinen gleicht das Thier unserer heimischen Schleiereule, doch scheint es sich nur noch drolliger zu benehmen und namentlich im Kopfverdrehen Erstaunliches zu leisten. Seine allgemein anerkannte Nützlichkeit macht es eben durch sein Gebaren nur noch beliebter und zur Schonung anempfehlungswürdiger.

Das ausgestellte Exemplar zeigte die Iris dunkelbraun; Schnabel hellgelb mit einem rosarothen Fleck; Füsse dunkelbräunlichgelb. Es wurde an einem Baume in dem Sibananiwald (Ost-Bamangwatoland) erlegt.

Die südafrikanische Schleiereule nährt sich von Insecten, kleinen Vögeln und Mäusen; in der Gefangenschaft ziehen die Thiere die letzteren aller anderen Nahrung vor. Ich beobachtete die Vögel nie so gesellschaftlich wie den Bubo maculosus, sondern stets in Pärchen lebend und bemerkte zuweilen, dass die einzeln lebenden bei Tage ihren Standort wechselten, und dabei was ihnen in den Weg kam und bezwingbar war, zu erjagen suchten.   *II.*

*   *   *

Mit Rücksicht auf ihre Stellung dem Menschen gegenüber, fühle ich mich versucht, die südafrikanischen Accipitres mehr nützlich als schädlich zu nennen. Einmal sehen wir den grossen Nutzen, der durch die Geier den Colonisten in Folge der raschen Beseitigung faulender thierischer, die Luft verpestender Organismen erwächst; wir finden, dass manche der Falken, namentlich die letztern der Gruppe, jährlich Tausende von giftigen Schlangen vertilgen und die übrigen neben dem Abwürgen zahlloser schädlicher Nager, sich bedeutend eifriger, als wie dies in den anderen Welttheilen der Fall ist, mit der Vertilgung von Myriaden schädlicher Insecten befassen, ja manche der grösseren wochenlang nur von Wanderheuschrecken leben. Stellen wir diesen Nutzen dem Schaden entgegen, den die Thiere dem Menschen verursachen, so müssen wir ihn, mit Rücksicht auf die grosse Anzahl der Adler, Falken, Habichte, Weihen und Uhus, als einen geringen bezeichnen. Einmal findet sich noch auf den meisten südafrikanischen Höhen, den Aufenthaltsorten der berüchtigtsten Räuber der Lüfte, so zahlreiches Kleinwild, »kleine Raubthiere, Berghasen, kleine Gazellenarten und Klippschliffer«, dann bergen die Ebenen ringsum »Gazellen und so zahllose Höhlenthiere«, die Moräste und Salzseen ein so überaus »zahlreiches Federwild aus den Ordnungen der Sumpf- und Schwimmvögel«, dass sich die grossen Raubvögel verhältnissmässig nur selten an die wohlbewachten Kleinviehherden wagen. Was die kleineren Tagraubvögel anbetrifft, so werden diese nur local schädlich und selbst dann weniger als bei uns, weil man in Südafrika die Geflügelzucht noch nicht in das richtige Geleis gebracht hat, und man im Allgemeinen in der Thatsache, dass daselbst auf einem gleichen Flächenraume nicht einmal so viel Farmgehöfte als bei uns Dörfer vorhanden sind, eben nicht viel zu schädigen vorfindet. Da ausserdem an jedem einzelnen Farmgehöft und zu jeder Zeit geladene Waffen zur Verfügung stehen, so wird einem etwaigen Angriff eines kleineren oder grösseren befiederten Räubers bei der vortrefflichen Schussfertigkeit des südafrikanischen Colonisten auch sofort mit dem besten Erfolge Einhalt gethan. Von allen Raubvögeln Südafrikas scheint nur der Milvus aegyptius Verluste unter den Seinen weniger zu fühlen, und kehrt immer wieder zu den Gehöften zurück, wie er überhaupt die Nähe des Menschen förmlich aufzusuchen scheint.

Die südafrikanischen Schwarzen, als Vertreter zahlreicher Stämme, verhalten sich ziemlich indifferent den Accipitres gegenüber; ausser einer gewissen Beachtung von Seite der Medicinmänner einiger Betschuanastämme und jener im Marutsereiche, beobachtete ich weder Anzeichen einer erheblichen Verehrung, noch eines besonderen Hasses. Jene

4

Nagas benützen nur die Klauen des Melierax musicus, zuweilen auch die eines Adlers, um sie zu einem Amulet zu formen, wobei sie die scharfen Fänge gewöhnlich in Holzpflöckchen einsetzen oder mittelst Schlangenhaut mit einander zu einem Halbringe oder Ringe verbinden und dann als Verhütungsmittel von bestimmten Krankheiten, als Abwehr gegen etwaige Unfälle und als Hilfe bei gewissen Unternehmungen an den Mann zu bringen suchen. Solche Amulets werden, wie bei den Betschuanas, zumeist an Grasschnüren am Halse, bei den das Marutsereich bewohnenden Stämmen an einem Schnürchen im wolligen Haupthaar getragen, zudem mit bunten Glasperlen, Knöchelchen, Holzstückchen etc. an Gnuhaar angefädelt und ebenfalls als BraceletAmulets und in der Mehrzahl der Fälle von Männern benützt.

Von einigen der Betschuanastämme, wie von den östlichen Bamangwato, wird ausserdem die Eule für ein unreines Thier angesehen. Hat ein Kauz von dem Dache eines Hauses seine Stimme hören lassen, oder hat vielleicht eine Schleiereule auf ihrem Jagdzuge auf demselben ein wenig gerastet, so wird der Naga gerufen, der den entweihten Ort mittelst seiner Zauberkünste von neuem »bewohnbar« machen soll.   *H.*

Bamangwato- und Marutse-Amulete.

II.

Passeres - Sperlingsvögel.

Passeres fissirostres — Spaltschnäbler.

Caprimulgidae — Ziegenmelker.

Caprimulgus Fossii (J. Verr.) — Foss' Ziegenmelker.

Gray Hand-List. I Sp. 623.

Die ausgestellten Exemplare stammen aus demselben Territorium wie Cosmetornis vexillaria, nur etwa 60 englische Meilen südöstlicher, von den bewaldeten Höhen am Panda-ma-Tenkaflusse. Näheres ist mir über das Geschlecht, die Farbe der Iris etc. dieses Exemplares, das ich von *Dr. Bradshaw* für Elfenbein erstand, nicht übermittelt worden.

Auf meinen Ausflügen im Albertslande und dem sandigen Lachenplateau (Ost-Bamangwatoland) beobachtete ich das Thier zu hunderten von Exemplaren, jedoch stets einzeln, dichter aneinander die mehr schattigen Gebüschpartien und spärlicher den schütteren Niederwald bewohnen. Ich fand zuweilen bis 8 Thiere auf einem Flächenraum von 500 Quadratmetern. Die Vögel sassen stets auf der Erde und wussten sich die vegetationsbaren, ihrem bräunlichen Gewande ähnlich gefärbten Bodenstellen zu ihren Ruheplätzchen für tagsüber so wohl auszuwählen, dass ich nie ein Exemplar vor seinem ersten Auffliegen bemerkte, ja selbst da, wo sie sich nach einem kurzen Fluge von 3-20 Metern wieder niedergelassen hatten, nur mit Noth den schön braun und blassviolett gefärbten Vogel auf der Erde wahrnehmen konnte. Sie erheben sich rasch vom Boden, den Wandelnden durch ihr plötzliches Erscheinen überraschend, um, riesigen Nachtfaltern gleich, lautlos, äusserst trefflich und rasch durch das Gezweig der Büsche und unter den Kronen niedriger Bäume dahin zu flattern, und sich wenige Sekunden später mit einer plötzlichen Schwenkung wieder zum Boden zu senken.

Selbst zu wiederholtenmalen aufgescheucht, lässt der Fossische Ziegenmelker den Menschen wie ein grösseres Thier ziemlich nahe herankommen, bevor er sich emporschwingt, um seinen Ruheort zu wechseln. Seine äusserst zarte Haut lohnt leider das Abbalgen recht schlecht. *H.*

Cosmetornis vexillaria (Gould.) — Fahnenflügel.

Hartl. und *Finsch* Vögel Ostafrikas. 12 q. und 566. — *Gray* Hand-List. I Sp. 692.

Vom nördlichen Theile des Ost-Bamangwatolandes an, über den Zambesi nach Norden zu, in dem endlosen Niederwalde, der jene Gegenden charakterisirt, einzeln unter schattigem Gebüsch auf der Erde sitzend angetroffen. Durch den Flug im dichten Gebüsch haben die beiden langen Flügelfedern nicht unbedeutend zu leiden und werden in der Regel beträchtlich abgewetzt. Das ausgestellte Exemplar, ein Männchen, wurde im November 1875 in dem sandigen Walde, der das Leschumothal einschliesst, von *Dr. Bradshaw* erbeutet. Iris dunkelbraun; Schnabel schwarz; Füsse braun. Nahrung: Insecten, meist Käfer und Nachtschmetterlinge. Nirgends, so weit ich zu reisen vermochte, so häufig angetroffen wie Caprim. Fossii im Norden am Zambesi und Caprim. rufigena (Sm.) in dem südlichen Theile Südafrikas vom Vaalriver bis zu den südlichen Küsten am atlantischen Ocean. *H.*

Hirundinidae — Schwalben.

Hirundo rustica (Linné.) — Rauchschwalbe.

Gray Hand-List. I Sp. 786.

Gemein in Südafrika; beobachtete den Vogel in grossen Schwärmen in den mehr offenen, weniger bewaldeten Gegenden bis gegen die Meeresküste nach Süden hin; doch ersah ich auch nicht ein einziges der wohlbekannten Nester. Das ausgestellte Exemplar, ein Männchen, erlegte ich im April 1873 als ich auf der Reise nach Wonderfontein begriffen, eben die Thalsohle der Jagdspruit (zwischen Klerksdorp und Potschefstroom) erreicht hatte. Die zierlichen Schwalben waren hier zu Hunderten versammelt und pickten an den Kothstellen des das

Thal durchschneidenden Weges. Die grössten Schwärme, wohl Myriaden, hatte ich Gelegenheit auf der Rückreise vom Zambesi, im November 1876, in den Hartsriver-Ebenen zu bewundern.

Vor uns eine endlose Ebene, durch die sich in einer Entfernung von einer Stunde nach Osten hin, der schmale Hartsfluss windet. Grabenförmig sein Bett, kahl seine Ufer, dass man nichts von dem Gewässer ersieht, ausser wenn man eben an dasselbe herangetreten. Die Ebene hochbegrast, tausende der niedrigen brodleibförmigen, aus dem röthlichen Laterit aufgebauten Termitenhügel aufweisend. Hundertfach, rings um uns der Blüthen Zahl, selbst an den kahlen Sandstellen blüthenreiche Blümchen und Rispen, und dort, in den seichten, feuchten Niederungen — dichte Blumenrasen, — insgesammt überragt von hohem schütteren Gras. Nach allen Richtungen, so weit nur das Auge die Au zu fassen vermag, hundertfaches Wild! Einzeln, in Pärchen und in Rudeln sei es ob ihrer Nähe (500 Meter) leicht zu erkennen, sei es nur als dunkle Punkte am fernen Horizonte wahrnehmbar, schwarze Gnus, Bläss- und Springbock-Antilopen, und zwischen ihnen paarweise einherwatend, grosse Trappen und Heerden grauer Kraniche. Unsere Lagerstelle ist eine, kaum wenige Meter hohe Bodenerhebung, verunstaltet durch eine von jagenden Boers verlassene Rohrhütte und Haufen von Wildknochen. Unter uns jedoch — nach Norden hin — da rauscht ein Wald, ein Dickicht von hohem, undurchdringlichem Schilf. In einem Umfange von kaum 1200 Schritten breitet sich hier ein Sumpfweiher aus, tief in seiner Mitte, zu zwei Drittheilen mit dichtem Rohr überwachsen. Es ist eine jener Stellen, die dem Forscher heilig erscheinen, an denen er ausser seinem Nahrungsbedürfniss und den wenigen Vögeln, deren er für wissenschaftliche Zwecke bedarf, seinen Jagdeifer — und möge es eine noch so grosse Ueberwindung beanspruchen — einschränken muss. Wir stehen an einer Vogelcolonie, wo zu Hunderten Passeres, wie Grallae und Anseres ihre Wohnsitze aufgeschlagen haben, wo für den Forscher das Feld für reichliche und interessante, für wichtige und erfolgreiche Beobachtungen gefunden ist.

Darum ja nur nicht viel gepafft, denn sonst schrecken wir all' die zahllosen Geschöpfe auf, die hier seit Jahrzehnten in friedlichster Eintracht leben und dann haben wir einen Tag verloren; denn aufgescheucht folgt die eben flügge gewordene Brut den laut zirpenden, pfeifenden und gackernden Eltern nach anderen entfernten, hochbeschilften Weihern und den zahlreichen, die Hartsriver- und Molapo-

Ebenen charakterisirenden Salzseen, während die brütenden Vögel, die
sonst den vorsichtig sich nahenden, mit Notes und Griffel bewehrten
Beobachter an sich herantreten lassen, nun laut krächzend und
kreischend ihre Nester verlassen und auf die weite Ebene flüchten.*
Wie glücklich schätzte ich mich, dass mich mein Pfad an diesen
einsamen Weiher geführt! Es waren glückliche und wonnige Tage, die
ich hier verlebte, wenn ich auch ohne Beihilfe eines kleinen Bootes

„Einer Wolke gleich schwebten sie über dem Sumpfweiher."

alle die wissenswerthesten Geheimnisse des dichten Röhrichtes nicht
erlauschen konnte. Mir fehlt der Raum, all' die Arten der befiederten
Geschöpfe aufzuzählen, die ich an diesem Weiher erschaute.

Das Beachtenswertheste von ihnen schien mir jedoch der Vogel, dem
dieser Aufsatz gewidmet ist, ein Liebling von Tausenden, dem allein

---

* Der passionirte Jäger wird an kleineren Weihern, wo die Vogelarten
weniger zahlreich sind und auch seltener nistend angetroffen werden, reichlichen
Ersatz finden.

schon so manches Schriftchen gewidmet wurde und wohl noch gewidmet werden wird. Mit Ausnahme des Morgens und Abends erschaust du an dem dichten Geschilf auch nicht einen dieser geschwätzigen Sänger. Am frühen Morgen ziehen sie einzeln und in Schaaren auf die weite nach allen Himmelsrichtungen hin unabsehbare Ebene aus, um hier Nahrung suchend, Blumen und Gras von Millionen der lästigen Insecten zu befreien. Spät am Abend kehren sie heim. Und welch' eine Heimkehr!

Freund *Eberwald* und ich, der eine wie der andere der braunen Baharutsediener, ja wir alle freuten uns im voraus des interessanten Schauspieles, und fanden uns bereits vor Sonnenuntergang vor der Rohrhütte ein. Unten im Geschilfe da gab's noch laute Worte. Rothschimmernde Feuerfinken, gelbe Weber und die sammtschwarzen Kafferfinken haderten zu Dutzenden um die allnächtlich aufgesuchten Schlummerstätten. Von nah und ferne kehrten Mann und Weib, Sporn- und Nilgänse, einzeln und in kleinen Nestfamilien mannigfache Reiher, und in Trupps bis zu zwanzig die Heuschrecken- und Kronenkraniche heim, während sich die im Schilfe brütenden Enten und Blässhühner noch in einem kurzen Gange längs des marschigen Ufers versuchten.

Endlich als sich bereits im Osten die Dunkelheit mehr und mehr auszubreiten und der Westen im röthlich-goldenen Schimmer erglühend, Purpurglanz über die blumige Au und die kleinen zerstreuten Wolken zu ergiessen begann, da tauchten im Aether auf allen Seiten, wo sie die Lichtreflexe dem Auge noch zu erschauen gestatteten, zerstreute Wölkchen auf. Rasch sich nähernd wurden sie dunkler, vereinigten sich hie und da, und wenige Minuten später schwebte ein riesiges Heer von Schwalben, einer tiefgehenden Wolke gleich, über den Sümpfen. Welch' tausendfaches Zwitschern, mit dem sich die einzelnen Haufen begrüssten, von des Tages Freuden und Enttäuschungen zu erzählen wussten? Und die lebende Wolke hob und senkte sich über dem geschwätzigen Weiher in der stillen sommerlichen Abendluft. Neue Haufen, neue Schaaren, vereinzelte Nachzügler zuletzt, kamen herangeflogen; die Müdesten neigten sich sofort zum Schilfe herab, die Mehrzahl jedoch gesellte sich zu dem bereits tausend- und tausendkehligen Heere, das stellenweise von dem bläulich-violetten und röthlichgoldenen Schimmer des scheidenden Sommertages unterbrochen, wie ein dunkler, mit hellfarbenen Irissternen besäter Mantel — über uns und dem Gewässer — sich hob und senkte.

Nach etwa 10 bis 30 Minuten begann das Niedersteigen der
Schwalben, zumeist mit einer plötzlichen Schwenkung nach unten,
welche in ein rasches Dahinstreichen — unmittelbar über dem Schilfe —
überging, und nachdem sich dieses mit Hilfe von öfteren Sehwenkungen
nach innen (gegen die Weihermitte zu) wiederholt hatte, mit einem
plötzlichen Einfallen in das ohnehin schon dichtbelebte Röhricht seinen
Abschluss fand. Neben der Masse der fröhlich Heimkehrenden und
ihrem wechselnden Getümmel in den Lüften, übte das den Myriaden
von Kehlen entstammende Gezwitscher, und das durch das Hin- und Her-
wogen, die rasch ausgeführten Schwenkungen, sowie den plötzlichen
Niederstieg erzeugte Geräusch — dem Sausen eines Sturmwindes
nicht unähnlich — einen mächtigen, unauslöschlichen Eindruck auf
den Beobachter aus.

Im Spätsommer (Februar, März) und im Beginn des südafrikanischen Herbstes verlassen die Rauchschwalben ihre Wohnstellen, um
ihre Wanderungen nach Norden anzutreten.   *H.*

Hirundo cucullata (Bodd.) — Cap'sche Hausschwalbe.

Gray Hand-List. I Sp. 795.

Dieser Vogel ist in Südafrika der Vertreter unserer Hausschwalbe
und obgleich weniger zahlreich, so erscheint er im allgemeinen doch
zutraulicher als diese. An horizontalen Gesimsen, ausserhalb wie
innerhalb der tagsüber, zumeist durch den ganzen Sommer offen
gelassenen Wohnungen, Ställe und Wagenremisen, an den unteren,
horizontalen Flächen vorspringender Blöcke einer schroffen Felsenwand etc. errichtet die Schwalbe ihr bemerkenswerthes Nest. Es
ist ein Kunstbau, welcher in seiner Beschaffenheit und in der Form
dem bekannten Bau der Hirundo rustica gleicht, ihn jedoch noch durch
eine Vervollkommnung, seinen »langen Zugang«, übertrifft. Dies wurzelt
wohl in derselben Thatsache, welche in Südafrika so manchem der
Passeres eigen ist und sie in jeder Beziehung beachtenswerthe Brutstätten aufführen hiess, so die bis auf eine, zumeist auf der unteren
Fläche angebrachte, kleine Oeffnung geschlossenen Nester (Oriolinus
icterocephalus etc.), oder solche, die durch Gänge (Hirundo capensis,
Hyph. ocularius), durch schliessbare elastische Pförtchen (Parides
capensis) und wieder andere, die durch mächtige, dichte Ueberdachungen
(Philetaerus socius) ausgezeichnet sind. Es gibt nebstdem manche

unter diesen Vögeln, welche die vom Stamme am weitesten abstehenden Endzweige mit ihren Bauten beschweren und nebstbei diese wie das Nachbargezweig abblättern (Oriolinus, Glanzstaare etc.). Diese Thatsachen beruhen im Allgemeinen auf dem Streben, die Brutstätten gegen die Einflüsse eines nur zu oft plötzlich eingetretenen Witterungswechsels, wie gegen feindliche Angriffe, und im Besonderen gegen die schweren Regenschauer und die Nachstellungen der Schlangen zu schützen. So baut unser Vogel an sein, sonst dem unserer Hausschwalbe ziemlich ähnliches, nur etwas grösseres Nest, einen bis zu 40 Centimeter langen Gang, der dem Neste gleich, an der Gesimsfläche, Zimmerdecke etc. fest angepickt erscheint. Ich beobachtete manche von gerader und gewundener Form, andere, die sich seitlich an eine Querwand oder einen Balken anlehnten und wiederum andere, die ohne diese Stütze frei zum Neste führten. An der Vereinigung des Ganges mit dem Neste schienen beide Theile in der Mehrzahl der Fälle allmälig in einander überzugehen, so dass man von aussen, in der Regel, die Grenze zwischen Gang und Nest nicht vollkommen genau angeben konnte. Der Verbreitungsbezirk der Cap'schen Rauchschwalbe reicht über das Capland, den Oranje-Freistaat und die Transvaal nach Norden, und man findet sie auch in den Betschuanaländern bis gegen den Zambesi vor.   *H.*

Coraciadae — Racken.

Coracias caudata (Linné) — Langschwänzige Mandelkrähe.

Gray Hand-List. I Sp. 904.

Iris lichtbraun; Schnabel und Klauen schwarz; Füsse braun mit einem Stich ins Grünlichgelbe.

Zwei Männchen am Nataflusse, zwei Männchen am Tatiufer, drei im Matebethale und zehn Weibchen im West-Matabeleland von mir, *Bradshaw* und *Walsh* erlegt und von mir im Pavillon des Amateurs ausgestellt. Zwei Männchen mehrere Monate lang in dem Matebethale, nahe an der Stadt Linokana, wo ich ausserdem die Thiere durch mehrere Wintermonate im Freien beobachten konnte, gefangen gehalten.

Ich bemerkte den Vogel im centralen Südafrika vom Molapo nach Norden zu, von wo er sich bis über den Zambesi hinaus in Gemeinschaft mit den beiden folgenden Arten (C. garrula und C. pilosa) ausbreitet und namentlich in bewaldeten Flussthälern und in jenen Partien der endlosen Niederwälder, welche stets wasserhaltige Weiher aufweisen, meist paarweise angetroffen wird. Südlicher scheint er vollkommen zu fehlen.

Mit Vorliebe wählt er sich die Gipfel der höchsten Bäume oder die Endspitzen der seitlich am meisten hervorragenden Aeste zu seinem Aufenthalt aus, um sich von hier aus, seine Beute, welche in kleineren Insecten, doch zumeist in Heuschrecken und Würmern besteht, auszuspähen und gewöhnlich sofort auf der Erde zu verzehren. Wir können ihn äusserst gefrässig nennen. Zur Winterszeit nähern sich die Vögel den Städten der Eingebornen, vorzugsweise in Jahren, in denen das von ihnen bewohnte Gebiet in dem eben dahingegangenen Sommer von Heuschrecken-Schwärmen nicht belästigt worden war.

Der Flug der Thiere ist kurz, unschön, selten hoch und nur eine zeitweilige Schwenkung beim Aufsitzen auf einem Baumwipfel, wobei das schöne Blau der Flügel zur vollen Geltung kommt, erwähnungswerth zu nennen. Die Vögel jagen einzeln für sich allein, sehr selten, dass zwei einen und denselben Baum occupiren; in der kälteren Jahreszeit halten sie sich wohl mehr aneinander, jedoch nicht so nahe, dass wir diese langschwänzigen Racken gesellschaftlich lebende Thiere nennen könnten. Eingefangene Thiere lassen sich mit einer Mischung von Leber, Fleisch und Eidotter erhalten, doch verschmähen sie auch abgerupfte Vögel nicht. Meine Gefangenen wurden bald zahm und nahmen die Nahrung aus der Hand. Ich versuchte sie mit den kleinen Papageien in einem Käfige zu halten, doch hatten da die Mandelkrähen von den Letzteren so viel zu leiden, dass ich sie nach wenigen Tagen aus dem Käfige entfernen musste; dagegen schienen sie sich um so mehr der Gesellschaft der Turteltauben zu erfreuen.

Ein wahrer Schmuck der Gegenden, die sie bewohnt, ist diese Mandelkrähe unter den südafrikanischen Racken wohl die häufigste und hat gegen den Süden hin die grösste Verbreitung. Es that mir stets leid, mein Gewehr an die sehr scheuen und vorsichtigen Thiere anzuschlagen; doch ich irrte mich in der Voraussetzung nicht, dass die so gewonnenen Exemplare der auf meinen Reisen erworbenen Sammlung zur wahren Zierde gereichen würden. *H.*

Coracias garrula (Linné) — Mandelkrähe.

Gray Hand-List. I Sp. 897.

Ein Männchen im März im Thale des felsigen Schaschaflusses (West-Matabele), ein zweites Männchen im Juni am Limpopo (Bakwenaland) erlegt. Iris bräunlichgelb; Schnabel und Nägel schwarz; Füsse grünlichgelb. Ein dritter Vogel, ein Weibchen, von *Dr. Bradshaw* im November 1875 in dem Panda-ma-Tenkawald erbeutet.

Die gemeine Mandelkrähe ist in Südafrika die seltenste der drei Rackenarten. Auch sie findet sich in den mehr wasserhaltigen Waldpartien der mittleren und nördlichen Betschuanagebiete, in der nördlichen Transvaal und scheint nach Norden zu, am linken Zambesiufer, an Häufigkeit zuzunehmen. Sonst gleicht sie in ihrem Gebahren der Cor. caudata, ohne dass ich jedoch ein Gleiches, wie über die winterlichen Wanderungen der Letztgenannten, zu berichten wüsste. Da mir eben, mit Ausnahme meines Aufenthaltes in der Baharutsestadt Linokana (am Matebe in der westlichen Transvaal), wo ich jedoch diese Art nie beobachtet habe, in keiner der Betschuana- oder Marutsestädte ein längeres Verweilen im Winter möglich wurde, so war mir die Gelegenheit benommen, auf ähnliche migratorische Verhältnisse der Cor. garrula schliessen zu können. Doch wäre ich der Meinung — anderen Vogelarten nach zu urtheilen — dass die Mandelkrähe zur Winterzeit von den Hochplateaus des nördlichen südafrikanischen Centrums in das tieferliegende Zambesithal, das Basin des Lake Ngame und der grossen Salzseen des Ost-Bamangwatolandes nach'Norden, und gegen den Unterlauf des Limpopo nach Osten zu auswandert. *H.*

Coracias pilosa (Lath.) — Röthliche Mandelkrähe.

Gray Hand-List. I Sp. 898.

Zwei Männchen und ein Weibchen am Ufer des Tatiflusses, nahe der Niederlassung gleichen Namens (in West-Matabele), im April 1876 erlegt. Iris schiefergrau, gegen die Pupille zu ins Braune übergehend; Schnabel und Nägel schwarz; Füsse schmutziggelbgrün; Zunge gelblich, an der Wurzel und der Spitze schwärzlich.

Scheint nicht so weit nach Süden in die mittleren Hochplateaus Südafrikas zu wandern, wie die erstgenannte Art, auch in jenen

Gebieten, wo ich sie vom 23.° südl. Breite an, nach Norden zu, mit Cor. caudata und garrula zugleich antraf, die seltenste zu sein. Man berichtete mir in der Capcolonie, dass sie zuweilen als einzelner Wanderer, am Oranjeflusse beobachtet wurde.* Nahrung und Lebensweise ähnlich der vorigen Species.   *H.*

Trogonidae — Surukus.

Apaloderma Narina (Vieill.) — Bushloorie.

Gray Hand-List. I Sp. 989.

Männlicher Vogel, an der Impalera-Insel (Marutsereich) zwischen dem Zambesi und Tschobe von *Walsh* erlegt. Ich habe den Vogel nie südlicher im centralen Südafrika beobachtet und ein Gleiches auch von den Missionären, Elfenbeinhändlern und Elephantenjägern gehört, doch wurde mir wiederholt versichert, dass er längs der südlichen und südöstlichen Küste, in dem tropischen Gebüsch der Ostprovinz, in Kaffraria und Natal häufig anzutreffen sei. Nahrung: Früchte, Samen. *Walsh* sah den Vogel paarweise in den Bäumen der bewaldeten Felsenpartien der Insel herumhüpfen, und seinem Berichte, wie dem der Cap'schen und Natalcolonisten gemäss, würde ich schliessen, dass der Bushloorie in seinem Gebahren Vieles mit dem Schizorhis concolor gemein habe.   *H.*

Alcedinidae — Eisvögel.

Halcyon senegalensis (Linné) — Senegal'scher Jägereisvogel.

Gray Hand-List. I Sp. 1081.

Ein Männchen ausgestellt. Iris, Füsse und Nägel dunkelbraun; Schnabel zinnoberroth, die untere Kinnlade rostroth. Selten, nie von mir südlich vom Vaal beobachtet. Im März an kahlen Baumästen, am Ufer der im Sibananiwalde (Grenze des Ost-Bamangwato- und Matabelelandes)

---

* Ich schliesse Natal und Kaffraria, ausser bei jenen Species, die mir von diesen Ländern zukamen, von meinen Verbreitungsgebieten aus, da ich auf meinen südafrikanischen Reisen diese Länder nicht besucht habe.

sich vorfindenden Weiher vorgefunden. Nicht scheu. Wie die Obduction des vorliegenden und eines durch den Schuss leider zu sehr beschädigten zweiten Stückes erwies, ausschliesslich sich von Insecten nährend, wohl weil es ihm um diese Jahreszeit nicht möglich war, in den umliegenden Weihern zu fischen. *H.*

Halcyon albiventris (Scop.) — Weissbäuchiger Jägereisvogel.

Halcyon fascicapilla Lafr. *Gray* Hand-List. I Sp. 1092.

Ein Weibchen und drei Männchen vorliegend. Vom Maricoflusse bis gegen den Zambesi zu einzeln und paarweise, einige Meter hoch auf den das Wasser überragenden Baumästen hockend, vorgefunden. Nährt sich meist von kleinen Fischen, ohne jedoch Insecten zu verschmähen. Iris braun; Schnabel und Füsse dunkelscharlachroth; Nägel schwärzlich. Nicht scheu. *H.*

Halcyon Chelicuti (Stoal.) — Gestreifter Jägereisvogel.

Gray Hand-List. I Sp. 1090.

Ein Männchen im Panda-ma-Tenkathal und ein Exemplar bei Rustenburg erlegt. Stellenweise, doch nirgends häufig, in der Transvaal, dem Matabele-, den beiden Bamangwatoländern und dem Marutsereich angetroffen. Iris braun; Schnabel und Füsse schmutzigroth; Nägel schwarz. Nahrung: Kleine Fische und Insecten. *H.*

Corythornis cristata (Linné) — Haubeneisvogel.

Gray Hand-List. I Sp. 1166.

Die vier vorliegenden Stücke stammen aus West-Matabele und dem Albertslande, sowie vom Ufer des Limpopo. Der Vogel ist über das ganze Südafrika, nicht blos den centralen Theil, verbreitet. Ich fand ihn nicht allein an fliessenden Gewässern, sondern auch an den Tümpeln der Spruits und an Weihern, welche Fische aufzuweisen hatten. Er ist ziemlich scheu, besonders an den grösseren Strömen. Zum Unterschiede von den anderen hierin erwähnten Eisvögeln, welche aus einer Höhe von mehreren Metern ihre Umschau halten, bemerkte ich den schmucken Haubeneisvogel ähnlich dem Riesenspechteisvogel an den tiefsten, die Gewässer unmittelbar überhängenden Baum- und

Buschzweigen hocken, um seiner wichtigsten Beschäftigung nachzu-
gehen, und nach Fischen auszuäugeln. Sein Flug ähnelt dem des Alcedo
ispida, nur können wir ihn noch flinker und seine Schwenkungen als
blitzschnell bezeichnen. Plötzlich einem dichten Ufergebüsch, dem wir
am überhängenden Ufer der Fische halber genaht waren, entschlüpfend
oder pfeilschnell unmittelbar über den Wellen an uns vorbeischiessend,
erscheint das schmucke Vögelchen wie glänzend blaues Edelgestein,
das von unsichtbarer Hand geworfen über die Fluth dahingleitet.

Iris braun; Schnabel, Füsse und Klauen carminroth.   *H.*

Ceryle maxima (Pall.) — Riesenspechteisvogel.

Gray Hand-List. I Sp. 1185.

Beide Exemplare von *Walsh* erstanden, der sie am Zambesi
schoss. Ich beobachtete diese Thiere am Tschobefluss; sie scheinen
die wärmeren Theile Südafrikas, die Zambesiregion und die Küstenstriche den, von diesen eingeschlossenen, Hochplateaus vorzuziehen.
Am Tschobe erschien mir der Vogel äusserst scheu und meine Versuche, seiner habhaft zu werden, scheiterten an der Wachsamkeit
des Thieres. Der Vogel sass in der Regel 3-4 Fuss über dem Wasserspiegel, da, wo das Wasser tief war, etwas höher in der Nähe der
Stromschnellen; auch über den Ufertümpeln schlug er seinen Wohnsitz auf, und die beiden von *Walsh* obducirten Exemplare zeigten, dass
er ausser Fischen auch Kriech- und Kerbthiere nicht verschmähe.
Nach dem mir Mitgetheilten soll sich die Species stellenweise auch in
den Küstenstrichen des Caplandes und Natal aufhalten, ich selbst
habe sie nie daselbst beobachtet.   *H.*

Ceryle rudis (Linné.) — Gescheckter Spechteisvogel.

Gray Hand-List. I Sp. 1180.

Scheint gleich Corythornis cristata über ganz Südafrika verbreitet
zu sein. Nährt sich beinahe ausschliesslich von Fischen. Wenn es
diesen nachstellt, so sehen wir das Thier 2-6 Meter hoch über der Stelle,
wo es einige der kleinen beflossten Bewohner erblickte, oft minuten-
lang gleich einem der kleinen Falken flattern, und sich dann plötzlich

nach abwärts stürzen. Unter den südafrikanischen Eisvögeln ist er unstreitig der lauteste, munterste und häufigste. Aufgeschreckt, oder wenn über dem Wasser, wo er eine Beute erspäht, flatternd, zwitschert er laut oder lässt ein wiederholtes Pfeifen hören. Ist nicht scheu. *H.*

V. Meropidae — Bienenfresser.

Merops apiaster (Linné) — Europäischer Bienenfresser.

Gray Hand-List. I Sp.

Ein Exemplar von *Walsh* im Panda-ma-Tenkathale (Ost-Bamangwato) und zwei Vögel von mir am Tatiflusse (in West-Matabele) in den Sommermonaten 1875-76 erlegt. Aeusserst scheue und vorsichtige Vögel, welche laut zirpend und pfeifend, in einer den Schwalben ähnlichen Weise den Insecten nachjagen. Sämmtliche der Erbeuteten sind Männchen.

Iris carmin; Schnabel schwarz; Füsse grau, mit einem Stich ins Violette; Nägel schwarz; Zunge 4 Cm. lang, schmal, hornartig und getheilt; der hornartige Theil Dreiviertel ihrer Länge ausmachend. Mücken, Bienen und kleine Schmetterlinge bilden die Nahrung des nimmermüden ·Merops. *H.*

Merops Savignyi (Swäin.) — Savignischer Bienenfresser.

Merops Savignyi et M. aegyptius *Gray* Hand-List. I Sp. 1206 et 1205.

Ein Exemplar im December im Marutsereich am Nordufer des Zambesi, drei andere im Februar, zu einer Zeit, wo das sommerliche Gewand des Vogels die diesen Arten eigene Schönheit zeigt, im Thale des Vaalflusses (im West-Griqualand) erlegt: zumeist in Gesellschaften von 4-10 Vögeln angetroffen. Der Vogel hat einen ·weiten Verbreitungsbezirk in der südlichen Sphäre des afrikanischen Continents; ausser in den genannten Territorien traf ich ihn in der Transvaal, dem Oranjefreistaate und der Capcolonie, doch konnte ich nie ein Nest ersehen, obgleich man mir von solchen zu berichten wusste. Die Thiere pflegen sich auf den trockenen Gipfeln der höchsten Uferbäume oder auf den abgestorbenen seitlichen Endzweigen, die den

5

Stamm weit überragen, niederzulassen, von hier aus sich in ihren
Flügen — hoch über dem Gewässer — zu versuchen, um schon nach
kurzer Anstrengung, mit einer Beute befriedigt, ihre gewohnten Plätzchen an den kahlen Zweigen wieder einzunehmen. Der Vogel nährt
sich zumeist von Bienen, Mücken, Fliegen und Libellen.   *H.*

Merops nubicoides — Rubin-Bienenfresser.

Gray Hand-List. I Sp. 1214.

Ich habe diese Prachtspecies in dem nördlich von Schescheke,
am Nordufer des Zambesi (im Marutsereiche) sich ausbreitenden
Walde, meist in kleinen Gesellschaften von 2-4 beobachtet und dann
auf den obersten und stets entlaubten oder eingetrockneten Endzweigen
der höchsten Bäume im Walde sitzend angetroffen; dies wohl einestheils ihrer Sicherheit halber, aber auch einer Charaktereigenthümlichkeit der Familie zufolge, sowie auch, um sich erfolgreich nach
einer Nahrung (zumeist Schmetterlinge, Hautflügler und Dipteren)
umsehen zu können.

Da wir gewohnt sind, den Zambesi als eine natürliche Grenz-
linie zwischen Süd- und Centralafrika anzusehen, so können wir mit
Recht den Rubin-Bienenfresser einen Centralafrikaner nennen; er mag
wohl in kurzen Flügen auch das Süd-Zambesiufer besuchen, doch
können solche Versuche wohl keine Wanderungen genannt werden.
Keiner der zahlreichen Elephantenjäger und Elfenbeinhändler, noch
die Schwarzen, wollen den Vogel südlich vom Zambesi beobachtet
haben. Nur Männchen erlegt. Iris carminroth; Füsse dunkelbraun;
Nägel schwarz.   *H.*

Dicrocercus hirundinaceus (Vieill.) — Schwalbenbienenfresser.

Gray Hand-List. I Sp. 1221.

Zwei Männchen und sieben Weibchen ausgestellt. Iris carmin;
Schnabel, Füsse, Nägel schwärzlich.

Ein Exemplar aus der centralen Transvaal erkauft, zwei andere von
mir präparirt, aus dem Ost-Bamangwatolande stammend, den Rest von
Bradshaw und *Walsh* erstanden. Auch am Zambesi beobachtet. Laut den
mir zugekommenen Berichten scheint der Vogel bis nach der Westküste
und im Süden bis nach der Capcolonie verbreitet zu sein. Die Wipfel
von Büschen, Waldesränder, isolirte Mimosen auf mässigen, offenen

wie thalförmigen Einsenkungen der Hochebenen und geschützte tiefe Thäler der westlichen Transvaal etc. dienen ihm zum Aufenthaltsorte. Er scheint mir wie Merops Savignyi zu wandern, während ich die anderen erwähnten Meropiden für bestimmte Gegenden als streng local bezeichnen möchte. Nährt sich von Insecten, die er, sei es im Fluge an den Blättern der Büsche und niedrigen Bäume erhascht, sei es, sich niederlassend, den honigreichen Kelchen grösserer Blumen, sowie den Mimosenblüthen entnimmt. Ich fand ihn meist paarweise oder einzeln, allein nirgends häufig. Doch denke ich,· dass er, gleich den ersteren Meropiden, in einem bestimmten Territorium vorkommt und brütet, und dass sein weiter Verbreitungsbezirk, wie der vieler südafrikanischen Vögel, zu zwei Drittel oder zur Hälfte seiner Ausdehnung auf gewissen, beschränkten, migratorischen Verhältnissen beruhe. Obgleich Südafrika in den meisten Partien ein ziemlich warmes Klima aufweist, können doch der südafrikanische Küstenwinter und jener von der zweiten Terrasse landeinwärts als zwei miteinander identische, klimatische Begriffe nicht aufgefasst werden. Während es im Winter, mit Ausnahme einiger Mittagsstunden, in den Hochplateauländern oft so empfindlich kalt wird, dass man in der Regel nur den sich auf der Erde bewegenden Kerbthieren (Käfer, Termiten, Heuschrecken) begegnet, ist es an der Küste bedeutend wärmer, und so scheint es mir, dass viele Vogelarten, die wir im Sommer in dem centralen Südafrika zwischen dem 22. und 32.° südl. Breite und dem 18., 20. und 28.° östl. Länge vorfinden, in den Wintermonaten vom April bis Mitte September nach Norden gegen den Zambesi und nach Osten, Süden und Westen gegen die Küsten zu, emigriren. Ich fand die meisten solcher Vögel mehr scheu als andere der befiederten Geschöpfe der Lüfte, welche in den oben beschriebenen Territorien (innerhalb des Hochplateaus) brüteten und als vollkommen heimisch und nicht migratorisch angesehen werden konnten. *H.*

Melittophagus minutus (Vieill.) — Kleiner Bienenfänger.

Merops minutus (Vieill.). — *Hartl.* und *Finsch* Vög. Ostafrikas 188.

Melittophagus pusillus (Müller). — *Gray* Hand-List. B. M. I Sp. 1222.

Mit Ausnahme eines Exemplares, alle übrigen im Sommerkleide. In der centralen Transvaal bei Rustenburg, in der westlichen bei Linokana, in Matabele und den nördlichen Betschuanaländern, bis zum

5*

Zambesi nach Norden beobachtet. Iris hell und dunkelcarmin; Schnabel schwarz; Füsse und Nägel graubraun. Nahrung wie die vom Dicrocercus hirundinaceus. Obgleich vorsichtig, ist er doch nicht scheu, ja vielmehr neugierig zu nennen. Dies, wie sein schönes Gefieder, sind wohl die häufigsten Ursachen, warum er der Büchse des Wanderers so oft zum Opfer fällt. Ueberall, wo ich mit einem Sammler zusammentraf, mochte er sich aus blosser Passion dem Abbalgen ergeben haben, oder aus reinem Wissensdrange, oder auf Bestellung hin in diesem Fache arbeiten, bei einem jeden war der Balg des armen Schwalbenbienenfängers in grosser Zahl vertreten. Wie mit Hinsicht auf so manch' anderen Vogel, habe ich auch in Bezug auf diesen den Aufenthalt im Matebethale und die allbekannte Gastfreundschaft des Rev. *T. Jensen* in dankbarster Erinnerung behalten. Auch der Dicr. hirundinaceus fand sich aus den Wäldern und sonnigen Abhängen der Dwarsberge und ihrer Ausläufer in dem geschützten, wärmeren, oberen Notuany- und dem Matebethale ein, um hier in der insectenreichen Senke der arbeitsamen Baharutse zu überwintern und sich so den weiten Weg quer durch die Transvaal und bis über die Drakenszüge nach Osten hinaus zu ersparen. Je mehr die Betschuanas ihren Ackerbau zu einem europäischen umgestalten, je fester sich der Pflug bei ihnen einbürgert und einen geregelten ausgedehnten Feldbau begründet, desto mehr werden sich viele der migratorischen, von Osten und Norden das eigentliche Centrum Südafrikas aufsuchenden Vogelarten in diesem heimisch fühlen und daselbst den Winter nur zum Besten der Menschen verleben. Der schneelose Winter gestattet gar manche Umgestaltung und Aufschürfung des Bodens, wobei dann Myriaden der blos unter seiner Kruste lebenden und schlummernden Insecten emporbefördert und den befiederten Geschöpfen geboten werden, sie daher zum stetigen Aufenthalte ermuntern müssen.

M. minutus findet sich einzeln vor, doch auch in Pärchen und oft mehrere Paare auf einem ziemlich kleinen Raume beisammenlebend.   *H.*

Melittoph. bullockoides (A. Smith) — Smith's Bienenfänger.
Gray Hand-List. B. M. I Sp. 1225.

Drei Exemplare ausgestellt und aus dem Limpopothale (westliche Transvaal und Bakwenaland) herrührend; scheint nach Süden bis gegen den Oranjefluss vorzukommen, doch hier seltener als in der centralen und westlichen Transvaal zu sein. Ausser bei einem wiederholten Besuche des Limpopothales, zwischen den Notuany- und Sirorumemündungen habe ich selbst den Vogel auf keiner anderen Strecke in Südafrika beobachtet. Lebensweise etc. ähnlich jener der eben beschriebenen Meropiden. Am Limpopo äusserst scheu und vorsichtig und schwer zu bekommen. Da sich der verwundete Vogel in der Regel auf das gegenüberliegende Ufer des sich wohl nicht durch seine Breite hervorthuenden, allein durch seinen Krokodilreichthum gefährlich erscheinenden Stromes flüchtet, so gelang es mir selbst nicht, auch nur ein einziges Exemplar im Limpopothale zu erbeuten.   *H.*

Passeres tenuirostres. — Dünnschnäbler.

Upupidae — Wiedehopfe.

Upupa africana (Bechst.) — Südafr. Wiedehopf.

Hartl und *Finsch*. Vögel Ostafrikas 200.

Upupa minor *Shaw. Gray* Hand-List. I Sp. 1252.

Von Herrn *Lucas* erstanden, der die beiden Thiere bei Rustenburg in der centralen Transvaal erlegte. Beide Männchen. Iris dunkelgrau; Schnabel, Füsse und Klauen schwarz.

Das Thier scheint im centralen Südafrika, wenn auch nur auf gewisse Localitäten beschränkt vom Zambesi bis nach den Meeresküsten verbreitet zu sein und stets in Pärchen vorzukommen.

Ich fand den Vogel in der westlichen Transvaal (im Matebeund dem Notuanythale), in den nördlichen Betschuanaländern, in West-Matabele, am Nordufer des Zambesi und erfuhr in der Capcolonie, dass man ihn auch da, hin und wieder, beobachtet habe. Schattige, einsame Mimosengehölze bildeten seinen gewöhnlichen Aufenthaltsort. Er ist einer der scheuesten Vögel, die Südafrika aufweisen kann, und obgleich ich ihn wiederholt beobachten konnte, wusste er sich doch stets durch Gestrüpp zu decken, und erwies sich so sehr wachsam, dass ich nie einen erfolgreichen Schuss anbringen konnte. Ob seiner Federkrone fand ich das Thier unter den Eingebornen sehr wohl bekannt. Es nährt sich zumeist von Termiten und Ameisen. *H.*

Irrisoridae — Kletterhopfe.

Irrisor erythrorhynchus (Lath.) — Baumhopf.

Gray Hand-List. I Sp. 1259.

Irrisor capensis (Less.). Promerops erythrorhynchus (Auct.)

Die ausgestellten sämmtlich Männchen. Zwei davon von Dr. *Bradshaw* im West-Matabele, das eine am Umkwebaneflusse, das andere am Schaschaflusse erlegt, von den anderen wurde eines in der nördlichen Transvaal und eines im Yoruahwalde, im nördlichen Theile des Ost-Bamangwatolandes erbeutet. Iris dunkelbraun; Schnabel und Füsse dunkelscharlachroth; Nägel schwarz.

Nährt sich von Insecten, namentlich Termiten, verschmäht auch Heuschrecken nicht, und wir fanden sogar Reste kleiner Eidechsen in seinem Magen. Ich beobachtete den Vogel stets gesellschaftlich lebend und nicht sehr scheu. Auf meinen Reisen von Süden nach Norden traf ich ihn im centralen Südafrika zum erstenmale am Limpopo. Hier erwies er sich als sehr selten und je weiter wir von dem Sirorume nach Norden zu, in dem bis weit über den Zambesi sich erstreckenden Niederwalde vordrangen, trafen wir ihn um so häufiger an. *H.*

Irrisor senegalensis (Vieill.) — Senegal'scher Baumhopf.

Gray Hand-List. I Sp. 1260.

Aus dem nördlichen Bamangwatolande, hier im Niederwald an Kybekajs Weiher von *Bradshaw* erlegt und von ihm (wie einen jeden der von ihm erkauften Vogelbälge) für zwei Pfund Elfenbein erstanden. Trotz meinen zahllosen Streifungen in den Wäldern des sandigen Lachenplateaus des Ost-Bamangwatolandes habe ich diese Art auch nicht einmal beobachtet; Berichten zufolge scheint er nach Norden zu längs und jenseits des Zambesi bedeutend häufiger zu sein. *H.*

Irrisor cyanomelas (Vieill.) — Blauschwarzer Baumhopf.

Gray Hand-List. I Sp. 1268.

Rhinopomastes Smithii (Sard.) Promerops purpurasus (Burch.).

Ein Männchen am Umkwebaneriver in West-Matabele von einem meiner späteren Reisegefährten am 18. Juli 1875 erlegt. Iris dunkelbraun; Schnabel, Füsse und Nägel schwarz.

Ein zweites Männchen von mir am 31. März 1876 am Ufer des Tatiflusses in West-Matabele erbeutet. Iris braun; die Zungenvorhaut gelblich, sonst die Zunge schwarz. Das Thier war im Wechsel seines Federkleides begriffen. Nährt sich in ähnlicher Weise, wie die Blumensauger am Tatiflusse, von äusserst kleinen Insecten, die der meist in Pärchen zusammenlebende Vogel von den Miriaden der Mimosenblüthen absucht. Scheint mir im Innern Südafrikas wohl selten, doch um so mehr gegen Osten ausgebreitet zu sein.   *H.*

Promeropidae — Blumensauger.

Nectarinia afra (Linné.) — Blaubebänderter Blumensauger.

Gray Hand-List. I Sp. 1281.

Zwei Exemplare aus der centralen Transvaal in der Nähe von Rustenburg, sechs Exemplare, darunter zwei als eine Varietät, aus der Umgegend von Capstadt herrührend. Letztere durch ein helleres metallisches Grün und eine schmale zinnoberrothe Brustborte ausgezeichnet. Beide Varietäten nicht scheu, und ebenso auf den Blüthen der wilden Mimosen in den Gehölzen, wie auf den Obstbäumen in den Gärten nach Insecten suchend.   *H.*

Nectarinia talatala (A. Smith) — Talatala-Blumensauger.

Nectarinia Anderssonii Strickl. *Gray* Hand-List. I Sp. 1285.

Drei Männchen und ein Weibchen vorhanden. Ich beobachtete diese Thiere in der westlichen Transvaal, in den Marico-, Notuany- und Matebethälern, doch erhielt ich auch zwei Exemplare aus der centralen Transvaal, wo sie bei Rustenburg angetroffen werden. Im Matebethale, wo ich mich mehrere Monate aufhielt, traten sie zuerst Ende August auf, so dass ich zu der Vermuthung kam, dass sie den Winter in den Niederungen, östlich von den Drakenbergen, d. i. in den wärmeren Küstenstrichen zubringen, um gegen das Ende des Winters von da nach Westen durch die centrale Transvaal zu streichen und auf dieser Strecke zu nisten. Iris dunkelbraun; Schnabel, Füsse und Nägel schwarz. Ich beobachtete die Thiere im Matebethale in dem Missionsgarten zu Linokana, wo sie die von Tausenden von Blüthen

strotzenden Pfirsich-, Mandel-, Apfel- und Mimosenbäume, die Quitten-
und Granatapfelbüsche von Insecten befreiten und sich bei dieser
Nahrungslese auf den Blüthenzweigchen festzuhalten suchten. Die
Vögel paaren sich Anfangs September und da sie durchaus nicht
scheu sind, so bieten sie dem Beschauer hinreichende Gelegenheit zur
Beobachtung. Schönen Faltern gleich, mit Smaragd und Rubinglanz
geschmückt, erschienen sie plötzlich an einem Blüthenbüschel, um —
mit ihren flinken und zierlichen Bewegungen, welche sie sowohl bei
ihrem Festhalten an Blättern, Zweigen und Blüthen wie auch bei
dem Absuchen der einzelnen Blumen zeigen, — gar sehr zu
ergötzen. *H.*

Nectarinia gutturalis (L.) — Rothbrüstiger Blumensauger.

Gray Hand-List. I Sp. 1307.

Im Thale des Panda-ma-Tenkaflusses beobachtet; schwärmt um
Planzen, Busch- und Baumblüthen. Drei Männchen erbeutet. Iris
schwarzbraun; Schnabel und Füsse schwarz. Fundort im Allgemeinen
das Albertsland an beiden Zambesi-Ufern. *H.*

Nectarinia violacea (Linné) — Violetter Blumensauger.

Gray Hand-List. I Sp. 1353.
Cuthia crocata (Shaw). Jardins sunbirds, Ps. 16; Cuv. Vol. 2, p. 364.
Cinnyris aurantia (Lath.)

In Capstadt von dem Präparateur des südafrikanischen Museums
erstanden. Einer der scheuesten der südafrikanischen Blumensauger;
er scheint sich längs der Küste stetig aufzuhalten und die inneren
Plateaus nicht zu besuchen. Die vorliegenden Exemplare: Männchen.
H.

Nectarinia bifasciata (Shaw.) — Doppeltbebänderter Blumen-sauger.

Gray Hand-List. I Sp. 1283.
Layard Birds of S.-Africa p. 77; Shaw, Vol. 8, p. 198. Jardins Sunbirds Pt. 4.

Vier Männchen und ein Weibchen erbeutet.

In West-Matabele an den Ufern der Flüsse Palatschwe, Umkwebane,
Schascha und dem Naka-Palláhweiher erlegt, sonst auch am Ufer

des Tati, im Allgemeinen in Westmatabele häufig beobachtet. Iris dunkelbraun; Schnabel, Füsse und Klauen schwarz. Nahrung: Der Honigsaft, den Blüthen entnommen, sowie kleine in den Blüthen und an den Blättern erbeutete Insecten. Der doppeltbebänderte Blumensauger ist wohl ein geselliges Vögelchen zu nennen, wenn er auch nicht in dichten Gesellschaften angetroffen wird.   *H.*

Nectarinia famosa (Linné) — Malachit-Blumensauger.

Gray Hand-List. I Sp. 1278.

Layard B. of S.-A. p. 77. Cuv. Vol. 2, p. 364.

In Capstadt von dem Präparateur des südafrikanischen Museums erstanden. Findet sich um Capstadt und an der Küste, doch steigt er auch auf die hohen Inlandterrassen und ich beobachtete das zutrauliche, durch ein smaragden Gewand und die zwei verlängerten mittleren Stossfedern ausgezeichnete Vögelchen selbst auf den Hochplateaus der centralen und nördlichen Capcolonie bis zu einer Höhe von 2500 Fuss und dann zumeist in Pärchen in den Flussufergebüschen.   *H.*

Das vorliegende Exemplar ist im Uebergangskleid, Schwanz schon vollständig wie am ausgefärbten Vogel, Gefieder der Ober- und Unterseite graubraun und grün gemischt.   *P.*

Promerops cafer (Linné) — Langschwänziger Sonnenvogel.

Gray Hand-List. I Sp. 1338.

Cuv., Vol. 2, p. 466. Upupa promerops (Linné). Layard B. of S.-Africa p. 74.

Aehnlich wie die vorhergehende Art in Capstadt für drei Schillinge das Stück erstanden. Um Capstadt gesellig zusammenhaltend. Ich beobachtete das Thierchen nie im Innern, es scheint sich ausschliesslich in den wärmsten Strichen der Capcolonie, id est, in den ein tropisches Klima aufweisenden Niederungen am Meere aufzuhalten.   *H.*

Meliphagidae.

Zosterops madagascariensis (Linné) — Madag. Brillenvogel.

Gray Hand-List, I Sp. 2133.

In der Umgebung der Stadt Rustenburg im Juni von *Lucas* präparirt; Weibchen.

Ich beobachtete die Thierchen in den Wäldern der mittleren und nördlichen Betschuanaländer meist an den Laubbäumen, die feinsten Zweige und die Unterseite der Blätter absuchend. Gesellschaftlich lebend und leise zwitschernd. Ein munteres Vögelchen. *H.*

Das Exemplar stimmt sehr gut mit einem von *Pollen's* erster Reise herstammenden Weibchen aus NO.-Madagascar überein.

Vgl. Zosterops capensis bei Hartl. 1865-68. *P.*

Zosterops virens (Sundev) — Grüner Brillenvogel.

Gray Hand-List. I Sp. 2129.

Ein Männchen im Juni 1877 von *Lucas* in der Umgebung der Stadt Rustenburg (centrale Transvaal) erbeutet und von ihm erstanden.

H.

Passeres dentirostres — Zahnschnäbler.

Luscinidae. — Sänger.

Drymoica Holubii (n. sp. Pelzeln) — Holub's Buschschlüpfer.

(Vide Abbildung.)

D..pileo brunneo, plumarum marginibus vix pallidioribus, dorso et alarum tectricibus plumis brunneis albicante marginatis, uropygio grisescente, unicolore, loris stria superciliari parum distincta et gastraeo toto flavescente albis, remigibus brunneis, primariis versus basin pallide ferrugineo marginatis, rectricibus cinereo brunneis, supra obsolete nigro transverse fasciatis, fascia lata anteapicali nigro brunnea, apicibus albis. Longit 5″ 3‴ (13½ Cm.), alae 2″ 8‴ (7½ Cm.), caudae (incompletae) 3″ (5¼ Cm.), rostri a rictu 9‴ (vix 2 Cm.), tars. 1″ (27 Mni.). D. chinianae A. Smith similis, sed major, alis et digitis multo longioribus, notaeo haud rufescente et gastraeo magis albido diversa; a D. curvirostri Sundevall Oef. Vet. Ak. Förh. 103 (Kaffernland Walberg, Natal); *Ayres* Ibis 1863, 323; Natal *Sharpe* Cat. Birds-Afr. IV. 283) frontis lateribus brunnescentibus, regione auriculari haud striata, lateribus corporis haud flavidis sed griseo brunneis et rectricibus mediis apicibus albis latis distinctis differt. *P.*

Oberkopf braun; Ränder der Federn kaum blässer: Rücken und Flügeldecken braun, weisslich gerändert; Unterrücken einfärbig graulich: Zügel wie der wenig deutliche Augenbrauenstreif und die ganze Unterseite gelblichweiss; Schwungfedern braun: die ersteren derselben gegen die Wurzel blassrostfarben gerändert; Schwanzfedern graubraun, oberhalb mit verloschenen schwarzen Querbinden, breiter schwarzbrauner Binde vor dem Ende und weissen Spitzen.

Der Drymoica chiniana *Smith* ähnlich aber grösser, durch viel längere Flügel und Zehen, nicht röthliche Oberseite und mehr weissliche Unterseite verschieden. Von D. curvirostris Sundeval unterscheidet sie sich durch bräunliche Stirnseiten, ungestreifte Ohrengegend, nicht gelbliche, sondern graubraune Körperseiten und mit breiten, weissen Endflecken versehene Mittelschwanzfedern. *P.*

Ein Männchen, am Abhange der zum Panda-ma-Tenkaflüsschen sich neigenden, bewaldeten Felsenhöhen (Ostbamangwatoland), im Januar von Dr. *Bradshaw* erlegt. Iris lichtbraun; Schnabel braun: Füsse fleischfarben; Nägel bräunlich. Nährt sich von Insecten und Würmern. Der Vogel scheint mir ein Centralafrikaner und über das Zambesigebiet nach Süden zu nicht beobachtet worden zu sein.

H.

Aedon paena (Smith) — Smith's Isabellsänger.

Gray Hand-List. Brit. Mus. I Sp. 2982.

Erythropygia paena, Sm. Z. S. A. Pl. 30.

Weibchen. Iris braun; Füsse, Klauen schwarz; Zunge blassroth; Horntheil $\frac{5}{6}$ der Zungenlänge ausmachend.

Von mir im März im Yoruahwalde, nahe an dem Weiher gleichen Namens (sandiges Lachenplateau des Ostbamangwatolandes) erbeutet. Bewohnt dichteres Gebüsch, paarweise oder in Gesellschaft den Insecten nachstellend; doch verschmäht er auch Sämereien nicht. Munter und nicht sehr scheu. Beim Aufsetzen auf einen Zweig macht er eine den Steinschmätzern ähnliche Bewegung mit dem Schwänzchen.

H.

Campicola Livingstonii (Tristr.) — Livingston's Feldschmätzer.

Gray Hand-List. Brit. Mus. I Sp. 3239.

Proc. 2 S. 1867. 888 (Zambese).

Ein Männchen im Matebethale auf den geackerten Feldern der Baharutse bei Linokana (Westtransvaal) im Juli 1876 erlegt. Im centralen Südafrika sehr verbreitet. Ein munterer, dreister Vogel. Iris schiefergrau; Schnabel, Füsse und Nägel schwarz. Einzeln sowohl, wie paarweise, seltener in grösserer Anzahl, meist von Insecten in der Nähe von Anpflanzungen, auf Aeckern etc. lebend.   *H.*

Allerdings gibt Mr. *Tristram* an, dass das Schwarz weniger weit vom Hinterkopfe herabreiche als bei C. pileata und dass die Brustbinde sehr schmal sei, welche bei dem Charakter mit unserem Vogel nicht stimmen; dennoch glaube ich, dass er zu dieser Art zu zählen sein dürfte.   *P.*

Myrmecocichla formicivora (V.) — Dunkler Ameisenschmätzer.

Gray Hand-List. Brit. Mus. I Sp. 3263.

Hart. br. W.-Afr. p. 55.

Iris dunkelbraun: Schnabel, Füsse, Nägel schwarz.

Drei Männchen von diesem das Gesammt-Centralsüdafrika bewohnenden Höhlenschmätzer ausgestellt. Einer der muntersten Vögel, die Südafrika besitzt. Auf den an die Meeresküste angrenzenden Auen und Plateaus, sowie hunderte von Meilen weit im Innern, auf allen den zahllosen, dicht oder nur hie und da begrasten und stellenweise niedrig bebuschten Ebenen findet man diesen äusserst zahmen und zutraulichen Vogel. Er sucht sich seine Nahrung, welche meist in Insecten und Würmern besteht, auf der Erde, wie auch in den Lüften; verschmäht auch frische, ihm zugeworfene Fleischstückchen nicht, und wiederholt sah ich ihn an den von den Aasgeiern übrig gelassenen Resten, sowie an frischen, bei Seite geworfenen Knochen eifrig picken. Dem sich nähernden Menschen oder einem fremden Objecte wendet er oft stundenlang seine vollste Aufmerksamkeit zu. wobei er sich hier auf die Termitenhügel, dort auf den nächsten Zweig des Zwerggebüsches niederlässt; von da fliegt er oft zur Erde herab, um hin und wieder ein Kerbthier aufzulesen und dann sofort seine früheren Beobachtungen wieder aufzunehmen.

Hat einer der Vögel ein fremdes, des Betrachtens werth erscheinendes Object entdeckt, so ruft er mit seinem Gezwitscher die Nachbarn herbei, und man sieht dann ihrer 2 bis 10, wie sie sich versammeln und neugierig den Gegenstand beäugeln.

Beim Aufflug, z. B. um einem Insecte nachzujagen, oder blos des Vergnügens halber, erhebt er sich oft laut zwitschernd 2 bis 40 Meter senkrecht in die Lüfte und kehrt dann beinahe ebenso senkrecht und mit den Flügeln weithin hörbar schlagend, zu seinem Ruheplätzchen zurück. Auf baaren Ebenen, wo man sonst ausser Lerchen kaum einen Vogel vorfindet, sieht man sicher schon von der Ferne durch die reine, den Hochebenen Südafrikas eigene Atmosphäre die dunklen Vöglein sitzen, die dann schwarz und bedeutend grösser erscheinen. An manchen Localitäten fand ich Abarten, ich glaube im Ganzen drei. Jene, die vorliegen, stammen aus der Westtransvaal und Westgriqualand. In der Capcolonie (Ostprovinz) beobachtete ich sie roth-

braun (die scheuesten), in manchen der Betschuanagegenden mattschwarz bis schwarz von Gefieder.

Bei meinen ersten Betrachtungen des dunklen Ameisenschmätzers
fiel es mir auf, dass ich ihn immer wieder in der Nähe der Mündungen
verlassener Bauten der grösseren Erdhöhlenthiere antraf.

Es dauerte nicht lange — wenige Monate nach meiner Ankunft im
Diamantenfelde — und ich sah mich durch eine zweite Eigenthümlichkeit
des Vogels überrascht, welche mir jedoch nicht allein bald zu dem
obigen die richtige Aufklärung verschaffte, sondern mich auch über
weitere interessante Gewohnheiten des Thierchens belehrte. Ich war
an einem Nachmittage, nach Schluss meiner ärztlichen Ordination,
mit dem Schrotgewehr auf die an den nahen Oranjefreistaat angrenzende
Ebene hinausgegangen. Es lag in meiner Absicht, einiger der Erdeichhörnchen habhaft zu werden. Wenn nicht vor der Mündung ihres
Baues so tödtlich getroffen, dass sie sofort leblos liegen blieben, flüchteten die Thiere noch immer wieder in denselben und waren so für
mich verloren. Ich nahm nun meinen Niger mit, der mir als ein
besonderer Feind der Scharrthiere, die in ähnlichen Bauen wohnen,
auch bei den Eichhörnchen behilflich sein konnte, um endlich einmal
einen guten Balg zu gewinnen. Der rasche und äusserst aufmerksame
Hund sollte das durch mein Herannahen zur Flucht gegen den Bau
veranlasste Thier, so wie es verwundet war, noch vor seinem »Ein-
fahren« fassen. Da ich wohl ein Scharrthier, doch nicht das Object
meiner Wünsche tödtete, so wollte ich wenigstens etwas zum Abbalgen
heimbringen und machte mich an einige der Schmätzer, die, mich seit
längerer Zeit beobachtend, bei meiner Annäherung stets auf einige 30
bis 40 Meter gewichen waren, um mich von Neuem von dem spär-
lichen Dorngebüsch aus anzuäugeln. Des Hühnerschrotes halber, und
da ich, um den Balg nicht übermässig zu beschädigen, nur einen
winzigen Schuss mit etwa 12 Schrotkörnern geladen hatte, suchte ich
möglichst nahe heranzukommen. Nach einer Verfolgung von 200
bis 250 Schritten flogen die Verfolgten einzeln auf und flatterten einigen
rechts ab an Termitenhügeln hockenden Genossen zu. Ich wendete
mich nach rechts, kam diesmal erwünscht nahe heran, warf auch
mit einem Schusse zwei Nachbarn von dem niedrigen Termitenbau
herab und fand, an Ort und Stelle angekommen, doch keinen von
Beiden. Nun, — ich bildete mir ein, wieder einmal wie so oft
krummes Pulver geladen und das Wegfliegen der Verwundeten in

Folge einer wahrscheinlichen Flugsenkung nach rückwärts übersehen zu haben. Ein mir am Fusse des Insectenhügels entgegengähnender Stachelschweinbau wurde nicht weiter beachtet. Ich folge von Neuem den flüchtigen Höhlenschmätzern, und komme unbewusst, von den Thierchen in einem weiten Bogen geleitet, wiederum zu der nämlichen Stelle zurück, an der ich fehlgeschossen zu haben glaubte. An der Spitze eines Zwergscapbüschchens trifft mein Schuss einen der Vögel, doch aus doppelter Entfernung wie beim ersten Versuch. Den neugierigen Thierchen schien meine Zudringlichkeit doch wohl etwas zu Belästigendes zu sein und verdächtige Zwecke zu verfolgen. Zirpend fällt der Vogel nieder und heranrennend, erschaue ich eben, wie er und ein zweiter — der Verwundete ängstlich flatternd — in dem unterirdischen Baue ihre Zuflucht suchen. Nun erst beschaute ich den letzteren etwas näher und untersuchte ihn so weit es mir, jeglicher Werkzeuge baar, nur möglich war. Der Bau musste schon seit Monden von seinem Schöpfer verlassen worden sein; weiter einwärts lagen hie und da Federchen der Schmätzer nebst ihren Excrementen.

Dieser Sache eine besondere Aufmerksamkeit widmend, beobachtete ich hintan wiederholt, dass sich die »dunklen Ameisenschmätzer«, wenn verwundet oder lange Zeit hindurch verfolgt, in die verlassenen Baue der Schakale, Zibethhyänen, Stachelschweine, Schuppenthiere und Erdferkel flüchten, dass sie in ihnen ihre Nächte zubringen und in ihnen auch nisten. Es ist mir jedoch unbegreiflich, wie sie dabei sich und ihre Brut gegen die Nachstellungen der zahlreichen solche Localitäten absuchenden Raubgesellen schützen. Neben Scharrthieren, hunde- und katzenartigen Raubthieren, sind es vor Allem die Schlangen und darunter der gefürchtete schwarze Ringhals und die Puffadder, welche mit Vorliebe die verlassenen Höhlen nach Mäusen absuchen und dabei dem dunklen Schmätzer besonders gefährlich werden müssen. Nie jedoch konnte ich ersehen, dass sie kleinere Baue, wie jene der Springhasen, Scharrthiere etc. benützen würden. ebensowenig wie die zur Hälfte oder theilweise von den Proteles, dem Schuppenthier und Erdferkel aufgegrabenen noch bewohnten, jedoch gegen die neue Höhlung mit neuerdings verpichten Gängen geschützten Termitenbaue.   *H.*

Pratincola torquata (Linné.) — Bebänderter Wiesenschmätzer.

Pratincola pastor Luc.

Gray Hand-List. I Sp. 3276. — *Sharpe* Cat. Brit. Mus. IV 190.

Ein Männchen im Juli bei Linokana im Matebethale (West-Transvaal) erlegt. Ich beobachtete den Vogel auch in den südlichen Betschuanaländern, doch stets nur in beschilften, hochbegrasten und bebinsten, dabei zumeist sumpfigen Partien. Nährt sich von Insecten und Grassamen; nicht scheu, wiegt sich mit Vorliebe an den Schilfrohr- und Binsenstengeln, oder an den grösseren Grashalmen unmittelbar an dem Gewässer. Meist paarweise. Iris dunkelbraun; Schnabel, Füsse und Nägel schwarz; Zunge schwärzlich; der Horntheil die Hälfte ihrer Länge ausmachend. *H.*

Paridae — Meisen.

Parisoma subcoeruleum (Veill.) — Bläuliche Halbmeise.

Gray Hand-List. I Sp. 3411.

Im Yoruahwalde gesellschaftlich in den Büschen, nach kleinen Insecten jagend. Im März erlegt. Iris hell schieferblau; Schnabel, Füsse und Nägel schwarz. Ein Achtel der Zungenlänge ist von dem schwärzlichen Horntheil gebildet. Ein Männchen erbeutet. Die bläuliche Halbmeise ist ein äusserst munteres Vögelchen, welches zumeist die inneren Partien der Büsche und die niedrigsten Astblätter der Bäume nach kleinen Insecten absucht. *H.*

Aegithalus capensis (Gmel.) — Cap'sche Beutelmeise.

Gray Hand-List. I Sp. 3418.

Einer der besten Nestbauer Südafrikas. Am Cap, im Oranjefreistaate und auch nördlich vom Vaal in bebuschten und bewaldeten Gegenden, doch zumeist in den gruppenförmig beisammenstehenden Dornbüschen der grossen Hochebenen, fand ich oft mitten in den dornreichsten Mimosen jene bekannten künstlichen Nestbauten, welche auf eine aufrichtige Bewunderung des Beschauers Anspruch machen können. Thierisches Haar, davon zumeist Schafwolle und Angorahaar,

6

bilden die Stoffe, aus denen der kleine Vogel sein kunstvolles Nest verfertigt. Breitedurchmesser 7-10 Cm., Länge 12-14 Cm., sammt den Hängearmen 14-18 Cm. Das Nest hängt an den letzteren allein, oder ist mittelst diesen und loser Wolle parallel zum Längendurchmesser an der hinteren, oder (vom Beschauer) der linken seitlichen Partie an dünne Dornzweige, dauerhaft und kunstvoll befestigt. Im Allgemeinen stellt es einen ziemlich gleichmässig weiten Beutel dar, der im oberen Drittel an der vorderen Seite und unter den Hängearmen einen röhrenförmigen, mit einer einzigen oder eine Bicuspital- (zweizipfligen) Klappe nach innen geschlossenen Eingang zeigt. Eben dieser wohlerdachte Verschluss ist es, der unsere Aufmerksamkeit so sehr fesselt. Die Klappen erweisen sich elastisch und schliessen vollkommen den Eingang in das Innere des Nestes ab. Neben und etwas unterhalb, oder auch gerade unter dieser Eingangsröhre finden wir eine Vertiefung mit aufgeworfenem unteren Rand, gleichsam ein offenes rundliches Täschchen bildend; hier nimmt zur Brütezeit das nicht brütende der beiden Vögelchen Platz; sein Zirpen macht dem innen sitzenden Genossen die Nähe eines heranschleichenden Feindes, oder vielleicht seine eigene Ankunft, sein Scheiden und sonst andere wichtige Ereignisse kund.

Von den fünf nach Europa überbrachten Nestern fand ich zwei in einzelnstehenden niederen Dornbüschen auf der Dutoitspaner Hochebene (Diamantenfelder), eines in dem Mimosendickicht des Fischriverthales bei Cradock und zwei in dem Gebüsche des Vaalthales bei Klipdrift.　　　　　　　　　　　　　　　　　　　　　　　　　*H.*

Motacillidae — Bachstelzen.

Motacilla capensis (Linné.) — Cap'sche Bachstelze.

Gray Hand-List. I Sp. 3573.

Einer der häufigsten Vertreter der Sperlingsvögel in Südafrika. An fliessenden und stehenden Gewässern, an Lachen in der Nähe menschlicher Wohnungen, jahraus jahrein mit dem emsigsten Absuchen der Wasserinsecten und der die Farmstätten umschwärmenden Dipteren beschäftigt, erfreut sich die gemeine cap'sche Bachstelze einer gewissen Achtung von Seite der Colonisten und ihrer dunklen Diener. Nach der Hirundo capensis geniesst sie wohl die meisten Rechte eines Hausvogel, grössere wie der südafrikanische Haussperling.

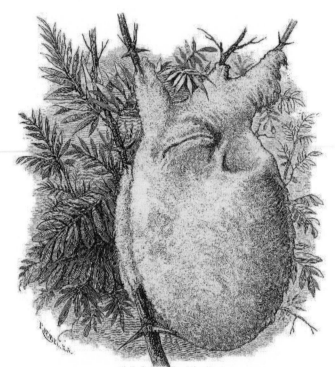

Nest der Cap'schen Beutelmeise.

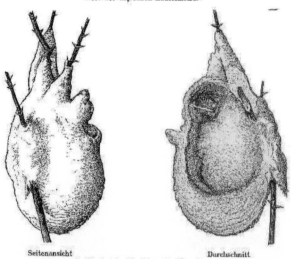

Seitenansicht   Durchschnitt
des Nestes der Cap'schen Beutelmeise.

84

Das Nest des Vogels, in der Regel zwischen Gestein oder in Löchern am Ufer oder in der Nähe desselben vorgefunden, fühlt sich durch die Benützung von Erde und Laterit als Bindemittel »solid« an. Es besteht zumeist aus dünnen, bis zu kleinfingerdicken Zweigstückchen, welche mit Grashalmen und Federn, schmalen Blättern etc. verflochten, mittelst Lehmklümpchen zu einem schweren compacten Neste von seichter Höhlung zusammengepicht sind. Schilf und Binsenfassern, doch zumeist Federn werden zur Auspolsterung der Brutstätte verwendet. Die Länge des Nestes beträgt 14 Cm., Höhe 8 Cm., Breite 12-14 Cm., Länge der Höhlung 7 Cm. und ihre Tiefe 4 Cm. Die Eier sind schmutzigweiss von Farbe und über und über mit hell- und dunkelbraunen Längsflecken bedeckt, von denen manche zusammenfliessen, so dass das Ei an seinem abgeflachten Ende vorherrschend braun gescheckt erscheint. *H.*

Motacilla gariepina (Eckl.) — Vaillant's Bachstelze.

Motacilla Vaillantii (Cab.) *Gray* Hand-List. I Sp. 3572.

Le Bergeronnette l'aquinys Le Vail. pl. 178.

Motacilla Aguimp (Tem.).

Ersah zum ersten Male diese schmucke und grosse, durch ihre schwarz-weissen Zeichnungen an den Cap'schen Gewässern leicht auffällige Bachstelze an dem Gesümpfe des Moirivers bei Wonderfontein (Südcentrale Transvaal), später auch weiter südlich am Vaal-, Mooderriver und dem Oranjeflusse, sowie in den Thälern des Fischrivers; weniger häufig sah ich das Thierchen an stehenden Gewässern der freien Hochebenen. In seinem Gebahren ähnelt es der Cap'schen Bachstelze, nur fand ich es weniger dreist. Herzerfreuend ist der Anblick des schmucken Vogels, wenn wir an die sumpfigen, umschilften Quellen der Transvaalflüsse herantretend, ein Pärchen in seinem Thun und Treiben beobachten können.

In ihrer ganzen Ausdehnung oder nur theilweise sumpfige Weiher von beträchtlicher Tiefe, doch letztere zumeist auf gewisse Stellen beschränkt, von hohem Schilf umrahmt und durchbrochen, stellenweise gefährlich durch unterspülte Ufer und mit schwimmenden Inseln bedeckt, — das sind die Quellen der Moi-, Schoen-, Marico-, Notuany- etc. Flüsse. Wir treten an jene des Matebeflüsschens heran, welches Linokana, die von uns so oft erwähnte Baharutsestadt, durchströmt. Ringsum von eisenhaltigen Höhen umgeben, entspringt das Flüsschen im Schatten mässig hoher Bäume. Zahlreiche kleine Inseln sehen wir von reichlicher Vegetation überkleidet, die äusserste davon, dichte Farrenkräuter, von der klaren murmelnden Fluth umspült. Das Gewässer seicht, stellenweise von rauhen, mit gelbgrünem Moose überwucherten, mit bläulichgrünen dünnen Algen überhauchten Felsblöcken überragt.

Der enge Kessel, die schattigen Bäume, sie wehren nur zu sehr dem wohlthuenden goldnen Strahl sich in der Krystallfluth, die dort mit Brodeln dem erzhaltigen Boden und hier den Ritzen des harten, grauen Felsens entschlüpft, zu baden und mit den rastlosen Tropfen-Myriaden hinab zur Stadt der Baharutse zu eilen. Bis auf das seit Jahrhunderten geübte Geplauder der munteren, kosenden Wellen, wohnt nur Ruhe und Schweigen unter den Ufer- und Inselbäumen; ein mässig Halbdunkel herrscht vor. Da plötzlich ein laut' Gezwitscher. Was mag es wohl sein? Ein Vöglein ist's, sein Gewand schwarz und weiss. Es sass auf benetzter Wurzel und im Moment darauf — schon auf dem nächsten und dem folgenden der bemoosten Steine. Dem Gedanken folgt die That, dem Niederducken — der rasche kurze Flug ans Ufer — nahe an uns heran. Wie emsig und munter das liebe Thierchen die umspülten Steine und Blätter beschaut und bald mit Gezwitscher, bald mit nickenden Schwanzbewegungen seinen Frohsinn äussert? Ein mehrfaches Gezwitscher folgt, geboten von einem zweiten, dritten etc. Stelzchen; wie sie alle ungeachtet den dunklen Rückenfedern, in dem Halbdunkel erglänzen. Ja, die schmucken lebensfrohen Klosterfräuleins,* sie pflegen stets, sowie sie erscheinen, Leben und Munterkeit an den Matebequellen hervorzuzaubern.   H.

Macronyx capensis (Linné.) — Cap'scher Grosssporn.

Gray Hand-List. Sp. 3661.

Auf den Feldern im Matebethale, bei der Baharutsestadt Linokana im Juni erlegt, sonst in Süd- und West-Transvaal beobachtet. Ziemlich häufig. Nähren sich von Insecten und Sämereien. Drei Männchen ausgestellt. Iris dunkelbraun; Schnabel braun, gegen die Wurzel licht, mit einem Stich ins Rostfarbene; Füsse und Nägel dunkelocker.

---

* Bachstelze, in manchen Gegenden Deutschlands »Klosterfräulein« genannt.

Nicht sehr scheu, doch scheuer als Megalophonus cinereus. Oft mit diesem in einem Felde anzutreffen, sonst neugierig und gerne von hervorragenden Schollen aus, Rundschau haltend. Der Cap'sche Grosssporn ist unstreitig durch sein schönes Orangegelb an der Kehle der schönste der wahren, südafrikanischen Pieper.

Ich beobachtete das Thier nicht südlich vom Vaal, doch muss man ob seines Vorkommens am Nordufer des Vaalflusses, annehmen, dass es auch im Winburg- und Kronstadt-Districte des Oranjefreistaates anzutreffen sei. *H.*

Macronyx Ameliae (de Tarragon) — Rosen-Grosssporn.

Gray Gen. of B. t. 54. Idem Hand-List. B. M. I Sp. 3664.

M. pileo nigro-brunneo plumis vix fulvo marginatis, notaeo reliquo ejusdem coloris, plumis singulis fulvo vel albo et ad alae flexuram roseo limbatis, loris et stria utrinque superciliari albis, roseo tinctis, tectricibus alarum inferioribus albo fuscoque variegatis, gula, jugulo et abdomine medio pulchre rubris, fascia lata pectorali nigra, plumis inferioribus albo et roseo limbatis, hypochondriis flavido albis nigro striatis. tibiarum plumis albidis nigrescente mixtis, tectricibus caudae inferioribus brunneis albido marginatis, rectricibus brunneis, extima vexillo exteriore toto, interiore basi excepta alba, subsequente brunnea macula apicali alba. Longit 7″ (18 Cm.), alae 3″ 5‴ (9 Cm.), caudae 3″ (77 Mm.), rostria rictu 10‴ (22 Mm.), tars. 14‴ (3 Cm.), unguis poster. 7‴ (16 Mm.). *P.*

Oberkopf schwarzbraun; die Federn kaum fahl gerändert; übrige Oberseite von derselben Farbe, die einzelnen Federn fahl oder weiss, am Flügelbuge rosenfarb gesäumt. Die Zügel und jederseits ein Augenbrauenstreif weiss, rosenfarbig überwaschen; untere Flügeldecken weiss und braun gescheckt; Kehle, Gurgel und Mittelbauch schön roth, eine breite Brustbinde schwarz, die unteren Federn derselben weiss und rosenfarben gesäumt; die Körperseiten gelblichweiss, schwarz gestreift; Tibienfedern weisslich mit schwärzlich gemischt; untere Schwanzdeckfedern braun, weisslich gerändert; Schwanzfedern braun, an der äussersten die ganze äussere Fahne und die innere, die Wurzel ausgenommen, weiss; die folgende braun mit weissem Spitzenfleck. *P.*

Im Thale des Penda-ma-Tenkaflusses, nahe an der früheren Handelsstation, im nördlichen Theile des Ostbamangwatolandes von Dr. *Bradshaw* im Januar 1875 erlegt. Iris braun; Schnabel braunschwarz; Füsse und Nägel fleischroth. Nährt sich von Insecten und Samen. Selten. Nie südlicher beobachtet.   *H.*

Gray's Abbildung erscheint grösser als unser Vogel, zeigt viel längere Sporen und zwei weisse Schwanzfedern (wenigstens an der Aussenfahne), während bei dem vorliegenden Exemplare nur die äusserste weiss ist, die zweite aber braun, mit einem weissen Endfleck; *de Tarragon*'s Beschreibung passt viel besser auf unseren Vogel.

Bei diesen Differenzen und bei der Seltenheit der Art dürfte die oben gegebene Beschreibung vielleicht nicht unwillkommen sein.

P.

Turdidae — Drosseln.

Turdus strepitans (Smith) — Lärmdrossel.

Gray Hand-List. B. M. I Sp. 3669. — Turdus crassirostris (Licht.).

Ueber einen grossen Theil Südafrikas bis über den Zambesi nach Norden verbreitet. In dichteren Waldpartien, wie an dicht bebäumten Ufern und selbst in Gärten paarweise und in kleineren Gesellschaften (Nestfamilien) angetroffen. Vorsichtig, doch auch neugierig zugleich, bewegt sie sich zumeist auf dem Boden, um bei dem geringsten Geräusch auf dem überschattenden Baume ihr Heil zu suchen, das nahende Object für einen Moment zu beäugeln und dann in die dichteren Zweigpartien flüchtend, ihre Betrachtung von Neuem aufzunehmen.   *H.*

Turdus olivaceus (Linné) — Olivenfarbige Drossel.

Gray Hand-List. B. M. I Sp. 3725.

Turdus Ochrogaster (Sparr.).

Zwei Männchen in der centralen Transvaal bei Rustenburg im Juli erlegt. Iris dunkelgrau; Augenlider gelb; Schnabel orange; Füsse und Nägel hellocker.

In den nördlichen Betschuanaländern beobachtete ich diese Drosselart in den Wäldern einzeln und paarweise. Nicht scheu. Suchte am Boden Insectennahrung auf. *H.*

Turdus Cabanisi (Bonap.) — Cabanis-Drossel.

Gray Hand-List. B. M. I Sp. 3735.

Nur einmal und das im Februar 1872 auf der ersten Reise in den Bäumen des Vaalthales (Westgriqualand) gesehen und ein Exemplar erlegt. Paarweise suchte das Thier in den Büschen nach Würmern und Insecten; soll sich auch weiter südlich bis zur Meeresküste und daselbst häufiger vorfinden. *H.*

Bessonornis caffra (Vieill.) — Kaffern-Schluchtenschmätzer.

Gray Hand-List. B. M. I Sp. 3868.

Paarweise in dichten Büschen, häufig in Gartenzäunen und in unmittelbarer Nähe von menschlichen Wohnungen angetroffen. Einer der muntersten Singvögel, die ich in Südafrika kennen gelernt habe. Im Missionsgarten zu Linokana beobachtete ich zwei Pärchen, welche nach der Versicherung des Missionärs Rev. *Jensen* seit Jahren und auch zur Zeit meines Aufenthaltes in den Rosenhecken brüteten, und denen ich unmöglich ein Leid anthun konnte. Sie kamen zeitlich morgens bis an die Fenstergesimse, zeigten sich sehr zutraulich und geberdeten sich im Allgemeinen wie Steinschmätzer.

Das vorliegende Exemplar rührt aus der Transvaal von Herrn *Lucas* her. Iris braun; Schnabel, Füsse und Nägel schwarz. *H.*

Pycnonotidae — Fruchtdrosseln.

Pycnonotus nigricans (Vieill.) — Gelbsteissbülbül.

Cuv. Vol. 6, p. 389. Pycnonotus tristis (Müll.) — *Gray* Hand-List. B. M. I Sp. 3923.

Turdus Levaillantii (Temm.).

Paarweise lebend und im centralen Südafrika weit verbreitet. In Flussthälern am häufigsten, wo er den Tag über auf den Bäumen mit eifriger Insectenjagd beschäftigt erscheint.

Ich fand den Vogel sehr häufig im Vaalthale, am Limpopo, am Tschaneng im Bamangwatolande etc. In Aufregung gebracht, richtet er seine dunklen Schopfhaare auf. Schnabel und Füsse schwarz. Ein Hautring um die Augen zinnoberroth. Das vorliegende Exemplar, das mir ein Weibchen zu sein scheint, aus der centralen Transvaal erhalten. Der Gelbsteissbülbül ist ein muthiger Insectenräuber, gekennzeichnet durch einen lauten flötenden Ruf. *H.*

Crateropus bicolor (Jardine) — **Zweifarbiger Drossling.**

Gray Hand-List. B. M. I Sp. 4129. — Edin. jour. Nat. and Geo. Pl. 3; Smith S. A. Z. Pl.

Zwei Männchen und zwei Weibchen, im nördlichen Theile des Ostbamangwatolandes und in den bewaldeten Partien von West-matabele erbeutet, aus welchen Localitäten auch Eurocephalus anguiti-mens stammt. Iris ockergelb; Schnabel schwarz: zwei Drittel der Zungenlänge grünlich violett; Füsse grauviolett; Klauen schwärzlich. Beim Weibchen die Iris dunkelockergelb; Füsse schwärzlich oder dunkelviolett.

Die Vögel sind dreist und bewegen sich gesellschaftlich (Nest-familien bis zur Brutzeit beisammenhaltend), Nahrung suchend, auf der Erde wie auf Bäumen. Die Nahrung besteht in Insecten, doch verschmähen sie auch Beeren nicht. *H.*

Eines der Männchen ist offenbar ein junger Vogel im Ueber-gangskleide; an Kopf, Halsseite, Schulter und Rücken, seltener an der Unterseite, finden sich graubraune Federn. *P.*

Crateropus Jardinii (Smith) — **Jardin'scher Drossling.**

Gray Hand-List. B. M. I Sp. 4144. Z. S. A. Pl. 6.

Zwei Männchen von *Lucas* im August bei Rustenburg (Central-transvaal) und zwei Männchen von mir im März und April im Missions-garten zu Linokana (Westtransvaal) und im Yoruahwalde (Ostbaman-gwato) erlegt. Iris schwefelgelb, der Aussenrand dunkler oder orange; Schnabel schwarz; Füsse und Nägel bräunlich grau.

Local, doch an vielen Stellen zwischen dem Vaal und Zambesi beobachtet; findet sich auch nördlich vom Zambesi. Lebt gesellig und macht sich durch ein wahres Zetergeschrei bemerkbar, wobei man deutlich einen heiseren Lachton wahrnehmen kann, weshalb er auch von den Engländern Mocking- und Laughingbird genannt wird. In den Gärten, oft in unmittelbarer Nähe der Wohnungen, ja selbst auf Dächern sah ich diese Vögel sich herumtummeln. Sie sind im Allgemeinen dreist und neugierig. Wie oftmals wurde ich nicht zur Zeit meines Aufenthaltes in Linokana durch eine plötzlich sich ereifernde Rotte dieser Drosslinge in der, mir von Herrn *Jensen* zur Verfügung gestellten Kammer in meinen Arbeiten gestört, oder auch (und dies war häufiger der Fall) — ins Freie gelockt, um dem Treiben der streitsüchtigen, ihre Befriedigung und ihre Angst mit überlautem Gekreisch darthuenden Vogelschaar zuzusehen. Meine Kammer war die Verlängerung einer Vorrathsstube und eines Wagenhauses und bildete nach der Eingebornenstadt zu, mit zwei weiteren Gebäuden, ein offenes Viereck. Dieser äussere Hofraum war mit asiatischen Syring- und australischen Bluegummbäumen bepflanzt, eine schattige kurze Promenade bildend. Einer, und zwar der grösste der Bluegummbänme, beschattete meine Kammer und ruhte mit einem Aste auf dem Dache. Ob den zahlreichen Baum- und Blumen-Insecten waren Jardin'sche Drosslinge öftere Besucher des angrenzenden Missionsgartens. Am Abend oder in der grössten Mittagshitze suchten sie dann die dichten Bluegummbäume auf, um hier Schatten oder eine Schlummerstätte zu suchen. Da geschah es nicht selten, dass sie durch eine Katze, einen Sperber, eine Eule oder sonst etwas während ihrer Siesta oder mitten aus dem Schlummer gestört, doch auch bei ihrem Einfallen, wie bei ihrem Exodus, aus Uebermuth und anderen Ursachen — plötzlich auseinanderflogen, sich jedoch wieder einander näherten und dabei die einen auf dem Baume, der Rest auf dem Grasdache in jenes Zetergeschrei ausbrachen, hin- und herhüpften und zuweilen die an ihren Enden weissgerippten steifen Brust- und Kehlfedern sträubten. In der bei weitem grössten Mehrzahl der Fälle pflegen sich die Thiere in unmittelbarer Wassernähe aufzuhalten.

Die Jardin'schen Drosslinge suchen ebenso am Boden wie auf Bäumen ihre Nahrung auf, welche zumeist in Insecten besteht. *II.*

Dicruridae — Würgerschnäpper.

Dicrurus divaricatus (Licht.) — **Trauerdrongo.**
Gray Hand-List. B. M. I Sp. 4236.
Dicrurus canipennis (Swain.). — Dicrurus fugax (Peters).

Iris rothbraun, Innenrand dunkel; Schnabel, Füsse und Klauen schwarz.

Drei Männchen (ausgewachsene Thiere), in der Umgebung der Stadt Linokana in der Westtransvaal und eines im Leschumothale im Ostbamangwatolande, nahe der Tschobe-Zambesivereinigung erlegt.

Eine der gewöhnlichsten Erscheinungen in der südafrikanischen Vogelwelt, fehlt keinem Haine, bevorzugt jedoch sonnige Waldesränder, sei es an Lichten, wie auch solche, welche ausgedehnte Ebenen und hochbegraste Thäler umsäumen. Auf den Hochplateaus fand ich ihn selbst isolirte Gebüschgruppen und einzeln dastehende Bäume bewohnen.

Lebt paarweise von der südlichen Meeresküste bis über den Zambesi nach Norden. Aeusserst munter und durch die mit seinem schönen Schwanze ausgeführten Schwenkungen, mittelst deren er in der Luft fliegende Insecten zu erbeuten sucht, auffallend; er wählt sich gewöhnlich die höchsten Büsche und Bäume, doch auch die Enden der seitlich am meisten hervorragenden Zweige aus, von wo er Rundschau hält und zuweilen ein lautes, kurzes Zirpen hören lässt; ähnlich lässt er sich vernehmen, wenn er den Insecten nachstellt oder mit seinem Weibchen in der Luft spielt.

Am muntersten geberdet er sich jedoch früh am Morgen. Dem Menschen gegenüber zeigt er sich gar nicht scheu.   *II.*

Eines der Exemplare weist theilweise lichte Federchen auf.   *P.*

Bradyornis silens (Shaw.) — Schweigvogel.
Gray Hand-List. B. M. Sp. 4263. Bradyornis silens (Shaw.) — *Sharpe* Cat. Brit. Mus. III 312.

Gesellschaftlich lebend. Ein Männchen in Westmatabele am Ufer des Tatiflusses, nahe an der gleichnamigen Handelsstation erlegt. Paarungszeit März, April. Iris schiefergrau; Schnabel, Füsse und Nägel schwarz. Nährt sich von Insecten. Nicht scheu.   *H.*

Oberseite bräunlich, daher wohl ein nicht ganz ausgefärbtes Exemplar.   *P.*

Oriolidae — Pirole.

Oriolus auratus (Vieill.) — Afrikanischer Gold-Pirol.

Gray Hand-List. I Sp. 4301 *Sharpe* Cat. Brit. Mus. III 195.

Weibchen und Männchen. Iris stechend roth; Schnabel bräunlich roth; Füsse schieferblau; Nägel schwarz.

Das Weibchen im Panda-ma-Tenkathal, das Männchen nahe dem Weiher im Yoruahwald, Ost-Bamangwatoland, im Juni 1875 erlegt. Meist paarweise und nur in dem nördlichen Südafrika angetroffen, doch nirgends häufig. Nährt sich von Insecten, namentlich Raupen, Käfern und Dipteren, die er an den dichter belaubten Bäumen absucht; sein Ruf, wie jener der folgenden Art, nicht so stark und flötend, wie der des heimischen Pirols (Oriolus Galbula). *H.*

Oriolus larvatus (Licht.) — Cap'scher Pirol.

Gray Hand-List. I Sp. 4314. *Sharpe* Cat. Brit. Mus. III 217.

Oriolus capensis (Swains.) O. rodiatus (Gmel).

Oriolus chloris Cuv. Vol. 6, p. 397. Oriolus coudeugnan (Tem.)

Ein Exemplar von *Walsh*, im Panda-ma-Tenkawalde zur Winterszeit (im August), ein Männchen und ein Weibchen von mir in West-Transvaal im Matebethale (in der Nähe der Stadt Linokana), ein Weibchen von Herrn *Lucas* in Central-Transvaal bei Rustenburg, alle im August (Ende des südlichen Winters) erlegt. Hat einen bedeutend grösseren Verbreitungsbezirk, wie die vorige Art. Ich traf das Thier zwischen dem Oranjefluss und dem Zambesi, und für sein Vorkommen vom Oranje bis an die südliche Küste kann ich in jeder Hinsicht einstehen.

Er jagt in den Bäumen den Insecten nach, findet sich auch oft in Gärten ein, wobei er die höchsten und dichtesten Bäume auswählt. Iris hellcarmin; Schnabel schmutzigblassbraun, auch rostroth und bräunlichroth, beim Männchen dunkler; Füsse dunkel bis schwärzlich-grau; Nägel schwarz.

Nährt sich von Insecten und Früchten, ein munterer, paarweise lebender und seltener Vogel. *H.*

Muscicapidae. — Fliegenfänger.

Platysteira pririt (Vieill.) — Pririt-Feldschnäpper.

Gray Hand-List. I Sp. 4945.

Platysteira strepitans (Licht.). Muscicapa Pririt (Vieill.).

Ein äusserst munteres und flinkes Vögelchen, das ich gesellschaftlich lebend in den Wäldern des sandigen Lachen-Plateaus, im
nördlichen Theile des Ost-Bamangwatolandes antraf. Nicht scheu. Iris
dunkelbraun; Füsse und Nägel schwarz. Nahrung: Insecten, Würmer.

Es war zur Zeit meiner Heimreise vom Zambesi, dass ich während
meines Aufenthaltes an den Tamasetse-Wiesen-Weihern zum ersten
Male den Pririt-Feldschnäpper erschaute. Wir hatten unter einer breit-
kronigen Acacia giraffe unser Lager aufgeschlagen. Drei der riesigen
Wägen mit all' dem bunten Treiben südafrikanischer Wanderer hatten
den stillen Frieden im Tamasetse-Walde gestört; wohl auch seine
befiederten Bewohner verscheucht? Mit nichten. Unter jenen, welche
die Neugierde herangelockt, fanden sich auch einige, die sich um die
Störenfriede nicht viel zu kümmern schienen. Darunter als einige der
auffälligsten eine Schaar von etwa zehn Pririt-Schnäppern. Sie hatten
mehrmals von der Baumkrone Besitz genommen, hielten sich anfangs
mehr auf der Oberseite der Zweige; wurden sie jedoch durch kein
Geräusch von dem Lager her gestört, so machten sie sich an der
Unterfläche der Krone zu schaffen, suchten die Rinde und die Ansatz-
stellen der grossen weissen Doppeldorne an den dünnen Aesten ab
und boten so dem Beschauer öftere und hinreichende Gelegenheit zur
Beobachtung.

Ihre Bewegungen erinnerten mich zum guten Theile an das
Gebaren der Meisen.   *H.*

Terpsiphone perspicillata (Swains.) — Brillen-Paradies-Fliegen-fänger.

Tchitrea viridis Müll. *Gray* Hand-List. I Sp. 5010.

Terpsiphone perspicillata (Swains.). *Sharpe* Cat. Brit. Mus. IV 357.

Sechs Männchen. Im nördlichen Bamangwatolande, sowie im
Marutsereiche (im sandigen Lachen-Plateau, wie im Thale des centralen
Zambesi) und auch in West-Matabele angetroffen.

Im dichten Gebüsch lebend, meist paarweise beobachtet. Nicht scheu. Iris hell schieferblau; Schnabel, Füsse und Klauen schwärzlich; Zunge röthlich.

Im Allgemeinen selten zu nennen, im Zambesithale um die Stadt Schescheke noch am häufigsten angetroffen. Nachdem der Vogel auch im Süden, Osten und Westen, in den wärmeren Küstenstrichen der Ostprovinz, der Capcolonie, Kaffrarias und Natals, im Zululande etc. angetroffen wird, so scheint er mir, gleich vielen anderen, der Passeres tenuirostres und dentirostres zu jenen Vögeln zu gehören, welche dem Niederlande längs der Küsten und den Zambesi-, Tschobethälern im Norden (an Centralafrika angrenzend), also dem wärmeren Süd-afrika angehören. Diese Vögel haben demnach einen ringförmigen Verbreitungsbezirk, bewohnen ein Gebiet, das die durch ihre rauhe Winterszeit bekannten Hochplateau-Länder umsäumt. Letztere werden dann, zuweilen oder regelmässig, von diesen Vögeln auf kurze und weite Strecken hin besucht, ja zuweilen von Küste zu Küste, vom Zambesi herab bis an die Mündung des Fischrivers durchquert. Manche scheinen auf dieser Wanderung an dem oder jenem Thale oder einem tiefen Kessel in den Hochebenen Gefallen zu finden, verbringen hier oder in der nächsten Umgebung den überaus heissen Sommer und bequemen sich sogar in dem fremden Lande zu einem Brutversuche. *H.*

Tchitrea viridis Müller (*Gray* Hand-List. I Sp. 5010) verwandt, aber durch die auch den ausgefärbten Männchen eigene graue, nicht stahlgrüne Kehle verschieden. Zwei der ausgestellten Exemplare durch sehr lange Schwänze ausgezeichnet. *P.*

Campephaga nigra (Vieill.) — Schwarzer Raupenfresser.

Gray Hand-List. I Sp. 5058. *Sharpe* Cat. Brit. Mus. IV. 62.

C. atrata et labrosa (Swains.). C. Swainsonii (Less.)

Ein Exemplar von Herrn *Lucas* erkauft; von ihm in der Nähe von Rustenburg (in der centralen Transvaal) im Juni erbeutet. Iris braun; Schnabel, Füsse und Nägel schwarz.

Ein zweites Individuum von *Walsh* erworben, der den Vogel in West-Matabele zur Winterszeit 1875 erbeutete.

Auch diesen Vogel rechne ich zu den migrirenden, deren ich bei der vorigen Art Erwähnung gethan habe. *H.*

Laniidae — Würger.

Lanius collaris (Linné) — Fiscal.

Collurio (Fiscus) collaris. *Gray* Hand-List. I Sp. 5942.

Cuv. Vol. I p. 265.

Ein Männchen ausgestellt. Durch ganz Central-Südafrika bis über den Zambesi hinaus verbreitet. Paarweise in Gebüschen, auf einzeln stehenden Bäumen in den Ebenen, in Gärten etc. sich aufhaltend.

Ich erlegte das Thier in dem Missionsgarten zu Linokana, wo es zumeist die Aeste in der mittleren Baumeshöhe und das wohl ob der zahlreich herumfliegenden Sperber, der Rundschau halber auserwählte. Einer der schmuckesten der zahlreichen, südafrikanischen Würger, jagt er in der Regel auf dem Boden, weniger auf Bäumen und Büschen. Bewohnt er Gärten und Niederwald, so fällt er dem Vorüberreisenden leicht durch sein munteres Spiel auf, mit dem er vorüberfliegende Insecten oder jene, welche die nächsten Grashalme umschwirren, zu erhaschen sucht. Er ist durchaus nicht scheu, gewöhnt sich leicht an den Menschen und zeichnet sich noch dadurch aus, dass er zeitlich am Morgen angenehm zwitschert. Termiten und Käfer bilden seine Hauptnahrung. Iris rothbraun: Innenrand dunkel: Schnabel, Füsse und Klauen schwarz.

Zu Zeiten hielt ich einen im Käfig; anfangs gediehen sie wohl, ohne jedoch für längere Zeit Beobachtungsstudien zu gewähren. Wiederholt fand ich sein Nest, sei es an einzelnen Dornbäumen, sei es an schütteren Dorngebüschdickichten. Es war einmal in dem dichten, dünnen Gezweige, ein andermal in der Gabelhöhlung eines Busches 1-3 Meter über dem Boden, doch zumeist an Stellen angebracht, welche grösstentheils gegen Wind und Regen geschützt waren. Passer arcuatus nistete oft an dem nächsten Busche; sein grosser, weich gepolsterter, unschöner Sackbau, zumeist an dessen Endzweigen als das denkbarste Gegentheil von dem Nestchen des kleinen, schmucken Raubgesellen, sichtbar.

Das Nest hat einen Durchmesser von 14-15 Cm., eine Höhe von 7 Cm., Weite der inneren Höhlung 8 Cm., und ihre grösste Tiefe ist 5 Cm.; es ist aus Scapbusch und anderem dünnen Gezweige, aus steifen Grashalmen und Holzstückchen gefertigt; auch Blätter und Raupennester fand ich eingeflochten, sowie auffallend zahlreiche Wollklümpchen. Diese bildeten die mittlere Lage, die äussere war von den

Lanius pyrrhostictus.

(Nov. sp. Holub et Pelzeln).

genannten Zweigstückchen, die innerste, die Auspolsterungshülle, aus feinem Gras gebildet. Nester, welche weit ab von menschlichen Wohnungen vorgefunden wurden, zeigten nur wenig Wolle, und diese zumeist in der unteren Partie der Mittellage. Die Eier hatten einen Längsdurchmesser von 2·5 Cm. und einen grössten Breitendurchmesser von 1·8 Cm. Sie waren von schmutzig weisser Farbe, mit einem Stich ins Blassgrünliche; dem Längsdurchmesser gemäss graubraun gefleckt, welche Flecke als die bedeutendsten gegen das stumpfe Ende so dicht aneinander stehen, dass sie einen deutlichen Ring bilden. Ich fand in der Regel fünf Eier vor; eines der Nester sammt Eiern ausgestellt. *H.*

Die Unterseite des ausgestellten Würgers ist röthlich. *P.*

Lanius pyrrhostictus (Holub et Pelzeln) — Rothfleck-Würger.

Capite supra et ejus lateribus, nucha, dorso superiore et medio alisque brunnescente nigris, dorso inferiore et uropygio cinereis, plumis laxis, tectricibus alarum inferioribus minoribus albis, majoribus cinereis, scapularibus, speculo alari (remigum, prima excepta, basi alba formato) et gastraeo albis, macula magna intense ferrugineorufa in utroque latere abdominis, caudae rectricibus nigris, intermediis unicoloribus, proximis margine angusto albo, sequentibus apice semper magis extenso albo, ultima penitus alba, rostro et pedibus nigrescentibus. Longit. 21 Cm. (8"), alae 9½ Cm. (3" 8'''), caudae 10½ Cm. (4"), rectrice extima 4 Cm. (1¼"), breviore, rostri a rictu 2½ Cm. (1"), tars, 3 Cm. (1" 1'''). — *L. collari* L. similis sed hypochondriorum macula rufa distinguendus.

Kopf oberhalb und an den Seiten, Nacken, Ober- und Mittelrücken, sowie die Flügel bräunlichschwarz; Unterrücken und Bürzel grau mit lockeren Federn; die kleineren Unterflügeldecken weiss, die grösseren grau; Schulterfedern, der durch die weisse Basis der Schwingen (mit Ausnahme der ersten) gebildete Flügelspiegel und die Unterseite weiss, an jeder Seite des Bauches ein grosser, tief rostrother Fleck; Schwanzfedern schwarz, die mittelsten einfärbig, die nächsten mit schmalem, weissem Rand, die folgenden mit immer grösser werdender weisser Spitze, die letzte ganz weiss; Schnabel und Füsse schwärzlich. — Dem Lanuis collaris L. ähnlich, aber durch den rothen Fleck an den Bauchseiten verschieden. *P.* Körperlänge 21 Cm., Länge d. Flügel 9½ Cm., des Schwanzes 10½ Cm.
7 *P.*

Dieses Exemplar aus der Transvaal herstammend, wo der Vogel zumeist local angetroffen wird.

Ein zweites Exemplar, ein Weibchen von L. collaris oder vielleicht eine Spielart in der Umgebung der Stadt Rustenburg in der centralen Transvaal erlegt.   *H.*

Layard B. S.-Afr. 157 sagt in seiner Beschreibung des Lanius collaris: »In some specimens there is a rufous tinge on the thighs.« Hierunter können aber unmöglich die intensiven, rothen Flecken an den Flanken des hier beschriebenen Vogels verstanden werden.   *P.*

Enneoctonus collurio (Linné) — Dorndreher.

Gray Hand-List. I Sp. 5963.

Lanius collurio (Gmel.). Cuv. V. I. p. 264.

Zwei Weibchen, vier Männchen ausgestellt, davon vier von mir, zwei von *Walsh* präparirt. Ueber grosse Strecken im centralen Südafrika verbreitet.

Meist an Dornbüschen zu finden. Stimme: Tack-Tack. Paarweise, doch auch zuweilen mehrere in einem Umkreise von 4–600 Schritten. Nicht scheu. Nahrung: Insecten, meist Käfer, Termiten, Heuschrecken und Ameisen. Iris dunkelbraun; Schnabel mattschwarz, gegen die Wurzel lichter; Füsse und Nägel schwarz. Der Horntheil der Zunge die Hälfte ihrer Länge ausmachend, ihre Spitze fein gezähnt. Er ist dreister als Drioscopus sticturus und D. hamatus.   *H.*

Urolestes melanoleucus (Smith) — Langschwänziger Würger.

Gray Hand-List. I Sp.

Lanius Cissoides (Licht.). Basanistes melanoleucus (Smith).

Jard. and Gelby. III Orn. Ph. 117.

Iris, Schnabel, Füsse und Nägel schwarz.

Ueber einen grossen Theil des centralen Südafrika verbreitet, lebt in der Regel in Gesellschaften, indem sich einer oder mehrere einen Baum zum Wohnsitze auswählen. Die vier vorliegenden Exemplare stammen aus dem Ostbamangwatolande, dem westlichen Matabele und der Transvaal und das ausgestopfte Exemplar aus dem Lande der Banquaketse. Ungeachtet seiner weiten Verbreitung scheint er im Oranjefluss-Gebiete und südlich davon nur local vorzukommen; über seinen Aufenthalt in den wärmeren Partien Kaffrarias und Natals konnte ich nichts stichhältiges erfahren. Der Vogel ist im Verhältniss zu seiner Grösse ein gefährlicher Räuber, greift Alles an, was er bewältigen kann, obzwar Heuschrecken seine Hauptnahrung bilden. Kleinere Vögel weichen dem Thiere aus, und ich sah dasselbe wiederholt über faulende, sowie frische Fleischstücke herfallen. Neben dem gewöhnlich heiseren Ruf der Würger hört man oft durch die Stille des Waldes seinen grellen, oft wiederholten Pfiff, den er sowohl am Morgen, wie auch nach heftigen Regenschauern hören lässt. Auch der langschwänzige Würger gehört zu jenen Erscheinungen in der südafrikanischen Vogelwelt, an welche sich der Reisende bei dem Betreten der die mittleren Betschuanaländer bedeckenden Niederwälder, ähnlich wie an die dunklen Höhlenschmätzer und die Knurrhähne in den Hochebenen des Südens, gewöhnt und selbe vermisst, wo er sie nicht täglich erschaut. Ein häufigeres Vorkommen fiel mir vom 25.⁰ südl. Br. in den Betschuanaländern und um 1⁰ südlicher in der centralen Transvaal auf, in Gegenden, wo ich auch zum erstenmale mit dem Schizorhis concolor und dem Pionias Meyeri zusammentraf. Die Schwänze der vorliegenden Exemplare, 31 Cm. lang, sind nicht von den grössten, sondern werden in der Regel noch um 5-10 Cm. länger angetroffen. *H.*

Nilaus brubru (Lath.) — Cap'scher Falkenwürger.

Gray Hand-List. I Sp. 5992.

Von Herrn *Lucas* erworben, der das Thier in der südlichen Transvaal in der Nähe der Stadt Potschefstroom erlegte. Das Geschlecht konnte Herr *Lucas* nicht angeben, wohl ein Weibchen. Iris braun; Füsse aschgrau; Nägel schwarz. Nährt sich von Insecten, namentlich Schmetterlingen, Dipteren und Heuschrecken. *H.*

Prionops talacoma (A. Smith) — Talacoma-Schopfwürger.

Gray Hand-List. I Sp. 5994. — Sharpe Cat. Brit. Mus. III 321.

Sechs Bälge, zumeist Weibchen, ausgestellt. Iris schwefelgelb, um das Auge ein 1 Mm. breiter schwefelgelber Hautring; Schnabel schwärzlich; Füsse zinnoberroth; Klauen schwärzlichgrau; Zunge

7*

gelblich: der Horntheil Dreiviertel der Zungenlänge ausmachend; die Zungenhörner weit abstehend, lang.

Ich fand dieses Thier stets truppweise vom Nataflusse nach Norden zu gegen und über den Zambesi hinaus, in dem sogenannten sandigen Lachenplateau des Ostbamangwatolandes. Es bewohnt die dichteren Waldpartien und gehört wohl zu den neugierigsten der würgerartigen Sippe. Die heisse Tageszeit hindurch sitzt der Trupp im dichten Laub geborgen: hat man einen Schuss abgefeuert, oder sich sonst auf irgend eine Art bemerklich gemacht, so kommen die Vögel nahe angeflogen, um den Menschen oder sonst einen fremden Gegenstand neugierig zu beäugeln.

Morgens und am Nachmittage durchwandern sie grössere Strecken, ohne sich jedoch in weiten Flügen zu versuchen, vielmehr um an einem Termitenhügel die ausgezogenen »Jäger« abzufangen und so wie sich die, durch das Ausbleiben der ausgesandten Gefährten, vorsichtiger gewordenen Insecten nicht mehr blicken lassen, von Baum zu Baum, bis an den nächsten Termiten- oder einen Ameisenbau zu flattern und hier eine neue Razzia unter den Kerbthieren zu veranstalten. Obgleich in kein blendend Gefieder gekleidet, weiss sich doch der Vogel dem Beobachter interessant zu machen. Er erreich dies durch sein zutraulich-dreistes Benehmen, bei dem er das mit seitlichen Kopfbewegungen verbundene und durch den stechendgelben oder orangefarbigen Hautaugenring nur noch ausdrucksvoller geschaffene Auslugen und das Beäugeln, so recht zum Ausdruck bringt.

         H.

Eurocephalus anguitimens (A. Smith) — **Südlicher Dickkopf-würger.**

Gray Hand-List. I Sp. 6002. — *Sharpe* Cat. Brit. Mus. III 279.

Die Lebensweise dieses Vogels ähnlich jener von Crateropus bicolor. Auch er lebt truppweise zusammen und bewegt sich auf der Erde wie auf Bäumen, um Insecten nachzujagen. Beide Species machen sich durch ein starkes kreischendes Geschrei bemerkbar. Iris braun: Schnabel schwarz: Füsse schwärzlich; Nägel schwarz; der Horntheil der Zunge röthlich. Nährt sich zumeist von Termiten und Ameisen.

Ein äusserst lebendiger und vorsichtiger Vogel. Ich fand ihn in den Betschuanaländern zwischen dem Molapo und dem Zambesi und in der Transvaal vor.   *H.*

Laniarius atrococcineus (Burch.) — Rothschw. Buntwürger.

Gray Hand-List. I Sp. 6011.

Zwei Männchen. Iris lavendelblau; Schnabel, Füsse und Nägel schwarz. Im centralen Südafrika vom 20. Grad südl. Br., nach Norden hin nur local, dann aber ziemlich häufig anzutreffen. Nahrung: Insecten. zumeist Termiten.

Die beiden ausgestellten Vögel stammen aus dem Ostbamangwatolande. Muntere und durch ihr schönes Gefieder leicht dem Reisenden in die Augen fallende Insectenfresser. Mit Vorliebe sucht sich der Vogel seine Nahrung auf der Erde und um dicht verzweigte Gebüsche auf, um in dieselben sofort bei herannahender Gefahr zu flüchten. Sah ich ihn auf Bäumen, so suchte er blos momentan Schutz in den untersten Zweigen, um im nächsten Augenblicke statt nach aufwärts, in die Krone des nächsten Baumes, oder in die niedrigsten Zweige des nächsten Busches zu flüchten. Er stösst einen schrillen Pfiff aus und ist äusserst scheu. Die Zartheit seiner Haut erschwert dem Sammler die Arbeit des Abbalgens gar sehr. *H.*

Dryoscopus sticturus (Hartl. et Finsch) — Fleckenschwanz-Buschwürger.

Laniarius sticturus Hartl. et Finsch.

Gray Hand-List. I Sp. 6042.

Zwei Exemplare von Herrn *Lucas,* der sie bei Rustenburg in der centralen Transvaal erlegte, erworben (Mai, Juli). Beide Thierchen Weibchen. Iris schwärzlichgrau; Schnabel schwarz; Füsse und Nägel dunkel schiefergrau. Nahrung: junge kleine Vögel, Insecten, vorzüglich Heuschrecken und Termiten. Hält sich meist in bebuschten Partien auf.

Ferner zwei weitere Exemplare ausgestellt. Männchen. Von *Dr. Bradshaw* im Thale des Panda-ma-Tenka (nördlicher Theil des Ostbamangwatolandes) im Jänner erlegt. Iris schwarzbraun; Schnabel, Füsse und Nägel schwarz. Lebt in bewaldeten Abhängen. *H.*

Dieselben haben vollkommen reinweisse Unterseiten wie D. major Hartl., aber die mittleren Flügeldecken auf beiden Fahnen weiss. Das eine Exemplar zeigt einen weissen Fleck an beiden äussersten Schwanzfedern; am zweiten Individuum ist der Schwanz nicht vollständig.

Dryoscopus sticturus (Hartl. et Finsch) und vielleicht auch D. major (Hartl.) dürften wohl kaum von D. boulboul (Lath.) zu trennen sein, da das Auftreten der weissen Flecken am Schwanze und die mehr oder minder röthliche Färbung der Unterseite nicht constant erscheinen.   *P.*

Dryoscopus hamatus (Hartl.)? — Hacken-Buschwürger.

Gray Hand-List. I Sp. 6028.

Zwei Männchen ausgestellt. Eines in dem Missionsgarten zu Linokana im Maricodistrict (Westtransvaal) von mir im Juli 1876 erlegt; ein zweites in Westmatabele von Herrn *Brown* aus Tati erkauft. Lebt zumeist in Pärchen in bebuschten und bewaldeten Partien, die zahlreiche hochbegraste Lichten aufweisen. Iris hell zinnoberroth; Schnabel bläulichgrau, heller gegen die Spitze; Füsse bleigrau; Nägel schwarzgrau. Nährt sich von Insecten. Ich beobachtete während meiner südafrikanischen Reisen nur einige wenige Exemplare.   *H.*

Die beiden Exemplare stimmen mit der Beschreibung von *Hartl.* et *Finsch* (Vög. Ostafrikas 350) gut überein, jedoch ist der Rücken an Beiden nicht vollkommen schwarz wie der Kopf, sondern ins Braune ziehend und der Unterrücken ist grau, nicht weiss. *Hartlaub* kannte nur das eine von Capit. *Speke* aus dem Innern Ostafrikas aus Uniamesi eingesendete Exemplar.   *P.*

Telephonus quadricolor (Cass.). — Vielfarbiger Würger.

Gray Hand-List. B. M. I Sp.

Der Prachtwürger in der würgerartigen Sippe Südafrikas; nur einmal von mir im Süden beobachtet.   *H.*

Telephonus bakbakiri (Shaw.) — Bakbakiri-Würger.

T. gutturalis. Cuv. Vol. I p. 271.

Larius ornatus (Licht.). Thelephonus collaris (Swain.).

Aus der Umgebung der Capstadt herrührend. Beobachtete ihn mehrmals an der Südküste der Capcolonie in der Nähe von Grahamstown, Port Elizabeth und Capstadt. Hier bewohnte er die mehr schütteren Gebüsche, sowie die Ränder des Niederwaldes, doch sah ich ihn selten höher aufbäumen, jagte zumeist auf der Erde oder in dem sie überhängenden Gezweige den Insecten, vorzüglich Raupen. Fliegen und Termiten nach, las auch Nacktschnecken und Juluse auf. Sein schönes Gefieder, wie sein Geschrei, dem er auch seinen Namen verdankt, lenken in Bälde die Aufmerksamkeit des Fremden auf ihn. Als seinen nördlichsten Fundort kann ich den Oranjefreistaat bezeichnen. So sah ich ihn zur Winterszeit in Pärchen in der Nähe von Spruits und feuchten Stellen im Districte Philippolis.   *H.*

Telephonus trivirgatus (A. Smith) — Dreibändiger Würger.
Gray Hand-List. B. M. I Sp. 6053.

Von Dr. *Bradshaw* im Panda-ma-Tenkathale an einem Waldesabhange erlegt. Männchen. Nur wenige Exemplare in den mittleren und nördlichen Betschuanaländern beobachtet, häufiger gegen den Zambesi und den Lake N'Game.   *H.*

Passeres conirostres — Kegelschnäbler.

Corvidae — Raben.

Corvus capensis (Licht.) — Cap'sche Saatkrähe.

Gray Hand-List. B. M. II Sp. 6202.

Sharpe Cat. British Museum III 12. Zwart Korenland Kraai der holländischen Ansiedler.

Zwei Männchen im Juli im Weichbilde der Stadt Linokana (Matebethal) erlegt. Iris schwarzbraun; Schnabel, Füsse und Klauen schwarz. Nährt sich zumeist von Sämereien und Insecten.

Ich fand das Thier über den grössten Theil Südafrikas verbreitet, jedoch nie in so zahlreichen Gesellschaften, wie die beiden weissgescheckten Krähenarten; meist in Pärchen, oder 3 bis 5 beisammenhaltend. Ziemlich scheu und weniger dreist und muthig als Corvus scapulatus. Das Thier findet sich am häufigsten um die Städte von Eingebornen, welche Landbau betreiben, und macht sich, wenn mit seinem schwarzweiss gescheckten Verwandten verglichen, durch eine wahre Schreilust bemerkbar. In seinem Gebaren stimmt es mit Corvus segetum so ziemlich überein.

In den aus Reisig erbauten Nestern fand ich 3 bis 5 Eier. Diese zeigten einen Längendurchmesser von 4·6 Centimeter und den grössten Breitedurchmesser von 3·1 Centimeter, sie sind weiss mit einem Stich ins Blassrosa, mit zahllosen hellvioletten und braunen Flecken gesprengelt, beide Farben oft aufeinander aufgetragen, dann die letztere als Deckfarbe erscheinend. Gegen das abgeflachte Ende finden sich die grössten Flecke hier oft zusammenfliessend. Im Allgemeinen herrschen an Zahl die hellvioletten, an Grösse zuweilen die braunen vor. Die ersteren bilden stellenweise und an manchen Eiern deutliche Längsstriche. Die Form der Eier ist im Vergleich zu jener der Eier anderer verwandten Corvinen eine nach dem schmalen Ende hin auffallend zugespitzte zu nennen. *H.*

Corvus albicollis (Lath.) — Geierrabe.

Gray Hand-List. B. M. 1 Sp.

Corvus vulturinus (Shaw.). Ringhals Kraai der Holländer.

Ich beobachtete dieses Thier nie in den von mir bereisten centralen Partien Südafrikas, vielmehr ausschliesslich in den wärmeren Küstenstrichen, namentlich unmittelbar an der See. In wenigen Fällen trifft man reiselustige Pärchen und kleine Gesellschaften 50, und nach dem mir Ueberlieferten sogar bis 300 englische Meilen weit landeinwärts vor. *H.*

— —

Corvus scapulatus (Daud.) — Schildrabe.

Gray Hand-List. B. M. II Sp. 6224. — *Sharpe* Cat. Brit. Mus. III 322.

T. R. d'Orn. II p. 232. Pl. Enl. 327. Bonte Kraai der Holländer.

Die häufigste Krähenart im centralen Südafrika. Bedeutend häufiger als Corvus capensis. In den Küstenstrichen ist der Schildrabe etwa in gleicher Anzahl wie Corvus albicollis vorhanden und wird in den Hochplateau-Ländern zu seinem Vertreter.

Der gemeine Schildrabe ist unstreitig einer der muthigsten Corvinen; seine grosse Dreistigkeit, für manche Fälle wohl selbst Frechheit, ist erstaunlich.

Ich sah Tausende auf meinen Wanderungen, zumeist in Gesellschaften von 5 bis 10, doch auch 30 und 40, beuteversprechende Orte bewohnen. In hügeligen wie ebenen, in bewaldeten und mit Gebüsch bedeckten Gegenden, überall, doch zumeist auf den unabsehbaren, von reichlichem Wild bewohnten Ebenen der nördlichen Capcolonie, des Oranjefreistaates, Westgriqualand, des südlichen Kalahari »Bushveldes« der beiden südlichsten der Betschuanagebiete, des Batlapinen- und Barolonglandes und der Transvaal, finden wir den Vogel in grösster Anzahl vor. Im Sommer versorgen ihn zumeist die zahllosen Insecten, die Schwärme der Wanderheuschrecken, nach Regenschauern die Myriaden der bis an 25 Centimeter langen Juluse mit hinreichender Nahrung, während der rauhe Winter mit seinen Frostnächten, den heftigen, Erde und Laterit in Wolkenmassen durch die Lüfte jagenden Stürmen und den von der heissen Mittagssonne und monatelanger Dürre kahlgebrannten Steppen, Hunderte von Hausthieren (zumeist Zugochsen)

tödtet und so mit dem ebenfalls in dieser Jahreszeit zu Hunderten
angeschossenen und verendeten Wilde den zahllosen Geiern und noch
zahlreicheren Schildraben, auf lange Jahre hin, ja für immerdar den
nöthigen Unterhalt verbürgt.

Auf den Wildebenen folgt der Schildrabe dem Wagen des Jägers
bleibt in der Nähe des Lagerplatzes oder stattet demselben täglich
häufige Besuche ab.

Während meines Aufenthaltes in den Wildebenen der südwestlichen Transvaal waren die Vögel täglich bei uns zu Gaste. Fleisch
und Knochenstücke, auf 50 Meter vom Wagen geworfen, wurden
sofort geholt; folgten unsere Hunde den bei Seite geworfenen Bissen,
so wichen wohl die Vögel, laut kreischend, der Uebermacht, doch nur,
um sofort, kaum dass die Vierfüssler die Stelle verlassen, auf dieselbe einzufallen und den zurückgelassenen Rest für sich zu beanspruchen. Ich sah einigemale, wie Hund und Rabe zugleich, der
letztere senkrecht, oder beinahe senkrecht von oben herab das 20 Meter
weit geschleuderte Fleischstück zu erhaschen suchten, und wie der
Vogel bei diesem äusserst kühnen Versuche dem Hunde zuvorkam,
ja selbst, wenn schon hart bedrängt, durch eine plötzliche Schwenkung
dem erzürnten, auf ihn losspringenden und nach ihm schnappenden
Köter entwich. Wurden jedoch die Vögel zu wiederholtenmalen aus
der unmittelbaren Nähe des Lagerplatzes verscheucht, so siegte ihre
Vorsicht über die Neugierde und Dreistigkeit, und man konnte dessen
sicher sein, dass diese Schaar durch mehrere Tage der Lagerstelle fern
bleiben werde. Hatte man den Ort mit Wagen und Allem verlassen,
so fanden sich in Bälde die verscheuchten, doch noch vor ihnen
die in seiner Nähe geduldeten Schildraben ein, um sich noch vor den
Geiern und Schakalen an die zurückgelassenen Wildreste zu machen.
Einige Secunden lang über dem verlassenen Lager bedächtig kreisend,
scheinen sich die Thiere wo möglich orientiren und wohl den besten
Bissen ausfindig machen zu wollen. Knochen und Hautstücke werden
einer gründlichen Untersuchung unterworfen, das niedergetretene Gras
und die zurückgelassene Streu durchstöbert, kurz, die ganze Stelle
gründlich besichtigt, ja selbst die kaum erkaltete Asche durch-
wühlt.

Hat der einzeln dahinfliegende Geierrabe eine Beute erspäht, so
macht er mit lautem Schrei sofort den weiter ab kreisenden Genossen
seinen »Fund« bekannt. Eine besondere Aufmerksamkeit widmet der

Vogel auch dem Fluge der Geier und ist gewöhnlich ihr Nachfolger an dem Cadaver; hat er die Stelle verlassen, dann erscheint als der dritte und vierte einer der zufällig nahe anwohnenden Würger und der in den Hochebenen so häufige dunkle Höhlenschmätzer. Zumeist im Winter sah ich den Geierraben auch die Einzelngehöfte (Farmhäuser) umschwärmen, um, dreister als die Aasgeier, nach den ausgeworfenen Abfällen zu fahnden.

Ausser Aas, Insecten und Sämereien fällt diese Krähe Alles an, was sie nur bezwingen kann, so kleinere Vögel, Vogeleier, Eidechsen, Fische etc.

Von mehreren, die ich mir hielt, bemerkte ich die Weibchen stets besser gelaunt als die Männchen. Ich fand im Allgemeinen die Thiere so zutraulich, dass sie Ausflüge unternahmen und wiederum zurückkehrten, auf einen bestimmten Ruf hörten und sich von dem, der sie fütterte, leichter wie von Fremden fangen liessen. So wie ich bei ihnen ankam, senkten sie die Köpfe, um sich, die Halskrause sträubend, am Nacken streicheln zu lassen.

Käfige aus feinem Drahtnetze wurden von ihnen zerstört. Sie hackten in die Drahtwände viereckige Löcher und vergrösserten diese dann so lange, bis sie bequem durch die Oeffnung durchschlüpfen konnten. Eines der Weibchen hatte zeitweilig einen Krampf im linken Tarsus, so dass es mit eingekrallten Zehen einherging. Wenn Fremde die Thiere minutenlange mit den Fingern neckten, so hackten sie mit der Absicht, dem Ruhestörer einen tüchtigen Hieb beizubringen, wiederholt auf die berührte Drahtstelle los. Bekamen sie mehr Fleisch, als sie auf eine Mahlzeit zu sich zu nehmen pflegten, so wurde der Ueberschuss verscharrt oder in die Käfigfugen eingelegt; es suchte der Eine seinen Antheil vor dem Anderen zu verbergen. Ihr Käfig stand an einem Lehmhäuschen; die Vögel hatten sich bald von der schlechten Structur des letzteren überzeugt und machten mit ihrer guten Waffe einige 2-3 Zoll tiefe Löcher in die Lehmwand hinein, um das bei Seite gelegte Fleisch darin zu verbergen und aufzubewahren. Fleisch an Knochenstücken, ob roh oder gekocht, war ihre Lieblingsnahrung. So wie sie mich mit dem Fleischbrette bei der Bedienung der übrigen Vögel und Vierfüssler im Höfchen herumgehen sahen, fingen sie sofort laut zu kreischen an, was sie auch bei dem Erscheinen einer Hauskatze wiederholten. Hatte ich ihnen mehr Brot und Mais und weniger Fleisch gereicht, so fingen sie sich selbst oder einer dem andern die End-

Ilügelfedern auszubeissen an, so zwar, dass ich mehrmals mit meiner bei den Thieren üblichen, blutstillenden Lösung (Liquor ferri sesqui-chlorati und ungebranntem Alaun) dem tröpfelnden Blute Einhalt thun musste. Pärchen sassen stets dicht nebeneinander, doch hatten die Weibchen von den Neckereien ihrer Gesponse viel zu leiden. Bald wurden sie an den Flügeln gezupft, am öftersten jedoch an den Zehen behackt, doch endete diese Neckerei in der Regel mit einem Pardon von Seite des Weibchens, indem es das Männchen mit einer emsigen Reinigung und Absuchung des Halses, namentlich der Kehlfedern, zu beschwichtigen suchte. Ich halte diese Krähe für gewandter und im Allgemeinen mit grösseren Fähigkeiten begabt als Corvus capensis, doch letztere, wenn gezähmt, viel zutraulicher und viel weniger zu so zahlreichen bösen Streichen aufgelegt als den Schildraben.

Am Calverts-Salzsee* fand ich auf einem niedrigen Dornbäumchen ein Nest des C. scapulatus; es hatte 40 Cm. im Durchmesser, eine Höhe von 30 Cm. und war aus Reisig und Binsenstücken gefertigt und mit Federn, Blättern, doch zumeist Thierhaaren, welche sich die Vögel von den Wildcadavern zu holen pflegen, ausgepolstert.   *H.*

Sturnidae — Staare.

Dilophus carunculatus (Gmel.) — Huhnstaar.

Gray Hand-List. II Sp. 6305.

Sturnus gallinaceus (Lath.). Cuv. V. I p. 425.

Zwei Exemplare von mir im Matebethale (Westtransvaal), eines von *Dr. Bradshaw* im Panda-ma-Tenkathale (Ostbamangwatoland) — alle drei Männchen — letzteres im Winter, erstere im beginnenden Sommer erlegt; letzteres scheint mir nicht vollkommen ausgewachsen zu sein. Iris braun (*Bradshaw*); dunkelbraun (*H.*); Schnabel fleisch-farbig, an der Wurzel schwarz (*Br.*) oder braunröthlich (*H.*); Füsse und Nägel schwarzbraun (*Br.*) und braunröthlich (*H.*); Hautfalte am hinteren Augenlid schwefelgelb (*H.*).

Nährt sich von Insecten, Sämereien und Beeren.

Der Vogel scheint im Winter truppweise gegen die Küsten, in die wärmeren Partien zu ziehen. Ich fand ihn oft in bedeutenden Gesell-

---

* Hartsriver-Molapo-Ebenen, südöstlicher Theil des Barolonglandes.

schaften und dann in verschiedenen Localitäten, wie: Capcolonie, Westgriqualand, Oranjefreistaat, Transvaal, Betschuanaländer. Ich sah die Thiere im Niederwald, doch auch auf Ebenen, die isolirte Bäume aufwiesen. Sie scheinen mir namentlich als Heuschrecken-vertilger sehr nützlich zu sein, mit wenigen Ausnahmen sind sie bedeutend scheuer als die vorhergehenden Arten. und ich hatte stets längere Zeit zu laviren, bevor ich aus entsprechender Entfernung einen erfolgreichen Schuss anbringen konnte. Die ersten Exemplare beob-achtete ich gleich in den ersten Tagen meines Aufenthaltes in den Diamantenfeldern im August 1873. Ich traf später auch auf meinen weiteren Reisen zur Winterszeit mit dem Huhnstaar, den ich jedoch im Sommer in denselben Localitäten vermisste, zusammen; doch nirgends fand ich ihn brütend vor. Er machte bei allen diesen Gelegenheiten den Eindruck auf mich, wie wenn er auf seinen Wanderungen be-griffen wäre, und dass er in den Küstenländern vom 25.° südl. Br. gegen den Aequator zu heimisch sein möge. *H.*

Buphaga africana (Linné) — Madenhacker.

Gray Hand-List. I Sp. 6319.

Buphaga rufescens (Vieill.).

Zwei Männchen. Iris stechend roth; vordere Schnabelhälfte blut-roth; hintere stechend gelb; Füsse braun iritirt. Nähren sich von Insecten, Würmern und Zecken.

Erlegt in den das Panda-ma-Tenkathal umschliessenden Wäldern. Häufig in Trupps im nördlichen Ostbamangwato-, dem Matabele- und Marutsereiche vorzufinden, eben überall da, wo Hochwild zahlreich ist. Wenn sich auf unserem Marsche durch die Wälder in einer Entfer-nung von mehreren hundert Schritten eine Schaar dieser Vögel in die Lüfte erhob, konnten wir mit Sicherheit auf die Nähe einer Büffel- oder Gnuheerde oder die eines Nashorn's schliessen.

Deshalb begrüsst der weisse wie der farbige Jäger den Maden-hacker als einen willkommenen Boten; da er jedoch seine Orientirung über den Wildstand oder eine besondere Wildgattung eines Waldes vor Allem aus den frischen und frischesten Spuren, aus der Qualität der Excremente des Wildes etc. zu schöpfen hat, so erweisen sich ihm die Beefeater (spr. Bifüter) nur dann wahrhaft nützlich, wenn sie ihm ein ungeahntes, entgegengrasendes Wild verrathen. *H.*

Lamprotornis Mewesii (Wahlb.) — Mewes' Glanzvogel.

Juida Mewesii (Wahlb.). *Gray* Hand-List. II Sp. 6326.

Hartl. Glanzstaare. Afrik. Abh. naturw. Ver. Bremen Bd. IV, Hft. II (1874) 48.

Zwei ausgewachsene Weibchen im Sybananiwalde erlegt. Nur auf meiner Heimreise vom Zambesi im Sybananiwalde an der Matabelegrenze und nicht südlicher im centralen Südafrika beobachtet. Der Vogel suchte mit Vorliebe die höchsten Baumwipfel auf und zeigte sich, wie alle die Vertreter dieser Sippe, äusserst scheu.

Schnabel und Nägel schwarz, Füsse schwärzlich.   *H.*

Lamprotornis Burchellii (Smith). — Burchell's Glanzvogel.

Zool. S. A. Pl. 47.

Juida Burchellii (Smith). Megalopterus australis (Smith).

Ich fand diese Vögel meist local vor, namentlich in hochbebäumten Flussthälern und zum ersten Male im Februar 1875 nahe der Diamantwäscherei Klipdrift im Thale des Vaalflusses. Ein lebhafter und scheuer, einzeln, doch meist paarweise lebender Vogel. Nahrung: Insecten, welche der Vogel auf den Bäumen zu erhaschen sucht.   *H.*

Lamprocolius sycobius (Peters) — Peter's Glanzvogel.

Gray Hand-List. I Sp. 6333.

Zwei Peter's Glanzvögel aus der centralen Transvaal, einer aus dem Vaalthale, mehrere aus den Betschuanaländern herrührend, ziemlich über das gesammte Central-Südafrika ausgebreitet. L. Sycobius ist eine der angenehmsten Erscheinungen unter den Passeres conirostres. Aeusserst munter und vorsichtig, entgeht dem klugen Thierchen kein fremdes Object; selten, dass es einem der befiederten oder vierfüssigen Räuber gelingt, seiner habhaft zu werden. Seiner ungewöhnlichen Vorsicht scheint ein Meditationsvermögen zu Grunde zu liegen, das dem Vogel in dem Geschlechte der Juiden einen hervorragenden Platz sichert. Die Thiere bauen sich ihre Nester an den hervorragenden Aesten hoher Bäume und stellen sich in der Regel Jahr für Jahr zur Nachtzeit in denselben ein. Zeitlich am Morgen, wie beim Sonnenuntergang

Lamprocolius sycobius.

(beim Ausflug und bei der Heimkehr) zwitschern sie eine zeitlang auf den Zweigen, auf denen ihre Nester erbaut sind. Dabei erscheinen oft die Bewohner eines Baumes oder mehrerer Nachbarbäume an einem der Nester, um sich zu einem gemeinschaftlichen Fluge vorzubereiten. Mit Vorliebe wählen sie zu ihren Nestern Uferbäume oder die höchsten Säume eines Waldes, sowie auch jene, welche Waldlichter überschatten; gewöhnlich sind diese Nester gross, mit einer ziemlich kleinen Eingangsöffnung und die Zweige, an denen sie befestigt sind, von den Nesterbauern abgeblättert; sonst erscheinen mir die Nester an und für sich nicht kunstvoll, wenn sie auch zu den gedeckten Brutstätten gehören, und sind meist aus dünnem Reisig gearbeitet. Im März und April zeigt sich das Gefieder des Vogels im Wechsel zum Winterkleid grau, später mattschwarz. Das Thier ist oft von Dutzenden kleiner Zecken geplagt, welche sich meist am Kopfe, um die Augen, um Ohren und an der Schnabelwurzel einzeln

Der mit Zecken behaftete Kopf eines violettfleckigen Glanzvogels.

oder auch dicht aneinander bis vier und mehrere und fest einzubeissen pflegen. Ich glaube, dass sie sich, von dem Vogel in das Nest gebracht, in demselben einnisten und ihm so seine Schlafkammer zu einer Folterkammer machen.

Ich beobachtete etwas Aehnliches, wenn auch weniger häufig, und die Zecken in geringerer Anzahl bei den vorhergehenden Glanzvögeln wie auch an der folgenden Art, und erlaube mir mit der obenstehenden Zeichnung den mit den genannten Parasiten verunstalteten Kopf eines violettfleckigen Glanzstaars vorzuführen.

In kleineren Trupps bis zu 30 Stück streichen die Vögel in mässiger Höhe, dabei in der Regel zwitschernd und während eines längeren Fluges sich öfter Ruhepausen gönnend.

Peter's Glanzvogel sucht in den Bäumen wie auch auf der Erde seine Nahrung auf. Letztere besteht in Insecten, Asseln und Nacktschnecken, doch verschmäht er auch Beeren und kleine Früchte nicht.   H.

Lamprocolius phoenicopterus (Swains.) — Violettfleckiger Glanzvogel.

Juida phoenicoptera Sw. *Gray* Hand-List. II Sp. 6330.

Lamprocolius phoenicoptera. *Hartl.* Glanzstaare Afrikas.

Aus dem Ostbamangwatolande und Westmatabele herrührend, von einem Elfenbeinhändler erkauft, der leider nichts von dem Fundort des Vogels zu berichten wusste.   *H.*

Spreo bicolor (Gmel.) — Zweifarbiger Staar-Glanzvogel.

Juida (Spreo) bicolor. *Gray* Hand-List. II Sp. 6352.

Mehrere Pärchen ausgestellt. Iris hell ockergelb; Schnabel schwarz, die untere Partie an der Wurzel schwefelgelb; die ebenso gefärbte Mundwinkelhaut schlägt sich nach aussen um die Mundwinkel als eine schwefelgelbe Haut über; Füsse und Nägel schwarz.

Gemein in Südafrika, doch insbesondere in den dicht bewohnten, südlichen Partien der Capcolonie und dem Oranje-Freistaate. Gewöhnt sich leicht an den Menschen und ist sehr häufig in der Nähe von Farmhäusern anzutreffen, wo er sich durch das Ablesen von zahllosen Insecten sehr nützlich erweist und den Rindern und Schafen die lästigen Parasiten, namentlich die Zecken, absucht. Lebt in grösseren Gesellschaften, die zumeist in Felsenritzen und Erdlöchern nisten und sich die Zäune bildenden oder an den Teichdämmen wachsenden Trauerweiden zur Schlummerstätte wählen.

Der Vogel liebt Wassernähe, bewegt sich in der Regel am Boden und flüchtet bei nahender Gefahr auf Bäume, von wo aus er eine Zeit lang den Störenfried betrachtet, um sich sodann wieder in pleno seiner Insectensuche hinzugeben.   *H.*

Amydrus morio (Linné) — Mohren-Glanzvogel.

Juida (Tyrrhocheira) morio Daud. *Gray* Hand-List. II Sp. 6357.

Amydrus morio (L.) *Hartl.* Glanzstaare Afr. 89.

Am. rufipennis (Shaw). Rooivlerk Sprejki der Boers.

Zwei Exemplare. Ein Männchen und ein Weibchen von *Lucas* bei Rustenburg, Centraltransvaal, ein Männchen von mir in Linokana Westtransvaal, erbeutet. Iris grau; Schnabel, Füsse und Nägel schwarz.

Nährt sich von Insecten, Würmern und Früchten.

Ich fand dieses Thier in dem gesammten Central-Südafrika von der südlichen Meeresküste bis zum Zambesi hinauf, doch beinahe stets so sehr local, dass der Vogel im Vergleiche zum Spreo bicolor selten genannt werden muss; nur da, wo die Hochplateau-Terrassen gegen die Küste in ausgedehnten »Kränzen« abfallen, und an den höchsten der felsigen Uferpartien des Meeres scheint der Vogel — nach dem, was ich in Grahamstown und Capstadt vernommen — in grosser Menge zu leben. Ich fand ihn in der Regel in hohen, natürlichen und künstlichen Gesteinswänden nistend und sich auch daselbst die meiste Jahreszeit hindurch aufhaltend; es sind dies im Allgemeinen senkrechte, oder sehr schroffe, felsige Höhenabhänge, Klüfte und tiefe Erdspalten, sowie Thürme und hohe Gebäude. Der Mohren-Glanzvogel ist ein äusserst scheuer Vogel und besitzt einen edleren Flug als alle die übrigen der südafrikanischen Sturniden.   *H.*

Ploceidae — Webervögel.

Textor (Bubalornis) erythrorhynchus (Smith) — Rothschnäbliger Büffel-Webervogel.

Gray Hand-List. B. M. II Sp. 6554. — Textor niger (Smith).

Ein Männchen am Ufer des grossen Marico im Bakwenalande im Juni 1875 von Dr. *Bradshaw* erbeutet und von ihm erkauft. Iris braun; Schnabel und Füsse scharlachroth; Nägel schwärzlich. Nahrung: Würmer, Insecten und deren Larven, und wie Spreo bicolor den Rindern gute Dienste erweisend. Paarweise, doch zumeist in kleinen Gesellschaften vom Vaalflusse nach Norden zu, angetroffen.   *H.*

Hyphantornis olivacea (Hahn) — Olivenfarb. Larvenwebervogel.

Gray Hand-List. B. M. II Sp. 6575.

Hyphantornis capensis (Smith). I. S. A. Z. p. 662.

H. caffer (Licht.) — H. aurifrons (Tem.) — Ploceus icterocephalus (Swain.).

Ein Weibchen im Zambesithale im December 1875, mehrere Pärchen in verschiedenen anderen Localitäten, so in der Capcolonie am Fischriver, auf einigen Farmen im Oranjefreistaate, in den Thälern

8

des Mooder-, Vaal-, Harts-, Schoen- und Limpopoflusses erlegt und gefangen. Wir finden die Larvenwebervögel stets gesellschaftlich einen Baum oder mehrere Nachbarbäume bewohnen, und wenn sie auch anderen Vögeln gegenüber wohl als streitsüchtig bezeichnet werden müssen, so scheinen sie doch als Mitglieder einer Geselischaft, unter einander, nur von friedlichen Grundsätzen beseelt zu sein.

In sehr vielen der südafrikanischen Thäler, namentlich in jenen, welche von fliessenden Gewässern durchströmt werden, oder welche wenigstens in dem Bette einer Spruit einige bedeutendere, die meiste Jahreszeit hindurch wasserhaltige Lachen aufweisen, — fallen dem Reisenden sofort Nester auf, welche im wahren Sinne des Wortes den Ufern des Stromes oder Flüsschens, doch zuweilen auch denen eines Teiches oder Sumpfweihers, zur Zierde gereichen.* Ihr Baumeister gehört nicht allein zu den schon einigemal erwähnten Künstlern der südafrikanischen Vogelwelt, welche sich prächtige Brutstätten bauen, sondern auch zu jenen, die von ihrem Kunstsinn zu Zwecken ihrer Sicherheit Gebrauch machen, die — bis auf eine runde an der unteren Fläche angebrachte Oeffnung — geschlossene Nester errichten und selbe an den vom Stamme am meisten abstehenden Zweigenden anbringen. Sie wählen ausserdem Bäume, welche, in Südafrika nur allzu zahlreich, mit langen und spitzen, mit hakenförmigen oder zweifach geformten Dornen bewehrt, den Vierfüsslern sowohl, wie der räuberischen Schlange den Aufstieg sei es erschweren, sei es vollkommen unmöglich machen, oder deren dünne Aeste, wie jene der südafrikanischen Salixarten, selbst einer dünnleibigen Schlange das Abwärtsklettern nicht gestatten. Dazu kommt noch die Gewohnheit, Zweige zu entblättern und die Nester — wir müssen dabei die Vorsicht und Klugheit der kleinen Larvenwebervögel beachten — stets über wasserhaltigen Stellen anzubringen.

Dort an jenen dünnen Endzweigen — hellgrünen und fahlgelben Früchten gleich — wiegen sich die zierlichen Grashäuschen und schaukeln bei heftigem Winde mit einander um die Wette; sie schaukeln auch die Vögel mit, sei es je einen, der im Innern die Eier hütet oder auch den Genossen, der sich eben an den Rand des runden Pförtchens geklammert oder oben am Nestchen ein Plätzchen erkor. Ab und zu fliegen die Nachbarn! Auch unser Männchen scheidet; seht doch, jagt es nicht dort einem summenden Käfer nach? Hat den Armen, Nichts-

---

* »Sieben Jahre in Südafrika«, I. Bd., p. 152.

ahnenden, auch schon erschnappt und kehrt nun mit der gesicherten
Beute im Schnabel, fröhlich und munter wie immer und in seinem
frischen, gelben Kleidchen strahlend, eilig zum trauten Weibchen zurück.

Das schöne Gewand des Vogels harmonirt wohl mit dem
schaukelnden Geflecht, hebt sich deutlich — schon aus der Ferne
sichtbar — von dem dunklen Grün der Mimosen wie dem hochbegrasten Ufer ab und erscheint ebenso rein, wenn auch grösser, in dem
ruhigen, klaren Gewässer wieder; und war vielleicht vom Westen her
ein Hauch durch das Thal gegangen, ein Hauch, der dort unten das
Rohr und die Binsen aus ihrem Mittagsschlummer aufrüttelte und sie
säuseln machte, dann vergass er auch die Hütten der schmucken
Vöglein nicht. Unsichtbar und doch fühlbar hat er sie berührt, umweht,
so dass sie langsam zu schwingen und auch unten in der Fluth als
Spiegelbild zu nicken und zu schaukeln begannen.

Da ich zahlreiche Nestgruppen in Thälern vorfand, wo durch
die Zeit meines Aufenthaltes, Wochen und Monate lang, nicht einer
der Vögel sichtbar war, so glaube ich, dass stellenweise auch diese
Hyphantornis gleich vielen anderen der Passeres nach den Küsten zu
emigrirt. Gefangene Männchen hielten wohl aus, gefangene Weibchen
starben in der Regel schon am zweiten oder dritten Tage, wenn man
sie nicht, sei es mit Ihresgleichen, sei es mit anderen Vögeln in einem
geräumigen Behälter unterzubringen vermochte. Am Hartsflusse und auch
an anderen Transvaalflüssen beobachtete ich zuweilen einzelne oder
nachbarliche Nester in dem Anfangsstadium ihrer Bildung; hier hatte
eine Gesellschaft zu bauen begonnen, war jedoch durch Raubvögel
gestört worden, oder hatte, den Ort aus anderen Gründen zur Anlage
einer Colonie nicht sicher genug wähnend, die Brutstätte kurz nach
ihrer Wahl wieder aufgegeben.

In den Küstenstrichen und wärmeren Partien Südafrikas fangen
die Vögel schon zeitlich im Frühling, in den Hochplateauländern vom
October zu brüten an. Die am 10. November untersuchten Eier enthielten halbgereifte Foetuse. Ich fand in der Regel 2 bis 3 Eier vor,
und zumeist die Weibchen dieselben erwärmend, von den Männchen
reichlich mit Nahrung versorgt. Als ich am zweiten Abend, während
meines dritten Aufenthaltes im Hartsriverthale meine Tags zuvor
angestellten Versuche, einige Weibchen im Neste zu überraschen,
wiederholen wollte und mich den Nestern mit dem Schmetterlingsnetze
näherte, wurde ich von den Thierchen, und das in wohlverdienter

8*

Weise, überlistet. Gegen ihre Gewohnheit schlummerten diesmal die Männchen an den entlaubten Aestchen, welche die Nester tragen, und nahmen nur allzu rasch mein Anschleichen gewahr. Sie flogen zwitschernd auf und avisirten so die Weibchen, welche sofort die Nester verliessen, um sich auf die nächsten Bäume zu flüchten.

Neben den schon erwähnten Eigenschaften finden wir öfters Gelegenheit, den olivenfarbenen Larvenwebervogel auch muthig und äusserst neugierig zu nennen.

Seine Hauptnahrung besteht in Insecten, Samen und Beeren.

H.

Hyphantornis nigrifrons (Cabanis) — Schwarzstirniger Larvenwebervogel.

Hyphantornis nigrifrons (Cab.). Mus. Hein I. 182 (Kaffernland).

Hyphantornis velata (Vieill.). — *Gray* Hand-List. B. M. II Sp. 6580.

Drei Männchen, wovon eines im unvollständig entwickelten Sommerkleide, im Hartsriverthale, ein anderes bei der Stadt Linokana im Matebethale erbeutet, ferner eines im October und die übrigen Ende November erlegt. Bewohnt hie und da die Flussthäler im Oranjefreistaate, im Griqualand-West, in den Betschuanaländern und der Transvaal. Schnabel schwarz; Füsse blass- bis bräunlichroth. Während meines Aufenthaltes im Matebethale erschienen hier die Vögel gegen das Ende der Winterzeit und hielten sich bis zum Beginn des Sommers in der unmittelbaren Nähe der Stadt Linokana auf. Sie suchten ihre Nahrung auf den Rainen und Wiesenplätzen, um nöthigenfalls in die nächsten solche Grasstellen umsäumenden Gesträuche zu flüchten. Ende September verliessen sie Linokana, um in dem einige Stunden weiter nach Norden zu liegenden und bewaldeten Notuanythale zu nisten. In ihrem Gebaren gleichen sie im Allgemeinen der vorhergehenden Art.   *H.*

Quelea sanguinirostris (Linné) — Blutschnabel-Dioch.

Ploceus (Quelea) sanguinirostris. — *Gray* Hand-List. B. M. II Sp. 6618.

Sah den Vogel mehrmals zu seiner Brutzeit — sowohl auf den Ebenen, als auch in den Thälern der beiden Republiken, in Griqualand-West und in den südl. Betschuanaländern — zumeist Dornbüsche und

Mimosenbäumchen von mittlerer Höhe für seine Brutstätten auswählen. Nahrung: Insecten und Sämereien. *H.*

Pyromelana Sundevalli (Bonap.) — Sundevall's Feuerfinke.

Ploceus (Pyromelana) Sundevalli. — *Gray* Hand-List. B. M. II Sp. 6638.

Die ausgestellten Exemplare (im Prachtkleid) von mir im Molapo-thale, im Barolonglande während der zweiten Reise im Monat December 1873 erlegt. Eine jener Finkenarten, welche durch ihren Nestbau, einen verlängerten Stoss oder ihr Prachtgefieder auffallen. Der Feuerfink gehört zu den letzteren! Eine lohnende Beobachtung des Vogels war mir eben in jenem Thale, aus dem die ausgestellten Exemplare herrühren, vergönnt.

Wir stehen an einem schmalen, zwischen grauen Tuff-Felsen sich schlängelnden Wasserstrahl, die klare Fluth von dichtem Schilf beschattet und dahinter — durch seine Lücken — reifender Weizen und weiterab, die dunklen, grossen Blätter eines blühenden Maisfeldes erschaubar. Da erhebt sich in diesem plötzlich ein Geschrei; Betschuana-Rufe schallen zu uns herüber, und bevor wir uns noch versehen, fallen Erdstücke neben uns auf den bunten Blumenteppich nieder. Der Ruf der Entrüstung erstirbt jedoch auf unseren Lippen. Und warum? Soll vielleicht ein fernerer Erdklumpen von drüben her geworfen, uns auch noch verletzen? — O nein, nicht Uebermuth war es noch Feigheit, die uns schweigen hiessen — o nimmer! Doch höre: Mit den Erdschollen zugleich, unmittelbar vor uns, war eine Schaar von Vögeln in das Schilf des jenseitigen Ufers, kaum zwei Meter weit — eingefallen. Welch prächtiger Anblick! Das Gesicht und der Unterleib sammtschwarz, das Hinterhaupt, der Rücken und die Brust feuerroth; beide Farben im schönsten Sammtglanz; die Federchen am Nacken zu einer Krause gesträubt. Dies wohl die Folge der Erregung, weil aus dem Weizenfelde vertrieben! Laut zwitschern die kleinen Geschöpfe. »Ihr Armen! Sind denn Eure winzigen Herzen von solch' einem Unmuth durchdrungen und in Aufruhr gebracht? Wir wollen hoffen das nicht auf lange!« Soeben haben sie uns erschaut, und wir werden neugierig angestaunt. Doch schon im nächsten Moment verschwinden die meisten in dem Schilfe, ebenso rasch, als wie sie von ihm — feuerrothen Prachtblüthen gleich — so plötzlich hervorgezaubert waren. Sich an den senkrechten

Stengeln festhaltend, drehen sie immer wieder den Körper oder nur den Kopf nach uns hin, und scheinen wohl nach und nach zutraulicher zu werden. Die Männchen gönnen uns den Anblick ihres Feiertagsgewandes, die Weibchen bieten Beweise ihrer innigen Mutterliebe dar, mit der sie um ihre nahen Brutstätten flattern. Diese sind 1 bis 3 Fuss über dem Boden, zumeist über dem Wasser an 2 bis 4 Schilfrohrstengeln befestigt; sind ebenfalls Kunstbauten, gedeckt und mit einer seitlichen Oeffnung versehen.

Der Vogel ist eine häufige Erscheinung in der Capcolonie, im Oranjefreistaate, in den Betschuanaländern und in der Transvaal, zumeist die Schilfrohrdickichte an stehenden und fliessenden Gewässern und in ausgedehnten Morästen* bewohnend; das Männchen verliert im Winter sein schönes Gefieder, welches in dieser Jahreszeit dem des Weibchens gleicht, sich bräunlichgrau färbt. Der Feuerfink lebt in zahlreichen Gesellschaften, welche zuweilen den Sorghum- und den Getreidefeldern schädlich werden können.   *H.*

Euplectes taha (Smith) — Taha-Webervogel.

Ploceus (Taha) taha. — *Gray* Hand-List. B. M. II Sp. 6645.

Ploceus Abessinicus (Reich).

Drei Männchen aus der centralen Transvaal erworben. Schnabel schwarzbraun, die untere Kinnlade heller; Füsse bräunlich.

In den Betschuanaländern sowie am Vaalflusse und von da nach Norden gesellschaftlich lebend, mir selbst nie unter die Augen gekommen. Nach dem mir Ueberlieferten scheint er in Bezug auf seine Brutorte und sein Gebaren etc. mit der vorhergehenden Art Vieles gemein zu haben.   *H.*

Philetaerus socius (Smith) — Siedelsperling.

Gray Hand-List. B. M. II Sp. 6647.

Philetaerus socius (Lath.) — Philetaerus Patersonii (Less.) — Philetaerus lepidus (Smith), Zool. S. A., p. 8; Cuv. Vol. 2, p. 133.

Im centralen Südafrika vom Oranjeflusse bis zum 24.° südl. Breite am zahlreichsten anzutreffen; im Westen reicht sein Verbreitungsbezirk weiter nach Norden bis zu den portugiesischen Besitzungen.**

---

* Ueber sein Vorkommen in Natal weiss ich nichts zu berichten.

** Ueber sein Vorkommen in den letzteren und an der Ostküste Südafrikas ist mir in Südafrika selbst keine zuverlässige Nachricht zugekommen.

Ein ebenso munteres wie friedliches, in der Regel in grossen Gesellschaften — bis an die 40 Pärchen an einem Baume — lebendes Vögelchen.

Manche der nördlicheren, zumeist zwischen dem Oranjefluss und dem Molapo liegenden hochbegrasten Ebenen zeigen stellenweise schüttere Wälder von uralten Kameeldornbäumen, und eben die seitlichen Partien der Kronen dieser Mimosen sind die von den Vögeln mit Vorliebe zu ihren gemeinschaftlichen Nestern gewählten Stellen. Wir sehen hier einige, doch auch 20 bis 40 aus Gras erbaute·Nester von einem mehr weniger abschüssigen, schief oder geradkegelförmigen Grasdache gedeckt. Von Weitem sieht das Ganze wie ein Miniaturdach, von altem Stroh gefertigt, aus. Der Bau wird zuweilen so schwer, dass die Aeste unter seiner Last brechen, und doch vermag das überaus harte Holz der Acacia giraffe schon einigen Widerstand zu leisten.

Der Siedelsperling gehört eben zu jener Gruppe von Vögeln, auf deren Bedeutung als Nestkünstler wir schon einigemale hingewiesen haben. Auch sein Nest, wenn auch kein schöner Bau, ist der Beachtung werth und ob seiner Anlage wenigstens schon aus Skizzen allen gebildeten Völkern bekannt. Wir beobachteten in den nebeneinander·liegenden und aneinander befestigten Einzelnestern je eine Oeffnung nach abwärts, und obwohl uns oft dreissig solcher Oeffnungen von der zumeist geraden unteren Fläche des gemeinsamen Baues entgegenwinken, so können wir doch nur wenige und selbst diese oft nur theilweise erschauen. Absichtlich hatte der Vogel die Grashalme hervorragen lassen, um die Oeffnung des gerade empor oder etwas schief einführenden kurzen Ganges wo möglich zu decken. Die Höhlungen der einzelnen Brutstätten sind etwa faustgross. Die meiste Sicherheit bietet den Vögeln das abschüssige Dach; es sollen die anscheinend nur von oben beizukommen trachtenden Feinde an diesem herabgleiten und so zum Falle gebracht werden. Ausserdem bietet ihnen das Dach den besten Schutz gegen Regen und Stürme. Nach all' diesem würde man annehmen, dass die Nester der Siedelsperlinge ihren Feinden gegenüber vollkommen unzugänglich seien; doch wurde mir selbst Gelegenheit geboten, mich für gewisse Ausnahmsfälle von dem Gegentheile zu überzeugen. In den westlichen Partien des Oranjefreistaates wurden in den letzten fünfzehn Jahren die meisten der Kameeldornwälder gefällt, um in den nahen Diamantenfeldern als Brennholz für wahrhaft exorbitante Summen an den Mann gebracht zu werden. Viele dieser Bäume waren Träger der riesigen Nestbauten. Ihrer Brutstätten beraubt, verliess nur ein kleiner Theil der gesellschaftlichen Passeres die Gegend, die übrigen suchten sich theils an den noch hie und da als einzeln geschonten Mimosen, theils an anderen an den Berglehnen wachsenden mittelgrossen Bäumen neue Wohnsitze auf. Und eben an den letzteren drohte ihnen und insbesondere von Schlangen ernste Gefahr; da waren es die an den Wurzeln solcher Bäume aufgethürmten Felsblöcke oder auch Sträucher, welche den Baumstamm umgaben, von wo aus, (von unten her), die grünen Baumschlangen und die giftigen Cobras in die Nester einzudringen vermochten. Eine einzige fünf Fuss lange Cobra vermochte aber eine Gesammtansiedelung zu vernichten. Die jungen Vögel wie die Eier wurden verschlungen und die ängstlich heranflatternden und sich zuweilen selbst auf die Schlange stürzenden Brutvögel durch Bisse getödtet und dann von uns todt unter dem Neste vorgefunden. Ich suchte in einem geräumigen Behälter eine Colonie der Vögel häuslich zu machen, leider gelang mir dies nicht. Ungeachtet der sorgsamsten Pflege fingen die Thiere rasch abzusterben an, und so sah ich mich gezwungen, dem Reste die Pforte ihres Gefängnisses zu öffnen.

Als Nahrung nehmen die Thiere Insecten, doch insbesondere Samen, darunter mit Vorliebe jene der Gramineen zu sich.   *H.*

Plocepasser mahali (Smith) — Sperlingsweber.

Gray Hand-List. B. M. I Sp. 6655.

Smith I. S. A. Z. pl. 65. Pl. pilatus (Swain.) — Plocepasser haematocephalus (Licht.).

Gesellschaftlich lebend, oft bis an 15 Pärchen einen Baum bewohnend. Ein muthiger, dreister Vogel, dessen lauten Schrei man wohl nur an wenigen Farmen des Oranjefreistaates und der angrenzenden Gebiete vermissen dürfte. Sein Verbreitungsbezirk fällt so ziemlich mit dem des Siedelsperlings zusammen, doch habe ich ihn auch in der nördlichen Capcolonie beobachtet. Einzeln stehende Bäume fallen oft dem Wanderer durch die hellockerfarbenen oder grauen, einzeln zwischen die Endzweige — nicht an ihnen hängenden — hineingebauten Nester auf. Mit Ausnahme der langen röhrenförmigen, mit Gras und Federn weich ausgepolsterten Höhlung ist keine glatte oder leere Stelle an den kopf- oder auch doppelt so grossen, etwas länglichen Nestern zu bemerken. Sie erscheinen wie kleine Stroh- oder trockene Grashalmhäufchen. Einer Ordnung und Symmetrie etc. baar, werden die Halme durcheinander gesteckt. Bei dem ersten Anblick würde man wohl dem Bauvermögen des Vogels nicht viel Credit für ein solches Werk zusprechen, und doch werden wir von dem Gegentheil überzeugt, wenn wir die Höhlung besichtigen und bedenken, dass doch der kleine Passer einen gedeckten Bau und zumeist in die dichtesten Dornzweige

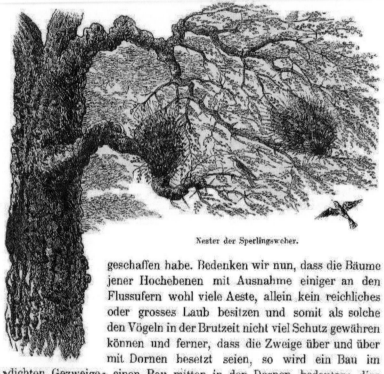

Nester der Sperlingsweber.

geschaffen habe. Bedenken wir nun, dass die Bäume jener Hochebenen mit Ausnahme einiger an den Flussufern wohl viele Aeste, allein kein reichliches oder grosses Laub besitzen und somit als solche den Vögeln in der Brutzeit nicht viel Schutz gewähren können und ferner, dass die Zweige über und über mit Dornen besetzt seien, so wird ein Bau im »dichten Gezweige« einen Bau mitten in den Dornen bedeuten; dies ist eine ebenso mühevolle Arbeit, wie die eines kunstvollen Baues, und es beweist uns auch ferner, dass der Sperlingswebervogel gleich vielen anderen Vögeln bedornte Bäume und Sträucher den dornenlosen vorzieht. Wird man dies auch Zufall nennen wollen? Doch wir wollen darauf im Nachtrage zurückkommen und nur noch beifügen, dass doch eben diese Dornen zuweilen dem Vogel verderblich werden können. So bleibt mir ein Fall aus der nächsten Umgebung der Diamantenfelder unvergesslich. Ich besichtigte auf der östlichen Ebene eine einzeln stehende Mimose; sie trug zwei Brutstätten des Plocepasser und neben der einen hing ein männlicher Brutvogel. Mit Mühe erklomm ich den Baum und fand, nachdem ich mir mit einem Stock in dem Gezweige eine Bresche geschlagen, dass sich das Thierchen an seinem rechten Flügel an einem nach aufwärts hakenförmig gekrümmten Dorne verfangen hatte und in dieser Stellung wohl lange geschmachtet haben mochte, bevor es durch den Tod von seinen Qualen erlöst worden war. Nach dem Zustande des Cadavers zu urtheilen, musste dies zwei oder drei Tage vor meiner Ankunft geschehen sein.

Die Sperlingsweber machen von ihren Nestern das ganze Jahr hindurch Gebrauch und pflegen gewöhnlich in denselben zu übernachten. Sie suchen in der Nähe der Bäume, in dem Viehkraal und in den nahen Gärten etc., doch zumeist nur auf dem Boden ihre Nahrung auf; diese besteht in Insecten, Zecken, Würmern, Samen wie kleinen Früchten. Auf der Erde wie auf ihren Bäumen geben sie ihren lauten Ruf von sich. Aufgebäumt wählen sie sich den Wipfel oder einen Zweig neben ihren Nestern aus und werden im Allgemeinen, da ihnen die Farmer, wie allen den kleineren Passeres, vollsten Schutz angedeihen lassen, sehr zutraulich und erweisen sich mehr nützlich als schädlich.   *H.*

Vidua principalis (Linné) — Rothschnäbliger Witwenfink.

Gray Hand-List. B. M. II Sp. 6660.

Vidua erythrorhyncha (Swain.). B. W. Afr. I pl. 12. — Cuv. Vol. IX Pl. 2. p. 423.

V. angolensis. Briss. Orn. App. p. 80.

Ich fand diesen Vogel ziemlich gemein im centralen Südafrika, oft sogar bis 20 Stück in einem Haufen. Er ist eben so häufig in der Colonie wie in den Betschuanaländern und am Zambesi. Schnabel grell rosaroth; Füsse schwarz. Nährt sich meist auf der Erde oder auf Grashalmen von Sämereien, und sucht, wenn aufgescheucht, seine Zuflucht vor Allem in Dornbüschen. Die Thierchen sind nicht scheu, lassen sich sehr leicht in Käfigen fortbringen und vertragen sich mit andern Finkenarten sehr gut.

Wie auch bei den folgenden langschwänzigen Arten verliert das Männchen im Winter die langen Schwanzfedern und nimmt ein mehr einfärbiges Gewand von weiss und graubraun an.   *H.*

Vidua regia (Linné) — Königs-Witwenfink.

Gray Hand-List. B. M. II Sp. 6659.

Hartl. Orn. W. Af. p. 136. — Cuv. Vol. 2, p. 149. — Shaw. Vol. IX. Pl. 2, p. 426.

Iris dunkelbraun; Schnabel, Füsse und Nägel grell rosa- bis zinnoberroth. Der hornige Zungentheil Dreiviertel der Zungenlänge ausmachend.

Ich fand die Thiere im centralen Südafrika vom Vaalthale an — in dem ich sie zum erstenmale in der Holitzer Schlucht beobachtete. (von wo auch das ausgestopfte Exemplar herrührt) — bis über den Zambesi nach Norden hin. Sie leben paarweise, doch zumeist in kleinen Gesellschaften und nähren sich von Samen und kleinen Insecten. Auch diese Thiere scheinen den Werth der schützenden Dornbüsche sehr wohl zu kennen, da sie sich oft in dieselben flüchten.

Die Vögel sind nicht scheu und suchen mit Vorliebe die Nähe von Flüssen und Weihern auf, und so finden wir sie selbst in dem flussarmen, sandigen Lachenplateau des Ostbamangwatolandes vor, aber auch dann nicht an den periodisch gefüllten Regenlachen, sondern in der Nähe der Quellenweiher, welche auf Waldlichten liegen.

Der Königs-Witwenfink ist unter seinen langschwänzigen afrikanischen Verwandten noch der flinkste, der bei seinem Fluge weniger wie diese durch seinen langen Schwanz belästigt erscheint. Sein Flug ist nicht lang, und das Vöglein pflegt über den ausgewählten Gebüschen eine Zeit lang zu flattern, bevor es sich niederlässt. *H.*

Steganura Verreauxii (Cassin) — Paradiesfink.

Gray Hand-List. B. M. II Sp. 6665. — Vidua paradisea (Ruepp.).

V. sphaenura (Verr.). — V. paradisea, Brehm III. B. p. 236.

Schnabel schwarz; Füsse bräunlich. Das vorliegende Männchen in dem Tamasankawalde (Grenze des Ostbamangwato- und Matabelereiches) erbeutet.

Das Thierchen ist sehr scheu und scheint sich mit Vorliebe die höchsten Baumspitzen der Umschau halber zu wählen, lange Reisen zu wagen und hoch zu fliegen; leistet in letzterer Hinsicht unter den Witwern das bedeutendste.

Der Paradiesfink ist nur hie und da im centralen Südafrika, vom 23.° südl. Br. nach Norden zu, anzutreffen. Einzelne Pärchen fand ich auch in Westmatabele und im hügeligen Makalakalande. Diese Finkenart nährt sich von Sämereien, wildem Wein und Insecten und nimmt im Allgemeinen nach der Westküste an Häufigkeit zu.   H.

Pentheria albonotata (Cassin) — Sammtfink.

Vidua albonotata (Cassin) Proc. Claud. Akad. IV 65 (Port Natal).
Pentheria albonotata *Finsch* et *Hartl.* Vögel Ostafr. 420 (Natal, Kaffernland, Angola).
Vidua (Urobrachya) albonotata (Cassin). — *Gray* Hand-List. B. M. II Sp. 6667.

Vier Männchen aus dem Panda-ma-Tenkalhale (nördlicher Theil des Ostbamangwatolandes) herstammend. Iris schwarz und dunkelbraun; Schnabel licht schieferblau; Füsse grau; Nägel schwarzbraun. Nahrung: Grassamen, kleine Früchte, Insecten.

Der Vogel richtet im Momente der Erregung seine schönen Halsfedern zu einer Krause auf und ist ein äusserst munteres, anhaltend zwitscherndes Vögelchen, das man bald lieb gewinnt. Einem dunklen Sammtfalter nicht unähnlich, flattert und schwebt es oft über einer Blume oder einem Gebüsch, an dem sein Aeuglein ein Insect oder eine reife Beere erschaute.   H.

Chera progne (Bodd.) — Kafferfink.

Chera caffra (Gmel.). — Chera phoenicoptera (Swain.).
Gray Hand-List. B. M. II Sp. 6675.

Iris braun; Schnabel braunröthlich; Füsse blassroth; Nägel braunröthlich. Unstreitig der auffallendste und einer der schönsten der südafrikanischen Finken.

Ich fand das Thier zwischen dem Vaal und dem 20. Grad südl. Br. Doch wurde mir in der Capcolonie die Versicherung zu Theil, dass es auch Kaffraria bewohne. Stets gesellschaftlich in Trupps bis zu 40 Stück lebend, ist der Kafferfink einer der muntersten, als auch einer der streitsüchtigsten unter seinen langschwänzigen Verwandten. Von besonderem Interesse erschien mir der Wechsel seines sammtenen schwarzen Prachtgewandes in das bräunliche Winterkleid. Bei diesem neuen Robenwechsel werden nicht minder die im Sommer zinnoberrothen Epauletten in Mitleidenschaft gezogen; sie werden dann blassorangefarben. Da ich mich mehrere Monate in der Westtransvaal an einem der reichsten Fundorte dieser Vögel aufhielt, so hatte ich hinreichende Gelegenheit, den Wechsel des Feiertagsgewandes in das winterliche Aschenbrödelkleidchen zu beobachten. Allein ohne eine gute Kenntniss des Vogels würden wir in ihm kaum ein und dasselbe Thier vermuthen, wenn wir den Vogel in beiden der genannten Jahreszeiten erschauen. Auf der nächsten Reise will ich trachten, Bälge aus diesen verschiedenen Stadien zu gewinnen, und hoffe auch nebenbei etwaige Fragen, z. B. ob und in wie weit kältere und wärmere Gegenden eine raschere oder langsamere Entwickelung des Hochzeitsgewandes etc. bewirken, lösen zu können. Die Thiere halten sich stets nur in dichtem Geschilfe, in oder an Flüssen oder stehenden Gewässern auf; doch dicht muss das Rohr sein, um darin nisten und sich bei drohender Gefahr in die dichtesten Partien flüchten zu können. Ich fand in der Regel bei weitem mehr Weibchen als Männchen vor, etwas Aehnliches, wie bei anderen langschwänzigen südafrikanischen Finken, und zwar in der Regel ein Männchen auf 5—10 Weibchen. Im Winter sehen sich beide Geschlechter so ziemlich ähnlich. Bei heftigem Winde erweist sich der lange schöne Schwanzschmuck seinem Besitzer so hinderlich, dass er mit genauer Noth über das Schilfrohr dahinzustreichen vermag. Im Allgemeinen fliegen die Thiere weder hoch noch schön und suchen stets in der Nähe ihrer stabilen Wohnorte zu bleiben. Sie nähren sich meist von Insecten und den Samen zahlreicher Grasarten, welche um die obgenannten sumpfigen Localitäten gedeihen; doch sind sie zur Erntezeit weder dem weissen noch dem schwarzen Farmer willkommene Gäste und erweisen sich dann als etwas schädlich. Sonst erscheinen sie die übrige Jahreszeit hindurch in Folge ihres Absuchens von Insectenmyriaden an den Sümpfen, in deren Nähe der Farmer ob des guten Bodens und der leichten Bewässerung mit Vorliebe das Feld bebaut, als äusserst nützlich.

Die vier vorliegenden Exemplare wurden von mir im Matebethale, nahe an der Baharutsestadt Linokana in Westtransvaal präparirt. Es sind Männchen, zwei im Sommer-, eines im Winter- und eines im Uebergangskleid. In der Gefangenschaft gedeihen die Thierchen sehr wohl, legen sogar ihre Scheu ab, selbst dann, wenn man sich ihrer im »geflügelten« Zustande bemächtigt hat. Auch dieser Vogel richtet, wenn gereizt, seine schönen Halsfedern zu einer Krause auf und zischt vernehmlich.

Abgesehen, dass ein beschilfter Sumpf (stehendes wie fliessendes Gewässer) in der Heimat der Kafferfinken dem Reisenden im Hochsommer durch seine zahlreichen bunten Finken (zinnoberroth, gelb und schwarz) zur wahren Augenweide dient und ihm in einer solchen Vogelcolonie reichlichen Beobachtungsstoff sichert, nimmt der Chera progne, so oft er über dem Gesümpfe erscheint, die Aufmerksamkeit des Beobachters immer wieder für sich in Anspruch.

Mir erging es wenigstens nicht anders. An keinem Röhricht konnte ich vorüberwandern, ohne den munteren grossen Finken meine Gewogenheit zu zeigen. Im Matebethale that ich es sozusagen täglich.

Zirpend flog eben eine Schaar auf. Manche der Männchen schon schwarz gefleckt, mit 3 bis 10 Cm. langem Stoss, andere schwärzlich, die Schwanzfedern wohl an 20 Cm. lang. endlich die zahlreichen Weibchen in ihrem bräunlichen Gewande; doch zuletzt, wie wenn für ihn das Emporflattern aus der Tiefe des Schilfes mühsam gewesen wäre, der Hochzeiter aus der Schaar, sammtschwarz und durch einen an 48 Cm. langen buschigen Stoss ausgezeichnet. Wir leben bereits im November, zur Zeit, in der sich schon manche der Männchen mit ihrem Prunkgewande brüsten können.

Wir dürfen uns nicht darüber wundern, dass dem prächtigen Vogel das Auffliegen in dem langblätterigen Rohr so beschwerlich fiel, wir sehen es ja, wie mühsam er seinen Freunden, die bereits etwa 40 Meter zurückgelegt hatten und soeben wieder nach einem Einfallsplätzchen suchen, nachzufolgen vermag. Der Vogel streicht kaum ½ Meter hoch über den Schilfwipfeln, doch nein, er streicht nicht, er flattert nur, von dem mässigen Südost immer wieder zurückgedrängt. Der Wind legt sich gegen den Stoss, macht sich mit einer jeden der langen Federn zu schaffen, weht sie seitwärts auseinander und drängt so momentan auch den Vogel nach der gegenüberliegenden Seite hin. Armer Vogel! Bewundert bist du wohl in deinem Gewande, bemitleidet auf deiner Fahrt durch die Lüfte; sieh', du musstest zweimal ausruhen, bevor du mit den Gefährten zusammentrafst.

Erfreust du dich auch bei solch' einem Wetter deines schönen Gefieders oder sehnst du dich nach deinem einfachen Winterkleidchen zurück?

_____

                                                                    H.

Astrilda astrild (Linné) — Wellen-Astrild.

Gray Hand-List B. M. II Sp. 6685. — Cuv. Vol. 2 Pl. 153. Lonia Astrilda (Shaw.). Fringilla bicolor (Vieill.). Roodebeki der Holländer.

Schnabel scharlachroth; Füsse mattschwarz.

In den wärmeren, mehr gegen die Küsten zu liegenden Strichen Südafrikas sehr gemein. Lebt in grossen Gesellschaften, welche sich

Nest des Wellen-Astrild.

auch oft, namentlich im Winter, menschlichen Wohnstätten nähern. Ob seiner Zutraulichkeit, seiner Verträglichkeit mit anderen kleinen Finkenarten und seines Wohlgedeihens in der Gefangenschaft allgemein beliebt und zahlreich in Käfigen gehalten. Auch der Wellen-Astrild gehört zu jenen schon erwähnten Nestkünstlern, die sich eine geschlossene, wohlgeschützte Brutstätte bauen. (Vide vorstehende Illustration.) Selbe ist aus feinen, zarten Grashalmen gefertigt und an dem Ende eines dünnen Dornzweiges angebracht. *H.*

Uraeginthus granatinus (Linné) — Granatfink.

Estrelda (Uraeginthus) granatina. *Gray* Hand-List. II Sp. 6706.

Schnabel roth; Füsse schwärzlich.

In den Betschuanaländern auf einzelne Localitäten beschränkt; die südlichste war die Holitzer Schlucht im Vaalthale, von da an bis gegen den Zambesi nach Norden zu paarweise, doch häufiger in kleinen Trupps von 5-15 Vögeln anzutreffen. Mit seinem schmucken Kleidchen reiht sich der Vogel würdig den vorhergehenden, durch ihren Nestbau und den Wechsel ihres Gewandes etc. ausgezeichneten Webern und Witwen an. Dichte Gebüsche sind seine bevorzugten Aufenthaltsplätzchen — und der Boden und das Gras unter ihnen und um dieselben bilden das Revier, in dem er seiner Nahrung, die im Allgemeinen in Sämereien und in Insecten besteht, nachgeht. *H.*

Mariposa phoenicotis (Swains.) — Schmetterlingsfink.

Estrelda (Mariposa) benghala L. *Gray* Hand-List. II Sp. 6707.

Fringilla Angolensis L. Bonap. Cons., Vol. I, p. 458.

Fringilla benghala L. S. IV. Vol., I, p. 323.

Einer der niedlichsten und schönsten Finken des mittleren und nördlichen Central-Südafrika. Sein Verbreitungsbezirk erstreckt sich gegen Norden, bis nach Centralafrika. Als die südliche Grenze dieses Gebietes betrachte ich den Vaalfluss. Ueberall, wo ich ihn traf, sah ich grosse Gesellschaften bis an die 60 Stück. Die von mir ausgestellten stammen aus den Harts-, Mooi-, Limpopo- und Zambesithälern; Männchen wie Weibchen vertreten. Mit leisem Gezwitscher bewegen sich diese niedlichen Zwergfinken in den dichten samenreichen Graspartien oder an grasarmen Bodenstellen, um im ersteren Falle Grassamen und im letzteren kleine Insecten aufzulesen. Die Thierchen sind nicht scheu, lassen sich leicht fangen und wurden mir am

9

Zambesi mit der Vidua principalis von den Marutse und Masupia wiederholt zum Kaufe angeboten. Nur einma lleistete ich dieser Aufforderung
Folge und tauschte für ein Messer, ein Feuerzeug und zwei Meter Kattun
27 der Thierchen ein. Rasch wurde ein Käfig verfertigt. Die Thierchen
machten mir herzliche Freude; doch leider genoss ich sie kaum zwei Tage.

Auf meiner zweiten Rückreise von Schescheke nach dem Panda-
ma-Tenkathale begriffen, schlief ich die zweite Nacht in der Masupia-
stadt Impalera. Ich traf hier Mr. *Blockley*,* der mit Waaren nach
Schescheke reiste. Freundlich nahm er mich auf und theilte mit
mir das winzige Rundhäuschen und Höfchen, das ihm sein Mulekau**
zur Verfügung gestellt hatte. Das Häuschen, wies auch wie selbstverständ-
lich, nicht das kleinste Möbelstück auf, und so liessen wir es reinigen,
um in der Nacht von den, die Wohnungen der Schwarzen heim-
suchenden Tampan's nicht belästigt zu werden. Einige auf die Erde
geworfene Letschwefelle bildeten unser Lager, und bald schliefen wir
auch ein, durch des Tages Anstrengungen mehr als müde geworden.
Doch kaum eingeschlummert, erwachten wir Beide in Folge einer unangenehmen Empfindung. An der Brust, den Händen, an den Füssen,
fühlten wir stechende Schmerzen; wir waren von zahlreichen, von mir
zuvor noch nicht beobachteten, langköpfigen Termiten*** attaquirt. Die
Thiere hatten sich so fest eingekneift, dass beim Ablösen ihre mit
grossen Fresszangen versehen Köpfe in der Haut stecken blieben.
Darauf machten wir unser Lager in dem Höfchen und ich wachte nur noch
einmal auf — etwa zwei Stunden später — als ich abermals von einem,
der wohl in die Decke verkrochenen Insecten gebissen wurde. Mir fiel
da die Unruhe der Finken auf, deren Käfig, etwa 2 Meter ab, an der
Wand des Häuschens stand. Leider beachtete ich dies nicht weiter;
ich dachte eben, es müsste eine Schlange sein, die sich jedoch unmöglich Zutritt in den wohlverwahrten Käfig erzwingen könnte. Wie
zürnte ich mir nicht am nächsten Morgen, als ich nach meinen kleinen
Vögeln greifend, an ihnen einige Tausend der genannten furchtbaren
Insecten bemerkte! Ausser dreien, ängstlich herumflatternden Schmetterlingsfinken konnte ich anfangs keinen der übrigen ersehen, dagegen
sah der Boden des Käfigs durch zahllose Termiten wie rostroth getüncht
aus. Es wimmelte und krabbelte da drinnen, dass man sich, in An-

---

* Mehrmals in den »Sieben Jahren« erwähnt.
** Vide »Sieben Jahre in Südafrika«. II Bd. pag. 139.
*** Der Kopf beinahe die Hälfte der Körpergrösse ausmachend.

betracht der Erlebnisse der dahingegangenen Nacht, eines Grauens nicht erwehren konnte. Unter dieser rothen Masse aber lagen vierundzwanzig kleine Leichen, eine jede von den Termiten über und über bedeckt, ja von denselben förmlich durchfressen. Was mussten wohl die armen Thierchen gelitten haben. Nun erst, leider zu spät, konnte ich mir die Unruhe der Finken erklären. Zuerst gab ich jenen drei Geretteten, nachdem wir ihnen die Termiten abgelesen, ihre Freiheit wieder, dann wurden die Mörder ihrer Genossen mittels heissen Wassers vernichtet.

Seit jener Zeit (den 13. Jänner 1876) machte ich nur noch einmal (Juni 1879) den Versuch, eine Schaar der Schmetterlingsfinken in Pflege zu nehmen. Wunderbarer Weise misslang auch dieser. Ich erwarb die Thiere in Grahamstown und am selben Tage, als ich nach Port Elizabeth übersiedelte,[*] wurde das Hochplateau von Frostwetter und einem so kalten Regen heimgesucht, dass ich auch nicht einen einzigen der Finken lebend nach Port Elizabeth überbrachte. *H.*

Amadina erythrocephala (L.) — Rothschminkiger Fink.

Gray Hand-List. II Sp. 6742.

Locia erythrocephala (Linné). Cardinalis angolensis (Briss.).

Männchen und Weibchen von Herrn *Lucas* erkauft, welcher sie bei Potschefstroom im Mai erlegte. Iris hellbraun; Schnabel röthlich; Füsse rostbraun; Nägel hellocker.

Ich beobachtete die Thierchen in der Nähe von Dornbäumen auf den Grasebenen der centralen Diamantfelder, sowie im Oranjefreistaate, im Hartsriverthale, in den südlichen Betschuanaländern und in der Transvaal, zumeist in Pärchen. Nahrung: Insecten, kleine Beeren und Samen. *H.*

Fringillidae — Finken.

Passer arcuatus (Gmel.) — Capspatz.

Gray Hand-List. II Sp. 7263. Cuvier Vol. 2, p. 135.

Iris graubraun; Schnabel zinnoberroth; Füsse und Nägel bräunlichocker.

Ein in Südafrika ziemlich verbreiteter Hausspatz, wenn auch nicht so häufig, wie bei uns, anzutreffen. Lebt in kleinen Gesell-

---

[*] Ich hatte einige Stunden per Achse bis zur nächsten Station zu fahren.

9*

schaften im Felde, wie an menschlichen Wohnungen und baut sich sein umfangreiches Nest in Dornbüschen, in Mauerritzen etc. Ich fand den südafrikanischen Sperling als einen sehr unwirschen, kampf- und streitlustigen Gesellen. Die mit ihm angestellten Versuche erwiesen, dass er alle schwächeren Vögel in seinem geräumigen Käfige bekämpfte, ja er verschonte selbst seinesgleichen nicht.

Erhielten mehrere dieser Thiere, nachdem sie einige Zeit beisammen gehalten waren, den Besuch von einem oder mehreren ihresgleichen, so fielen sie sofort über diese her und bearbeiteten deren Köpfe so lange mit ihren Schnäbeln, bis die Ankömmlinge, wenn nicht rasch aus dem Käfige genommen, ihrer Unduldsamkeit und Bosheit zum Opfer fielen. Doch es gelang mir auch nicht, selbst jene die ich zur selben Zeit erhielt, oder als Mitglieder einer Gesellschaft an einem Tage in die Siebe fing, längere Zeit im Käfige lebend zu erhalten.* Einer nach dem Andern starb ab, namentlich rasch zur Winterszeit, oder nach anhaltenden Regengüssen im Sommer, wenn diesen eine plötzliche und bedeutende Abkühlung der Atmosphäre folgte. So hatte ich Gelegenheit zu erkennen, wie sehr für den Capspatz ein gedecktes Nest — für ihn auch zugleich eine stete Schlummerstätte — nöthig sei. Der Vogel ist ebenso dreist wie vorsichtig. Mit unseren Hausspatzen verglichen, ist er im Allgemeinen weniger zutraulich und verträglich, dagegen schöner gefärbt und auch als Nestbauer unseren zudringlichen, befiederten »Gassenbuben« übertreffend. Sein Nestbau im Freien kann für einen weiteren Beweis gelten, wie so manch' südafrikanischer Vogel, der die gebüschbaaren oder nur theilweise und schütter bewaldeten Hochebenen bewohnt, seine Brut gegen die Unbilden der Witterung und feindliche Angriffe zu schützen sucht. Der geringe, den Sperlingsvögeln durch die zarten und kleinen oder weniger dicht aneinanderstehenden Blätter, zumeist Mimosen, gebotene Schutz ist wohl von der Natur berücksichtigt und zahlreiche der genannten Vögel sind mit Eigenschaften ausgestattet worden, welche es ihnen ermöglichen, sich und ihre Brut gegen die nur während der winterlichen Nächte so empfindliche Kälte, die während der Sommerszeit herrschenden Staub- und sonstigen Stürme etc. zu schirmen. Der Capspatz baut zwar kein kunstvolles Nest, allein er versteht es wohl, eine gegen die genannten Unbilden vollkommen gesicherte Brutstätte

---

* Ich hielt die Thiere in einem geräumigen, mit Epheu überwachsenen Behälter, in Gemeinschaft mit den Halsband-Turteltauben.

zu schaffen. Wie oft sah ich nicht an jenen entfernten Grasebenen zwei bis drei Meter hohe, zweigreiche, doch nur schütter beblätterte, zumeist eingetrocknete Acacia detinens-Büsche mit je einem oder einigen dieser Nester behangen. Der Passer arcuatus versteht es noch mehr wie der Plocepasser mahali seine Brutstätte mitten in die Dornen hinein zu bauen, so dass wir nicht leicht ein solches Nest mit der Hand untersuchen können. Das Ganze präsentirt ein struppiges Conglomerat von dünnen Reisigstücken, Grashalmen, Blättern und zum guten Theile von Federn; auch finden wir Wolle, Angora- und Rosshaar etc. beigemengt. Mehr denn kopfgross, birgt es eine geräumige, äusserst weich mit thierischen Haaren, Wolle und Federn ausgefütterte Höhlung, in die der Eingang von der Seite oder von unten her einmündet.

Viele dieser gedeckten Nester sind backofenförmig; im Allgemeinen präsentirt sich ihre Grösse wie folgt: 25 Cm. lang, 15 Cm. hoch. Sie enthalten 4-5 Eier; die Jungen entschlüpfen denselben in den Hochplateaus Anfangs November, in den wärmeren Küstenstrichen und dem südlichen Centralafrika um 2-4 Wochen früher.

In Hinsicht der obangeführten Thatsachen, den Charakter des Passer arcuatus betreffend, füge ich noch einen interessanten Vorfall bei den ich auf der Rückreise vom Zambesi in den Dornbüschen zwischen Driefontein und Webersfarm (District Bloemhof) beobachtete. An einem schütteren Dorngebüsch fand ich das vollendete, weich ausgepolsterte Nest eines Passer und ein zur Hälfte vollendetes des Hyphantornis olivacea vor. Mir fiel die ängstliche Unruhe auf, mit der der letztere Vogel seinen Bau und mich umflatterte. Das Spatzennest war 4 Fuss über dem des Webervogels und so wohl mitten in die Dornenzweige hineingebaut, dass ich nur nach einem wiederholten, misslungenen Versuche endlich seine Untersuchung vornehmen konnte. — Der Befund war für mich äusserst überraschend. Ich fand vier, beinahe vollkommen gereifte, lebende Fötuse enthaltende Spatzeneier und ein frisch gelegtes Ei des Webervogels vor. Die beiden Nachbarn — hier war wohl der starke Schnabel des schönen Webers dem Spatzen zum Imperativ geworden — wechselten sich im Brutgeschäfte ab; flog der eine aus, so harrte schon der Zweite, um ihn sofort abzulösen. Ob wohl das Hyphantornis-Pärchen seinen Bau zu spät begonnen hatte, so dass man es für nöthig gefunden, der Frau Spatzin Wochenbett mit zu benützen?

Die Spatzen haben viel von Eingeweidewürmern zu leiden. Ein am 3. Juni 1877 in der Nähe der Diamantenfelder erlegtes Männchen zeigte in der Unterleibshöhle einige 4 bis 5 Cm. lange, seidenfadendünne Ascariden.

Die Nahrung des Capspatzen besteht in Insecten, Samen und Früchten.

In Südafrika lebt diese Spatzenart ebenso häufig, wenn nicht häufiger im Felde, als in der unmittelbaren Nähe der menschlichen Wohnungen, so dass die Captäubchen und die Halsbandturteltaube mit eben solchem Rechte Hausvögel genannt werden könnten. *H.*

Crithagra Hartlaubii (Bolle) — Cap'scher Kanarie.

Gray Hand-List. B. M. II Sp. 7489.

Crithagra butyracea part. *Finsch* und *Hartl.* Vög. Ostafr. 455.

Die beiden ausgestellten Exemplare stammen aus der westlichen Transvaal; sonst aber auch südlich sehr gemein. Der Cr. Hartlaubii, stellenweise auch der Cap'sche Kanarie genannt, wird unter allen südafrikanischen Passeres am häufigsten des Gesanges halber in Käfigen gehalten. Ich selbst fing die Thiere während des Winters zu Dutzenden und erfreute mich im Sommer ihres schönen Gesanges. Aeusserst zutraulich, lassen sie sich leicht zur Winterszeit, wenn sie sich den menschlichen Wohnungen nähern, in Siebe fangen und werden oft an den Frühmärkten für 6 Pence bis ¹/₂ Krone, im Sommer für 5-10 Schillinge feilgeboten. Manche der Männchen waren durch ein prachtvolles Gelb an der vorderen und unteren Körperfläche und auch dadurch ausgezeichnet, dass die grauen Augen- und Wangenstriche mattschwarz erschienen. Die Cap'schen Kanaries harmonirten sehr gut mit anderen Vögeln, namentlich eingefangenen Turteltauben, und stimmten in der Regel zeitlich am Morgen ihren Gesang an, der zu den lieblichsten und hervorragendsten Weisen der befiederten, südafrikanischen Sänger gezählt werden muss.

Ich fütterte die Thierchen mit Hanfsamen, und als ich bemerkte, dass sie eifrig an den Blättern des ihren Behälter umrankenden Epheus zupften, versah ich sie mit Salatblättern, über welche sie regelmässig auch sofort herfielen.   *H.*

Emberizidae — Ammer.

Fringillaria flaviventris (Vieill.) — Gelbbäuchiger Streifenammer.

Gray Hand-List. II Sp. 7717.

Emberiza capensis (Gmel.) — E. E. quinquevittata (Licht.).
Fringillaria capensis (Swain.). Nat. Sib. Vol. 11, Pl. 18, p. 211.

Ein Männchen in der centralen Transvaal, in der Nähe der Stadt Rustenburg von *Lucas* im Juni 1877 erlegt. Iris hellbraun; Oberschnabel dunkelbraun bis schwärzlich; Unterschnabel blassröthlich, gegen die Wurzel dunkler; Füsse aschgrau. Nährt sich zumeist von Sämereien.

Das Vögelchen befand sich in einer der von Herrn'*Lucas* erkauften Sammlung von Bälgen. Ausser dass man mir als seinen eigentlichen Wohnort die östlichen und westlichen Küstenländer Südafrikas genannt, ist es mir nicht möglich, Weiteres über den gelbbäuchigen Streifenammer zu berichten; mir selbst ist der Vogel nie zu Gesichte gekommen. *H.*

Fringillaria capensis (Gray) — Cap'scher Sperlingsammer.

Gray Hand-List. II Sp. 7716.

Fr. erythroptera (Tem.). Fr. caffrariensis (Step.). Streipki der Holländer.

Ich beobachtete den Capschen Sperlingsammer im Griqualandwest, dem Oranjefreistaate und der nördlichen Capcolonie, einzeln wie in kleinen Gesellschaften. Nicht selten und nicht scheu. Hielt selbst mehrere in Gefangenschaft, sie waren sehr verträglich und suchten, während ihre Genossen, die Crithagras, Estreldas etc., den Sprossen und Zweigen den Vorzug gaben, sorgsam den Boden ab. Zur Winterszeit sah ich sie oft in Gesellschaft von Baumläuferlerchen, ja selbst des unverträglichen Passer arcuatus. *H.*

Certhilauda garrula (A. Smith) — Geschwätzige Baumläuferlerche.

Gray Hand-List. II Sp. 7791. — B. B. *Sharpe* Larks of Southafrika Proc. 2 S. 1874. 616.

Von der ersten Reise aus dem Hartsflussthale (Batlapinenland) herrührend. Diese und die folgende Species nähren sich von Insecten, namentlich Termiten, Ameisen und Insectenlarven, doch auch von Grassamen. *H.*

Certhilauda rufula (Vieill.) — **Röthliche Baumläuferlerche.**

Sharpe Larks Southafrika Proc. Zool. Cav. London 1874. 618.

Auf der ersten Reise nahe an der Hartsrivermündung im Westgriqualand erbeutet. Nahrung wie C. garrula. Häufig wie die vorige Art.

H.

Megalophonus cinereus (Lath.) — **Rothscheitelige Strauchlerche.**

Gray Hand-List. II Sp. 7825. — Calandera ruficera (Brehm.)

Sehr gemein im Oranjefreistaat und den im Norden und Westen
angrenzenden Gebieten. Im Winter, wo sie sich menschlichen Wohnungen
nähert, sehr leicht zu fangen, doch nur schwer lebendig zu erhalten.
Ein sehr zutrauliches Thierchen, das den Menschen nahe herankommen lässt und leicht zahm wird. Beim Herannahen eines Menschen
oder Thieres duckt es sich nieder, drückt sich flach auf die Erde, dass
man oft einige Schritte an ihm vorübergeht, ohne es zu bemerken.
Nicht selten liefen die Vögel paarweise und in kleinen Gesellschaften,
nahe aneinanderhaltend mehrere Hundert Schritte vor mir dahin; die
zahllosen mit einander communicirenden, vegetationsbaren und schmalen
Lateritstellen gestatteten ihnen dies vortrefflich. So wie ich für einen
Moment stehen blieb, hüpften sie auf das nächste Grasbüschel, um
hier ebenso lange den Ankömmling — das Sinnen in den kleinen
Köpfchen nur von zutraulicher Neugierde erfüllt — aufmerksam
äugelnd zu betrachten; die rothscheitelige Strauchlerche wird leider
zu oft das Opfer kleinerer Raubvögel. Ihrer Brut droht aber von
Seite der Scharrthiere, der Mustela nuchalis, der Ringhalsschlange und
der Puffaddern ernste Gefahr.

Sporn von bedeutender Länge $4^{3}/_{4}'''$ (1 Cm.).   *H.*

Coliidae — Mäusevögel.

Colius capensis (Gmel.) — **Cap'scher Mäusevogel.**

Gray Hand-List. II Sp. 7840.

Colius leuconotus (Lath.) — Col. erythropygius (Vieill.).

Zwei Männchen im südwestl. Oranjefreistaate in den Bäumen
des Moderrivers erlegt, wo sie gesellschaftlich die Bäume und Büsche
nach Insecten und Beeren absuchten. Ich traf die Thiere in dicht

bebuschten, bewaldeten, fruchtreichen Partien der Capcolonie, im Oranjefreistaate und der Transvaal. Zur Winterszeit halten sie sich in den beiden letztgenannten Ländern mit Vorliebe in den, gegen die rauhen Winde etwas geschützten Partien, den Bergkesseln und tief in den Boden einschneidenden, engen, zumeist schluchtenförmigen Flussthälern auf. Hier sah ich sie bei nahender Gefahr mit Zurücklassung einiger Wachen in die dichtesten Dornbüsche sich stürzen. Die Wachen nahmen aber auf dem Gipfel und den seitlich hervorragendsten Endzweigen Stellung, um Rundschau zu halten. Kam jedoch das Geschöpf, welches die Thiere erschreckt hatte, näher, so suchten auch diese Schutz im Innern des Busches, oder es flog die ganze Schaar auf, um in ein 20-100 Meter entferntes Gebüsch zu flüchten. Scheue und beachtenswerthe Vorsicht gehören unstreitig zu ihren Charaktereigenthümlichkeiten. Ihr Flug ist kurz, niedrig, wellenförmig; sie scheinen von der Natur mehr für das Klettern und sich Verbergen ausgestattet zu sein und darin auch mehr Schutz und Rettung, als in ihrem Fluge zu finden. Unmittelbar vor dem Einfallen senken sich die Thiere ein wenig, um auf der zweiten Höhe dieser Flugwelle »aufzusitzen«.

Während des Fluges, wie auch nach ihrem Einfallen geben sie in pleno ein Pfeifen von sich. Sie sind ausgezeichnete Kletterer und Hüpfer. Der Schnabel ist bläulich grau, die Füsse zinnoberroth. H.

Colius erythromelon (Vieill.) — Quiriwa.

Gray Hand-List. II. Sp. 7843.

Colius carunculatus (Steph.) — Colius Quiriwa (Less.) — Colius Indicus (Lath.).

Ein Weibchen. Von Dr. Bradshaw erstanden, der den Vogel am Tatiflusse nahe der Handelsstation erlegte.

Ein Männchen aus der centralen Transvaal von Lucas erkauft. Schnabel schwarz, die obere Kinnlade an der Wurzel zinnober und orange, ein Hautring um das Auge zinnober; Füsse dunkel- bis rostroth; Nägel braun.

Ich beobachtete den Vogel am Tatiflusse, wohl gesellschaftlich, doch auch paarweise und im ersteren Falle nie so zahlreich wie seinen Namensbruder (Colius capensis) und auch weniger scheu,* doch beide Arten stets in der Nähe von Gewässern, wobei sie stromauf- und abwärts zu wandern scheinen. Nach Süden reicht der Verbreitungs-

---

* Sonst gleicht er in seinem Gebaren dem Cap'schen Mäusevogel.

bezirk des Vogels bis an die Küste des atlantischen Oceans; mit Rücksicht auf den Norden scheint er mir einen bei weitem grösseren Verbreitungsbezirk als die vorhergehende Art zu haben. Insecten, doch in manchen Gegenden vorwiegend Beeren und Früchte, dienen den Thieren als Nahrung. Wiederholte Versuche, sie in Käfigen zu erhalten, zeigten, dass sie sich mit anderen kleineren, namentlich finkenartigen Vögeln gut vertragen und am besten von Apfelsinen gedeihen.   *H.*

Musophagidae — Bananenfresser.

Turacus Persa (Linné) — Buschlouri.

Gray Hand-List. Br. M. II Sp. 7852.

Corythaix Persa Vieill. T. africanus (Shaw.) Vol. IX. P. 1. p. 63.

Einer der schönsten Vögel der Capcolonie. Sein Prachtgewand wie sein muthiges Benehmen machen ihn für den Menschen zu einer werthvollen Species. Seine Raschheit und Munterkeit, Kraft und wohl auch das Bewusstsein seiner glanzvollen grünen Robe, geben dem Beobachter hinreichend interessanten Stoff, um dem Vogel so manchen Augenblick, gestehen wir, so manche Stunde zu widmen. Nie beobachtete ich den Buschlouri der Holländer im Innern des centralen Südafrika; ich erblickte ihn zum erstenmale auf meiner Rückreise, als ich Grahamstown passirte. Der Vogel lebte in Gesellschaft von einheimischen wie auch exotischen Vögeln (australischen Papageien) und schien sehr wohl zu gedeihen, obwohl man mir wiederholt versicherte, dass er sonst die Gefangenschaft nicht auf lange auszuhalten vermöge. Bei meinem Scheiden aus Grahamstown erhielt ich den nämlichen Vogel zum Geschenk und brachte ihn bis Port Elizabeth; doch starb er bald darauf, und zwar nach einer Nacht, als der Hafenort von einem heftigen Südostwind heimgesucht ward, und ich (in einem Hôtel logirend) ihm so wie den übrigen Thieren keinen hinreichenden Schalter, als eben nur seinen Käfig, bieten konnte. Der Vogel bewohnt die bewaldeten Küstenstriche, Ebenen wie Thäler — so auch die zu dem Hochplateau emporsteigenden Terrassen, doch im Allgemeinen nur solche Strecken des süd- und südöstlichen Afrika, welche wärmeres Klima haben. Hier sind die dichtbelaubten Baumgruppen, die Schluchten, Dickichte und die beeren- und sonst fruchtreichen Partien seine gewähltesten Aufenthaltsorte.   *H.*

Schizorhis (Chizaerhis) concolor (A. Smith) — Grauer Lärmvogel.

Turacus concolor. — *Gray* Hand-List. R. M. II Sp. 7861.

Corythaix concolor (Smith) S. A. Zool. Vol. 2, p. 48.

Iris hell schiefergrau; Schnabel schwarz; Füsse und Nägel schwärzlich.

Ein Männchen im April am Tatitlusse, zwei Weibchen im März und April am Schaschaflusse, ferner mehrere Exemplare im Banquaketselande, im nördlichen Ostbamangwatolande und Westmatabele erlegt; ausserdem am Molapoflusse im Barolonglande wie im Allgemeinen wiederholt in den bewaldeten Partien des centralen und nördlichen Südafrika vom Molapo nach Norden zu angetroffen. Ich glaube, dass sein Verbreitungsbezirk mit jenem des kleinen, jene Gegenden bewohnenden Papageis zusammenfällt. Der Vogel wählt sich die höchsten Baumwipfel zum Auslugen und lässt von hier sein hässliches, von einem Schopfaufrichten und einer nickenden Schwanzbewegung begleitetes, durchdringendes Geschrei hören; das letztere hat ihm von den englischen Jägern und Elfenbeinhändlern den Namen Go away (spr. go-a-we) eingetragen; die Holländer nennen ihn »det grote Mäusvogel«. Alt eingefangene Vögel geberden sich in der Regel so wild, dass sie nicht aufkommen. Meine Mühe blieb erfolglos.

Nahrung: Insecten, Beeren, doch auch kleine Vögel, die er sammt Federkleid hinabzuwürgen sucht. Im Allgemeinen erschien er mir als ein munterer, raubsüchtiger, sehr vorsichtiger und äusserst scheuer Vogel. Er macht auch, ausser mit Rücksicht auf seine Turnkünste, keinen günstigen Eindruck auf den Menschen. Ich erwähne nur: seine Sucht, sich durch das Einschlüpfen in die dichtesten Baumkronen den Beobachtungen des Menschen zu entziehen, seine weiten, raschen und ohne jegliches Geschrei begleiteten Sprünge, mit deren Hilfe er zur heissen Tageszeit die schattigen Baumstellen durchsucht, um hierin vor der Hitze geflohene kleinere Vögel zu überraschen und nach ihrer Brut zu fahnden etc. Von den oben erwähnten Wäldern, die der graue Lärmvogel bewohnt, sucht er sich die dichtesten Partien aus, und im Barolong- und Banquaketselande, seinem südlichsten Verbreitungsbezirk, zieht er die bewaldeten beeren- und fruchtreichen Schluchten und Thäler den sandigen, die letzteren überragenden, bewaldeten Hochebenen vor. Er lebt gesellschaftlich, wenn auch nie in solcher Zahl wie die vorhergehenden Arten (Colius), durcheilt dann

2

— einer der ausgezeichnetsten Hüpfer unter den Vögeln — Waldbezirk seinen und weiss sich hier sehr wohl zu drücken. In den Zambesigegenden entschlüpfen die Jungen den Eiern in den Monaten vom August bis October. In Westmatabele fällt die erste Paarungszeit in den April.   *H.*

Bucerotidae — Hornvögel.

Lophoceros epirhinus (Sundev.) — Kaffer-Hornvogel.

Buceros epirhinus s. B. nasutus var. caffer *Sunder.* Oefvers. Kongel Vet. Ac. Förh. 1850. 158 49. — *Strickl* Contrib. Om. 1852. 15 (Kaffernland).

Lophoceros epirhinus *Cabanis* und *F. Heine* Mus. Hein, II 167 nota.

Buceros nasutus, *Hartl.* und *Finsch* Vögel Ostafr. 486 part.

Gray Hand-List. B. M. I Sp. 7898 part.

Zwei Männchen und ein Weibchen ausgestellt. Ich beobachtete diese Art in der unmittelbaren Nähe der Victoriafälle, sowie später in der Nähe der Stadt Schescheke im Marutsereiche und an einigen Flüssen in Westmatabele, von wo auch die erwähnten Exemplare stammen. Iris rothbraun, Schnabel schwarz, mit Ausnahme eines ocker- bis schwefelgelben Längsfleckens an der oberen und ebenso gefärbten fünf Leisten an der unteren Kinnlade, sowie die Füsse und Nägel schwarz. Nährt sich von kleinen Früchten. Samen und Insecten. namentlich Termiten. Der Vogel reicht im centralen Südafrika nicht so weit nach Süden wie die folgenden Arten. Muss ich diese scheu nennen, so verdient der Kaffer-Hornvogel diese Bezeichnung in noch höherem Grade. Hüpft er auch seiner Nahrung — mehr denn der Hälfte des nöthigen Quantums — auf der Erde nach, so sehen wir ihn auch die höchsten Bäume in der Gegend bewohnen und sich in hohen, wenn auch nicht langen Flügen versuchen. An den Victoriafällen sah ich ihn wiederholt von einem Ufer zum anderen wandern. Auffliegend senkte er sich ein wenig, dann begann er rasch mit den Flügeln zu schlagen und nachdem er auf diese Weise einige Meter weit geflattert war, segelte er langsam und ohne Flügelschlag so lange dahin, als bis sich sein Flug wieder etwas senkte, worauf sich das Flattern und ein abermaliger ruhiger Strich wiederholten.   *II.*

Das Vorhandensein eines so ausgeprägten, in derselben Form wiederkehrenden Schnabelaufsatzes (bei dem Balge und dem Kopfe gleich), scheint mir doch artliche Verschiedenheit des L. epirhinus von L. nasutus nicht wahrscheinlich zu machen.

Das Weibchen ist ein offenbar junger Vogel, an dem die Schnabelfärbung, wie sie die L. paecilarhynchus genannten Exemplare zeigen, nur unvollkommeu entwickelt ist, sowie auch die Leisten der Unterkinnlade nur schwach angedeutet sind.

Finsch und *Hartl.* (Vögel Ostafrikas 488) und nach ihnen andere Autoren erkennen L. paecilorhynchus (Lafr.) für den jungen Vogel von L. nasutus (L.); im Falle die Verschiedenheit des L. epirhinus sich herausstellen sollte, würde dieser ein analoges Jugendkleid aufweisen, wie der besprochene weibliche Vogel darthut.   *P.*

Tockus erythrorhynchus (Gmel.) — Rothschnabeliger Hornvogel.

Buceros (Tockus) er. *Gray* Hand-List. II Sp. 7893.

T. nasutus var. (Gmel.); melanoleucus (Cab.).

Ich beobachtete den Vogel vom Sirorumefluss nach Norden, zumeist in dem westlichen Matabelelande, so in Makalakawäldern, an den Ufern der Flüsse Matlouci, Schascha, Tati, Rhamakoban, Maitenque und Nata. Was seine Nahrung, sein Gebahren etc. anbetrifft, so verweise ich auf die folgende Species und erwähne blos, dass er mehr gesellschaftlicher lebt und weniger scheu als T. flavirostris ist. Die ausgestellten fünf Exemplare kommen von dem Ufer des Tati, aus der unmittelbaren Nähe der Goldfelder gleichen Namens.   *H.*

Tockus flavirostris (Ruepp) — Gelbschnabeliger Hornvogel.

B. (T.) flavirostris. *Gray* Hand-List. II Sp. 7894.

Tockus elegans (Hartl.) Pr. Z. S. 1865, pl. 4.

Iris schwefelgelb; Schnabel bei ausgewachsenen Vögeln schwefelgelb, mit schwarzen Innenrändern; Füsse schwarzgrau; Nägel schwarz; Zunge kurz, der Horntheil Dreiviertel der Zungenlänge ausmachend; die Zungenhaken weit abstehend, lang.

Sechs Exemplare ausgestellt. Im centralen Südafrika vom Vaalflusse bis über den Zambesistrom nach Norden hin beobachtet. Laut übermittelten Berichten, ohne dass ich jedoch ihre Wahrheit verbürgen kann, soll er auch in Kaffraria vorgefunden werden. Ich fand die Thiere stets im Niederwalde und oft an Stellen, wo auf eine weite Strecke hin kein Wasser zu finden war; dieses gilt namentlich von der westlichen Partie des Banquaketse-, von der nördlichen des Bakwenalandes, von bedeutenden Strecken der beiden Bamangwato-länder und Westmatabele. An manchen dieser Strecken konnte ich den Vogel brütend beobachten. Mir fiel es auf, doch zumeist in Gegenden, wo ich ihn im letzteren Zustande antraf, dass das Thier zuweilen sehr weit vom Wasser entfernt lebe; zuweilen an Stellen. wo ich mit Noth einiger weniger Vogelarten habhaft werden konnte. So kam mir der Gedanke, dass der gelbschnabelige Hornvogel, der bei seinem schwerfälligen, wellenförmigen Fluge nur kurze Strecken zurückzulegen im Stande ist, wohl auf lange Zeit hin vollkommen des Wassers entbehren könne. Ich fand später an einem Gefangenen bestätigt, dass diese Art auch in der That monatelang keinen Tropfen Wasser zu sich nimmt.

Auf unserem Ritte durch die einförmigen Wälder des Bamangwatolandes werden wir durch ein heiseres, schwaches, sich oft durch volle 1½-2 Minuten wiederholendes Ta-Ta-Ta auf den Vogel aufmerksam gemacht. Umschau haltend, erblicken wir das Thier auf dem Gipfel eines an 90 Schritte abseits stehenden Baumes. Es hatte uns in dem schütteren Walde schon seit einigen Minuten beobachtet und war seiner Sicherheit halber emporgeflogen. Näher herankommend, erblicken wir eine Nestfamilie in den Aesten desselben Baumes, und kaum das wir uns auf 60 Schritte genaht, erheben sich die Vögel um einmal 40, ein andermal bis zu 200 Schritte weit zu fliegen und einen anderen Baum mit ihrer Gegenwart zu beehren. Einer — sicherlich das Haupt der Familie — hat abermals in dem Wipfel Platz genommen und bei seiner grossen Neugierde wie seiner Vorsicht mit scharfem Ausäugeln, seiner Erregung mit dem wiederholten Ta-Ta Genüge gethan.

Wir wollen die Thiere beobachten, uns darum allseits stille verhalten, und so wie jener Wächter von dem Baumwipfel verschwunden ist, gebeugt und wo möglich durch Büsche wohl gedeckt, an ihn und seine Schutzbefohlenen heranschleichen. Wir haben uns in dieser Weise mit einigen 5 bis 10, doch auch oft mit 30 Minuten zufrieden stellen müssen, bevor wir behutsam vorrückend die »langgeschnäbelte« Schaar in voller Arbeit sehen konnten.

Da machen sich fünf, dort bei einer anderen Gelegenheit sieben auf der Erde zu schaffen. Sie haschen nach Insecten, klauben Ameisen und Termiten auf, springen zuweilen empor auf einen beerenreichen Busch, um von den Beeren zu schnappen. Und während sie herumhüpfen, ist stets wohl einer wachsam; sie strecken den Hals und man sieht sie den etwas hochgehaltenen Schnabel über dem niedrigen Grase hin und herbewegen. Haben wir uns unvorsichtigerweise bemerkbar gemacht, so hat jener Vogel, der uns erspähte, alle sofort aufmerksam gemacht, und schon flattern sie auch empor, um in der Krone des Baumes Zuflucht zu nehmen, der beherzteste, um sich auf den Wipfel zu schwingen.

Der Flug des Vogels hat Aehnlichkeit mit dem der Spechte, nur dass er viel mehr schwerfällig erscheint. In den südlichen Partien seines Verbreitungskreises ist der Vogel seltener als wie von der Marico- und Notuanymündung nach Norden zu. Hier, wo er auch häufiger von den Eingebornen beobachtet wird, machten mich die letzteren zuerst auf den Umstand aufmerksam, dass das Thier in Baumlöchern niste, boten mir auch die Jungen zum Kaufe an, ohne dass ich selbe, einmal wegen Mangels an einem Behälter, sowie auch in Folge der anfänglichen irrigen Ansicht, die Thiere nicht am Leben erhalten zu können, erkauft hätte. Als ich mich später von dem Gegentheil überzeugte, bereute ich zahllosemal, jene armen Gefangenen für die erwünschten Glasperlen nicht eingetauscht zu haben.

Unter den drei ausgestellten Vogelarten ist diese Art die häufigste. Auf meiner Rückreise vom Zambesi erkaufte ich in Linokana von einem Baharuste für eine halbe Krone einen männlichen, ausgewachsenen Vogel, der mir durch sein Betragen viel Vergnügen bereitete, und der sich mit vollem Rechte den Namen eines äusserst munteren und possirlichen Gesellen erwarb.

Ich gestattete dem Thiere in dem mir von meinem Freunde Herrn *Jensen* in der Missionsstation zu Linokana zur Verfügung gestellten Zimmerchen vollkommen freie Bewegung. Obgleich die Thür zur Zeit meiner Anwesenheit in der Regel offen stand, schien das Thier doch nie einen ernstlichen Fluchtversuch zu planen. Dies geschah zumeist wohl der Hauskatzen halber, welche sich sehr oft an der Schwelle einfanden, um den fremden, mit einem Riesenschnabel bewehrten Gesellen anzuglotzen. Nicht selten fand er sich selbst auf der Thürschwelle ein, um dem Obstgarten, welcher das Häuschen von zwei Seiten umsäumte, auf einige Minuten ungetheilte Aufmerksamkeit zu widmen. Später beschädigte er sich einen Flügel und so

hüpfte er fortan nur auf der Erde herum. Da geschah es, dass sich
zweimal eine junge Katze einschlich und mir durch ihr Gebaren die
Ueberzeugung beibrachte, dass wohl etwas anderes als der riesige
gelbe Schnabel die geschmeidigen Schleicher herangelockt hätte; der
neue Ankömmling war aber ein Kätzchen, noch unerfahren und etwas
tölpisch im Dienste seiner Sippe; sein Besuch ging sofort in einen
offenen Angriff über. In beiden Fällen war ich im Zimmer beschäftigt
und wurde auch gleich durch das ängstliche Geschrei des Vogels, der
sich hinter einen Koffer geflüchtet hatte, auf den fremden Eindringling
aufmerksam gemacht. Das Kätzchen wurde hinausgetrieben, doch
Dido verblieb noch einige Minuten in seiner Zufluchtsstätte, bevor er
sich hervorwagte. Am wohlsten schien sich der Vogel dann zu fühlen,
wenn vollkommene Ruhe im Zimmer herrschte; dann erschien er in
der Mitte des freien Raumes, um mich zuerst minutenlang anzuängeln,
wobei er seinen Kopf bald nach der einen, bald nach der entgegengesetzten Seite neigte; schien er sich diesmal durch meine Ruhe ver-
gewissert zu haben, dass es nicht in meiner Absicht sei, ihn zu fangen,
so begann sein possirliches Treiben. Alle zufällig auf der Erde liegenden
Objecte: Steinchen, Holzstückchen, Schuhe etc. wurden — es geschah
dies oft mehrmals am Tage — mit dem Schnabel untersucht; die
kleineren suchte er mit dem Schnabel zu fassen, indem er ihn mit
seiner Breitseite flach an den Boden legte; Stühle, Bänke u. s. w.
wurden stets einer kritischen Betastung unterworfen und war er ausser
Stande mit ihnen zu rühren, so hackte er einigemale auf sie ein und
hüpfte weiter. Papierbogen waren seine gesuchtesten Spielobjecte.
Zuerst wurde das ganze Stück mit einigen Sprüngen bei Seite getragen, dann wurde es hin- und hergeschlagen und endlich mit dem
Schnabel zerfetzt. Kleine Papierstreifen warf er in die Luft und fing
sie wieder auf. Dies war auch seine Manier, die Nahrung zu sich zu
nehmen. Die vorgeschnittenen Fleischstücke wurden mit der Schnabelspitze gefasst und 5-10 Cm. hoch in die Luft geworfen und dann in
den Schlund aufgefangen. Schlief er zufällig Nachts in der Nähe von
losem Papier, so konnte ich dessen sicher sein, dass er einigemale
aufwachte und auch sofort damit zu spielen begann. Kleine Objecte,
die er in den Schnabel gefasst, warf er in der Regel nach der Seite
hin ab. Wurde er plötzlich erschreckt, so gab er sofort seinen erregten
Gefühlen mit einem lauten Ta-Ta Ausdruck. Er gewöhnte sich bald
an den Namen Dido und der blosse Ruf dieses Namens reichte später

hin, den an der Schwelle sitzenden Vogel zur raschen Umkehr ins Zimmer zu bewegen. Mit andern Vögeln in einen Käfig gebracht, betrug er sich friedlich, insofern er nicht belästigt wurde; dagegen wies er stets jede annähernde Liebkosung des einen oder des andern der Mitgefangenen mit einer drohenden Schnabelbewegung zurück.

Sein Fleischbedarf — ich gewöhnte ihn an Fleisch, weil mir dies mit Rücksicht auf meine vierfüssigen Fleischfresser das am leichtesten zu beschaffende Vogelfutter war — entsprach dem einer erwachsenen Krähe. Während des gesammten Aufenthaltes in Linokana (durch einige Monate) nahm er kein Wasser zu sich. Stellte ich ihm eine Schale hin, so wurde diese umgeworfen, kurz, er trieb damit seine Possen; später jedoch, als ich für ihn in den Diamantenfeldern einen geräumigen Käfig erbaute, und ihm von meinem Freunde *Eberwald* ein gefüllter Wassernapf regelmässig zur Verfügung gestellt wurde, spielte er sich mit den Wassertropfen, indem er seinen Schnabel eintauchte und dann ihn schüttelnd, die Tropfen hin und herwarf, oder sie einzeln emporschleuderte und mit dem Schlunde oder der Schnabelspitze wieder auffing. Dies seine Art zu trinken.

Gegen das Ende meines Aufenthaltes in Linokana erhielt mein gelbschnabeliger Hornvogel von mir einen jungen Schabrakenschakal zum Zimmergefährten. In den ersten Tagen ihres Beisammenseins hielt er den kleinen Vierfüssler mit lautem Zetergeschrei in respectvoller Entfernung. Als sich jedoch der kleine, nicht minder drollige Vierfüssler an ihn gewöhnte und mit ihm zu spielen versuchte, klapperte der Hornvogel laut mit dem Schnabel und suchte sich den Rücken in einer Ecke oder an einer Wand zu decken. Und als dies Alles nichts half, fuhr er plötzlich auf den spiellustigen Eindringling los und suchte ihn am Halse zu kneifen. Dies hatte auch auf einige Viertelstunden den gewünschten Erfolg, dann fing die Balgerei von Neuem an, wobei Dido in der Regel Sieger blieb. Als jedoch der Schakal heranwuchs, wurde es anders; er rannte Dido über den Haufen, fasste denselben beim Schwanze, ohne ihn jedoch irgendwie zu verwunden; da hielt ich es für angezeigt, Poli, den Schakal, zu entfernen, und dies schien umsomehr gerathen, als er wiederholte Angriffe auf das Fleischgericht des armen Dido machte.

Auf meiner spätern Reise nach dem Süden als bereits sein Flügel vollkommen geheilt war, entfloh er mehrmals aus dem Käfig und flüchtete auf Bäume und in Gebüsche, liess sich jedoch in beiden Fällen

10

ohne besondere Schwierigkeit wieder einfangen. Auch während meines Aufenthaltes in den Diamantenfeldern und als Dido seinen Behälter nie mehr verlassen durfte, blieb er ein lustiger Kauz, und wir sorgten schon dafür, dass er stets etwas zur Verfügung hatte, womit er sich die Zeit vertrieb. Er schien mir nach und nach nur noch zutraulicher zu werden; sowie man das Pförtchen öffnete, um ihm Nahrung oder sonst Etwas, Papierstreifen, Brodkrumen, Steinchen etc. zu reichen, kam er herangehüpft und nahm das Object entgegen. Spielen und Essen wurde nur auf dem Boden abgethan.

Da des Vogels Verbreitungsbezirk gegen Süden nicht bis an die Diamantenfelder herabreicht, so wurde ihm von den Besuchern meiner Menagerie die gebührende Aufmerksamkeit zu Theil, und er wurde bald ob seines Riesenschnabels, wie seines Gebarens, ein bevorzugtes Thier in meinem Menagerie-Höfchen. Seinen Verlust beklagte ich recht herzlich, er war neben Poli und Prinz eines der ersten Thiere, die ich erworben, und an welche ich mich so sehr gewöhnt hatte. *H.*

*   *   *

Mit Rücksicht auf den Herrn der Schöpfung äussern sich die in Südafrika sehr zahlreich vertretenen »Sperlingsvögel« ähnlich wie jene der übrigen Welttheile, doch beobachtete ich sie daselbst nie in so grossen Schwärmen, dass sie eine Plage ausmachen würden. Das bebaute Land in Südafrika zeigt bis jetzt noch so geringe Dimensionen, dass der jeweilige Besitzer, ob Weiss oder Schwarz, ohne Schwierigkeit seinen Acker gegen die Angriffe der Conirostres schützen kann. Der Schaden, den aber einige der farbenreichsten und sonst auch in vieler Beziehung gerade interessantesten der Passeres anrichten, steht tief unter dem Nutzen, der den Colonisten von Seite dieser Thiere durch die Vertilgung der Insecten erwächst. Während eine grosse Anzahl der Sperlingsvögel (numerisch wohl die grösste) im Winter unsere Heimat verlässt, bleiben (und das insbesondere) die noch bis jetzt am besten angebauten Küstenstriche das ganze Jahr hindurch von den meisten ihrer heimischen Passeres bewohnt, so dass diese die vollen zwölf Monate als emsige Insectenvertilger arbeiten. Doch auch jene Gegenden, wie die centralen Hochplateaus, aus denen so manche Art im Winter gegen die Küste und den Zambesi auswandert, können wenigstens bis zu einem gewissen Grade über eine stiefmütterliche Hintansetzung nicht klagen. Denken wir nur an die eine Familie, die der Schwalben! In welch' Hunderttausenden erscheinen sie nicht zur Zeit des südafrikanischen Sommers in diesen Hochebenen, um hier Millionen von Insecten zu vertilgen! Ausserdem zählt Südafrika, wenn mit unserer Heimat verglichen, neben den Tenuirostres und Dentirostres, sehr viele der Passeres fissirostres, welche ausschliesslich von Insecten- nahrung leben, während jene von ihnen, die dem Bienenstande gefähr- lich werden könnten, bei der untergeordneten Bienenzucht Südafrikas noch zu wenig Lockung finden, um sich als schädlich zu erweisen. Raubinsecten sind es, welche das Emporkommen der gezüchteten Bienen am meisten einschränken, doch auch die Unwissenheit der Farmer, welche eine geregelte Bienenzucht nicht zulässt und bis jetzt noch kein Mittel ersann, um den die Bienenstöcke umlauernden Kerb- thieren das Handwerk zu legen. Krähen und ein Bucorvus (abyssinicus), machen sich durch die Verzehrung von Aas nützlich. Einen beson- deren Nutzen aber gewährt das grosse Heer der Sperlingsvögel durch die Vertilgung der in Südafrika so überaus zahlreichen Insectenplagen der »Heuschrecken« und »Termiten«, sowie einer dritten Landplage, der »Zecken«. Mögen wir in der Karoo, im schönsten Thale, an einer blumigen Au, oder oben auf schwindelnder Höhe unser Lager aufgeschlagen haben, wir tragen sicherlich eine oder mehrere Zecken mit von der Stelle, welche sich uns wohl lästig, für unsere Zugthiere jedoch als eine schreckliche Folter erweisen. Diese sind oft wie be- spickt mit haselnuss- oder doppelt so grossen Zecken. Man kann deren bis zu 200 an einem Zugochsen zählen. Da gibt es zahllose Vögel, welche die Zecken auf dem Boden auflesen, sie in dem Sande auf- scharren, oder auch von dem geplagten Rinde abpicken. Schwalben, Bachstelzen, Steinschmätzer und Andere folgen den grossen Schaf- heerden und thun hier ihre Schuldigkeit — folgen und dienen den Menschen.

Von der Termite nähren sich im Winter hunderttausende von den Passeres. Dass sie nun auf diese Weise so erfolgreich zur Schmälerung der Verbreitung dieses schädlichen Insectes beitragen, gereicht gewiss allen den Sperlingsvögeln, von der Schwalbe bis zum letzten der grossen Ordnung, zum grössten Lobe. Mögen sie auch für immerdar geschont bleiben!

Mit grosser Genugthuung muss ich jedoch auch gestehen, dass das Entgegenkommen von Seite des Menschen den Passeres gegenüber

10*

in Südafrika als ein allseitig freundliches bezeichnet werden kann. Ich glaube nicht, dass sich bei uns auf dem Lande eine Schwalbe, eine Bachstelze, der Steinschmätzer, ein Sperlingsweber etc. erlauben dürfte, ungestört bis in die Wohnungen des Menschen zu dringen, um hier die Fliegenmyriaden zu vernichten, wie es in Südafrika hundertemal beobachtet werden kann. Man duldet die nützlichen Thierchen allenthalben; ja selbst jene, die der Ernte schaden, werden, wenn auch vertrieben, so doch sehr selten mit den Waffen angegriffen. In Südafrika ist das Stadium der Getreidereife ein sehr rasches, die Zeit der Abwehr gegen die Conirostres von kurzer Dauer.

Die Schwarzen machen sich wenig mit den Passeres zu schaffen, ausser in der Erntezeit, wo sie einige der Arten von den Feldern abzuhalten suchen. Solche Grausamkeiten, wie sie gegenwärtig in Centraleuropa und insbesondere in Italien ausgeübt werden, dass man einige der besten Insectenvertilger auf ihrer Wanderung zu Tausenden in Netzen fängt und sich an dem winzigen Fleischbissen ein Leckermahl oder eine Stärkung zu holen glaubt, solche, der Civilisation und unseres Zeitalters höchst unwürdige Gelüste sind in Südafrika — nicht im Gebrauche.

Als Schmuck sah ich bei einigen Schwarzen, als Nachahmung des mit Wildgeflügelfedern geschmückten Jagdhutes, ihre Strohhüte mit dem Gefieder des Lamprocolius sycobius und seiner Verwandten versehen, sonst beobachtete ich nur, dass sich die Marutse einmal bei grösseren Ausgängen, ein andermal bei wichtigen Ceremonien das wollige Haar mit der folgenden, aus Federn gearbeiteten Zierde schmücken. Ein bis dreissig Centimeter langes, dünnes und glattes Stäbchen ist am untern Ende zugespitzt, während das obere einen Busch der Flügelfedern der Coracias gurrula oder caudata (Mandelkrähen) trägt. Jede Feder ist für sich mit Bastzwirn an dem Stäbchen befestigt, so dass sie lose, doch emporstehend, erscheint.

Was die einzelnen Unterordnungen anbetrifft, so sind die Fissirostres durch ihren Artenreichthum und davon einige der Familien, die Racken, Eisvögel und Blumensauger, durch ein schönes Gefieder und durch ihre beschränkten Wanderungen zwischen den Küstenstrichen und Centralafrika einerseits und den Hochplateauländern andererseits, besonderer Erwähnung werth; unter den einzelnen Species muss man mit Rücksicht auf Federnschmuck, dem Fahnenflügel, eine besondere Beachtung zollen.

Die Tenuirostres zeichnen sich im allgemeinen durch ihr schönes Gewand aus.

Was die Dentirostres anbetrifft, so fallen auch unter ihnen — ich mache nur auf einige der Pieper, der Schmätzer, der Pirole und der Würger aufmerksam — viele durch ihr schönes Gefieder sofort in die Augen. Ausserdem finden wir in dieser Gruppe die eigentlichen Sänger sehr zahlreich vertreten, namentlich die Drymoica, ohne dass sie jedoch den unsrigen ebenbürtige Gesangskünstler aufweisen könnte. Von den übrigen Geschlechtern sind namentlich die Steinschmätzer und von den Familien die Würgerartigen durch ihren Artenreichthum ausgezeichnet. Unter den Muscicapiden machen sich die Paradiesfliegenfänger durch ihre schönen langen Stossfedern bemerkbar.

In dem bewaldeten, sandigen Lachenplateau des Ostbamangwatolandes fand ich in einem Mororostrauch nahe an den Tamasetseweihern ein Nestchen, welches etwa zwei Fuss über dem Boden an zwei Blättern angebracht erschien. Leider war das niedliche Kunstwerk verlassen, ich konnte weder seinen Schöpfer — (wohl eine Drymoica) — ersehen, noch von den Madenassanas etwas über ihn erfahren. Um meinen Missmuth noch vollständig zu machen, ging mir das Nestchen während der Zambesireise verloren.

Haarschmuck der Marutse.

Am meisten jedoch sind unter den südafrikanischen Passeres die Conirostres der Beachtung werth. Auch hier macht sich durch alle Familien (mit Ausnahme der Lerchen) mehr oder weniger ein schönes Gefieder bemerkbar. Sehr interessant durch den Wechsel ihres Gewandes sind die Webervögel und Witwen, letztere auch durch ihre Formen, doch am meisten wohl viele Arten der allerletzten Familien dieser artenreichen Unterordnung von den Staararten bis zu den Hornvögeln (diese mit inbegriffen), durch einen besonderen und auffallenden Nestbau. Wir beobachten nämlich, dass viele in der oder jener Weise, mehr oder weniger kunstvolle Brutstätten verfertigen, welche dem Ei und dem ausgeschlüpften Vogel den bestmöglichsten Schutz gegen Witterungseinflüsse, sowie gegen eine Legion von Feinden gewähren sollen. Wir beobachten dies z. B. bei Arten, deren nächste Verwandte in anderen Welttheilen zu keinen gewölbten Nestern Zuflucht nehmen, ein Umstand der unstreitig eine besondere Berücksichtigung verdient.

Von der Annahme ausgehend, dass von den beobachteten Conirostres bisher das Skelet der Buphaga africana weniger beachtet worden
sein dürfte, habe ich dem dieser Unterordnung gewidmeten Nachworte
eine Skelet-Abbildung dieses Vogels (Seitenansicht), sowie eine Skizze
der oberen Schädelfläche und eine vordere Ansicht des Brustkorbes
beigegeben und des Vergleiches halber eine Profilzeichnung und die obere
Schädelfläche eines Buphaga erythrorhyncha-Kopfes nebenan gestellt.

Buphaga erythrorhyncha.

Wenn wir einige Theile des Buphaga africana-Skelets mit dem der Buphaga erythrorhyncha und denen einiger
verwandten Geschlechter, wie der Lam-
procoliusarten vergleichen, so sehen wir
am knöchernen Schädel der Buphaga den
Stirnsattel (Frontalknochen und ver-
schmolzener Nasen- und Ethmoidalknochen) auffallend breit, und bei der
erythrorhyncha breiter wie bei der africana, sowie auch mehr gerade; bei

Buphaga africana.   Buphaga erythrorhyncha.

der africana ein wenig gewölbt, breiter und tiefer gefurcht. Der Schädel
(Hinterhaupt) bei der letzteren mehr gestreckt, weniger hoch. Der
Oberschnabel (Mittel- und Oberkiefer) schmäler bei der ersteren Art,
seine Einschnürung bei der zweiten bedeutender; doch der auffallendste
Unterschied an den Köpfen dieser so nahe stehenden Arten zeigt sich
an der unteren Kinnlade. In den vorderen zwei Drittheilen nahezu
gleichmässig breit und auffallend hoch, zeigt der Unterkiefer der
Buphaga africana an seiner unteren Kante, am Uebergange des ersten
und zweiten Drittels den bekannten Einschnitt ziemlich unbedeutend

Buphaga africana (natürl. Grösse)

doch um so bedeutender erscheint er (schon im ersten Drittel beginnend) bei der zweiten Art, eine auffallende Verschmälerung der Unterkieferäste bedingend — so auffallend, dass dieser Befund allein zu einer Unterscheidung beider Arten benützt werden könnte. Der Unterkieferausschnitt bei derselben Art ist weiter und erscheint gleich am vorderen Ende mehr geschweift, während sich jener bei der Buphaga africana als scharf zugespitzt erweist. Im Ganzen erscheint ihr Schnabel mehr keilförmig.

Die Furcula bei der Buphaga africana ist etwas weniger breit ausgemuldet und mit einer deutlichen Einschnürung in der Mitte versehen. Die Brustbeineinschnitte (Incissura obturatoria) bei der erythrorhyncha höher emporreichend; das Brustbein in seiner oberen Partie ein wenig breiter, gedrungener gebaut, dem entsprechend auch der Thorax oben breiter erscheint, als wie bei der zweiten Art. Beide Arten haben je sieben wahre Rippen, davon die beiden Dorsalrippen von den oberen Hüftbeinflügeln überlagert; bei der rothschnabeligen A. ist die erste der letzteren Rippen nur theilweise gedeckt. Im Allgemeinen sind die wahren Rippen bei dem afrikanischen Madenhacker flacher (breiter), die processi uncinati auffallend lang, bei der B. erythrorhyncha sehr schmal.

Was das Becken anbetrifft, so präsentirt sich dieses bei der letztgenannten Art als kürzer und gedrungener; die breiten Seitenflächen der Hüftbeine sind bei Buphaga africana gestreckt, ebenso das Foramen ischiaticum; die von den oberen Flügeln des Osileum mit den zwei letzten Dorsal- und den oberen (vorderen) der Lumbalwirbel gebildete Incissur ist bei dieser Species weniger breit und tief. Die den genannten Ileumsflügeln zukommenden Ränder erscheinen bei den Buphaga erythrorhyncha mehr aufgeworfen, hervorstehend und bedingen auch eine bedeutendere und schärfere Excavation der äusseren Fläche dieser Beckenknochenpartie. Das Foramen obturatorium erscheint bei dieser Art schmäler, dabei die Schambeinhörner weiter abstehend. Ihre Lumbal- und Sacralwirbel sind breiter, ihre Querfortsätze weniger schief nach unten geneigt, mehr horizontal. .

Als Appendix zu diesem Nachruf erlaube ich mir im folgenden noch eine Stelle aus meinem ornithologischen Tagebuche zu citiren; selbe datirt vom 1. September 1876 und fällt etwa in die Mitte meiner Aufenthaltsdauer in der Umgebung der, dem Leser wohl schon hinreichend bekannten Baharutsestadt Linokana (Tagebuch VII, Seite 40).

»Zu meinem Bedauern hat sich mit dem zunehmenden Frühling die Zahl der hier lebenden Vögel vermindert; doch beginnen bereits manche der Zurückgebliebenen ihr schönes Sommergewand anzulegen. Unter denen, die ich namentlich vermisse, finden sich Coracias caudata, Merops Savignii, Melittophagus minutus, Hyphantornis nigrifrons, Tockus flavirostris, die Strandläufer, Regenpfeifer, die grauen und die Purpurreiher etc.; einige der ersteren sind weiter nach abwärts in das von Höhen umschlossene, bewaldete und schluchtenreiche Notuanythal, das durch seine schöne Felsenscenerie ausgezeichnete Buisport (Felsenthor), die Thäler und Lichten des Buschveldtes und an den Fuss der nahen Dwarsbergkette übersiedelt, wo man ihre zahlreichen alten Nestbauten vorfindet. Als neue Ankömmlinge bemerkte ich den Schmarotzermilan, den Circus ranivorus, Nectarinia talatala, die Pirole und Andere. Jene Arten, die hier überwintert haben und zumeist in Gesellschaften leben (mit Ausnahme der Witwen), fangen an, sich in Pärchen abzusondern und sich an den Nestbau zu machen, was ich bei den Francolinus-Arten (mit Ausnahme des F. nudicollis) schon seit Anfang August beobachtete.

Anfangs October entfernten sich die letzgenannten Raubvögel, um weiter nach Norden an den Limpopo und in die nördlichen Betschuanaländer zu ziehen. Gleich einigen der Passeres scheinen dieselben auf ihrem Zuge in solchen Thalsenken einige Tage lang zu rasten, ohne jedoch — ausser dem Schmarotzermilan — den Eingeborenen in irgend welcher Weise lästig zu fallen. Am 30. October zeigte das an dem Gesümpfe als bestentwickelt angesehene und erlegte Chera progue-Männchen an seinen in der Längenzunahme begriffenen Schwanz bereits 25 Cm. lange Mittelfedern; sein übriges Gewand hatte sich schon zum grössten Theile schwarz gefärbt und ich musste nur bedauern, dass es mir ungeachtet aller Mühe in den wiederholt durchkreuzten, zugänglicheren Partien der Matebesümpfe nicht gelingen wollte, eine einzige Brutstätte dieses Vogels aufzufinden.

Ich muss nochmals hinzufügen, dass das Matebethal als eine Mulde des central-südafrikanischen Hochplateaus und demzufolge auch von dem Ornithologen als ein wichtiger Beobachtungsposten der wanderlustigen Vogelwelt anzusehen ist.   *H.*

Aus dem Zambesi-Thale.

Der Fahnenflügel auf der Jagd begriffen.

III.

Scansores — Klettervögel.

Psittacidae — Papageien.

Pionias Meyeri (Ruepp.) — Meyer's Papagei.

Psittacus Meyeri (Ruepp.) *Gray* Hand-List. II Sp. 8284.

Im centralen Südafrika vom Molapo nach Norden zu in dem
Niederwalde sowohl, wie in den stellenweise bewaldeten Flussthälern
in Pärchen und auch gesellschaftlich anzutreffen. Iris ockergelb;
Schnabel schwarzgrün; Füsse und Nägel dunkel schiefergrau; Zunge
weisslich.

Nährt sich von Früchten und Samen. Ich begegnete dem Vogel
zum erstenmale auf meiner zweiten Reise im Lande der Banquaketse,
zwischen den Städten Kanja und Moschaneng und glaube, dass sein
Verbreitungsbezirk im centralen Südafrika mit dem des grossen Mäuse-
vogels (Schizorhis concolor) zusammenfällt. Ich hielt stets mehrere
der kleineren Papageien in Gefangenschaft und muss gestehen, dass
sie mir durch ihre individuell äusserst verschiedenen Anlagen auffielen, so zwar, dass die Einen in kurzer Zeit und leicht zahm wurden,
während andere auch nach monatelanger Gefangenschaft stets wild
und bissig verblieben; doch überwog die Zahl jener, welche sich leicht
zähmen liessen. Ich sah die Thiere wiederholt in Farmhäusern aus-
und einfliegen. Im Maricodistrict der westlichen Transvaal konnte ich
ziemlich viele, das Stück um eine halbe Krone, erstehen. Die Zahmen
entnahmen die Nahrung den Händen, wobei sie sich laut zwitschernd
stets etwas zu erzählen wussten. Reichte man ihnen die blosse Hand
hin, so suchten die friedlicheren mit ihrem Schnabel, dessen Kraft
ich leider bei einigen verwundeten Thieren erproben musste, anscheinend zu beissen; Fingernägel, etwaige Male, Wunden und Narben
wurden stets auf das sorgfältigste untersucht. Brod, frische und gekochte Früchte, gekochte Kartoffeln, Getreide, knospentreibende Busch-

und Baumäste waren ihre Lieblingsgerichte, doch verschmähten sie auch rohe Fleischstücke nicht, die ich ihnen jedoch sehr selten reichte und dies, weil sie sich bei der Verabreichung einer folgenden vegetabilischen Nahrung die Flügelfedern auszubeissen begannen, ja sich zuweilen die eigenen Flügelarme blutig bissen. Im Makalakalande bemerkte ich ein Pärchen, welches sich vor mir in sein Nestloch flüchtete. Das letztere befand sich in einem Baumstamme, etwa 3 Meter über dem Boden, war eben nur so gross, dass der Vogel einschlüpfen konnte und führte schief nach abwärts gegen die Mitte des Stammes. Alle meine Versuche, die Thiere zum Verlassen ihres Nestes zu bewegen, blieben fruchtlos. Die Thiere nisten in Baumlöchern, die sie sich selbst herstellen und in denen kleinerer Spechtarten, welche sie erweitern, ohne jedoch auch natürliche Baumlöcher zu verschmähen, wenn das letztere auch nicht zu den Häufigkeiten gehört. Ihre Stimme, ein schrilles, unangenehmes Pfeifen, lassen sie in der Regel am Morgen und Abend hören, zur Zeit, wo sie von ihren Ausflügen und Weidestellen heimkehren. Sie kennen wohl die samen- und fruchtreichen Bäume im Walde und nach diesen richten sie von Baum zu Baum ihre kurzen Flüge, so dass sie bei der abendlichen Heimkehr zuweilen 1 bis 2 englische Meilen zurückzulegen haben. Bei der Annäherung eines fremden Objectes, wie auch beim Anblicke eines Menschen verhalten sie sich ruhig, suchen sich hinter Blätter zu bergen, um von hier neugierig den Störenfried zu betrachten. Ihr Flug ist schwer und geräuschvoll, doch zumeist gerade.

Im Leschumothale beobachtete ich eine grössere Art, welche Früh und Abends stets in Pärchen hoch über dem Thale seinen Weg nahm. Die Thiere, deren ich leider nicht habhaft werden konnte, schliefen mitten im Walde, südlich vom Leschumo und zogen nach dem Zambesithale, in dem eben die Mohamany und andere Früchte reiften.   *H.*

Psittacus robustus (Gmel.) — Levaillant's Papagei.

Gray Hand-List. Brit. Mus. II Sp. 8282.

P. Levaillantii (Lath.) — P. caffer (Licht.) — P. flaminiceps (Becht.) P. infuscatus (Shaw.).

Beobachtete den schönen Vogel nicht über die südlichen Küstenstriche hinaus. In den bewaldeten Partien, Ebenen, Schluchten, wie in den äussersten Plateauabhängen von Grahamstown, East London etc., in der östlichen Provinz der Capcolonie, in Kaffraria etc. findet er sich noch am zahlreichsten vor. In diesen Districten sehen wir ihn auch oft in der Gefangenschaft; mir schien jedoch der Pionias Meyeri viel unterhaltender und munterer als Levaillant's Vogel zu sein.   *H.*

Capitonidae — Bartvögel.

Pogonorhynchus niger (Gmel.) — Dunkler Schnurrvogel.

Pogonorhynchus leucomelas (Bodd.). — *Gray* Hand-List. B. M. II Sp. 8426.

P. Stephensii (Leach.). — Bucco rufifrons (Steph.).

Die ausgestellten Exemplare sind von demselben Fundorte wie Barbatula Extoni.

Beobachtete das Thier vom Vaalriver nordwärts, doch zumeist nur in Flussthälern, wie am Vaal, Limpopo, Tati, Schascha und anderen. Allein ich wurde auch in der Capcolonie auf sein Vorkommen im Süden aufmerksam gemacht, und ist auch das letztere Land nicht sein eigentliches Heimatsland, so müssen wir doch zugestehen, dass das Thier zu den weitverbreitetsten Vögeln Afrikas gehört. Der Vogel lebt einzeln und paarweise und zieht die Aufmerksamkeit des Reisenden durch einen schrillen, wiederholten Pfiff, der auf einen grösseren Vogel schliessen lassen würde, auf sich. Ich kann ihn als »nicht scheu« bezeichnen.

Seine Nahrung besteht in Samen und Früchten, in den Vaal- und Hartsrivergegenden durch mehrere Monate in den Beeren des Mupusubusches (Blauwbusch der Holländer).   *H.*

Zwei der gesammelten Exemplare sind offenbar jüngere Vögel; ihre Flügel sind kürzer, der Zahn des Oberschnabels ist weit weniger entwickelt.   *P.*

Pogonorhynchus torquatus (Dum.) — Bebänderter Schnurrvogel.

Gray Hand-List. B. M. II Sp. 8422.

Laimodon nigrithorax (Cuv.) — Pogonias personatus (Temm.)

Cuv., Vol. 2. p. 467, und Lesson, Vol. 2, p. 137.

Aus der centralen Transvaal, in der Nähe der Stadt Rustenburg erworben. Ich beobachtete diese Vögel nie auf meiner Reise, sie

11

scheinen nach dem mir Ueberlieferten mehr den Osten Südafrikas zu bewohnen und meist local und dann häufig aufzutreten.

Auch von diesem sagte man mir, was ich an dem vorigen (niger) selbst beobachtete, dass er meist paarweise in dichtbelaubten Flussthälern stets auf Bäumen und in Wassernähe lebt und einen schrillen, dreifachen (dreisilbigen) Pfiff ausstösst. Seine Nahrung bilden Insecten, Samen, Beeren und Wildfrüchte. Die gesammelten sechs Individuen sind sämmtlich Männchen.   *H.*

Barbatula Extoni (E. L. Layard) — Exton's Zwergschnurrvogel.

Megalaima (Barbatula) chrysocoma. — *Gray* Hand-List. B. M. II Sp. 8467.

Barbatula Extoni *E. L. Layard*. Ibis 1871 226. — *Layard* and *Sharpe* Birds of South-Africa 176.

Von Herrn *Lucas* erkauft, der das Thier in der Nähe von Rustenburg erbeutete. Männchen. Iris schwärzlichgrau.   *H.*

Das vorliegende Exemplar stimmt mit zwei Individuen von Barbatula chrysocoma (Temm.) in der kaiserlichen Sammlung (eines vom weissen Nil von *Dr. Reitz,* das andere aus dem Sudan 7 Grad nördl. Br. von Herrn *v. Boleslawski*) überein, nur sind Brust und Bauch nicht rein gelb, sondern graulich getrübt; ob wirklich hinreichender Grund zu specifischer Trennung des südlichen Vogels vorliege, muss dahingestellt bleiben.   *P.*

Trachyphonus cafer (Vieill.) — Kaffer-Schnurrvogel.

Gray Hand-List. B. M. II Sp. 8481.

Micropogon nilphuratus (Lafren.) — M. occipitalis (Ruepp.).

Polysticte quopopa (Smith). — Lipornix Lathami (Wagl.).

Ebenfalls von Herrn *Lucas* erstanden, der den Vogel, den ich nie auf meinen Reisen beobachtet, in der centralen Transvaal erlegte. Dieser durch sein schönes Gefieder und seinen Schopf ausgezeichnete grosse Schnurrvogel bewohnt nach dem, was ich hörte, mehr die östliche Grenze Centralsüdafrikas gegen das Küstengebiet zu, von Natal bis zum Zambesi, namentlich die Kette der Drakensberge und deren Ausläufer.   *H.*

Picidae — Spechte.

Dendropicus fulviscapus (Illig) — **Fahlschaftiger Specht.**

Dendropicus cardinalis. *Gray* Hand-List. II Sp. 8649. — *Sharpe et Layard* B. of Southafr. n. ed. 190.

Dendrop. chrysopterus (Cuv.), D. capensis (Forst).

Ein Männchen im nördlichen Ostbamangwatolande erbeutet. Der Vogel scheint über das ganze centrale Südafrika verbreitet zu sein. Ich traf ihn im Limpopothale (Bakwenaland), in der westlichen Transvaal, im Batlapinenlande, am Hartsflusse etc. Der Vogel schien mir sehr scheu und verharrte, sowie er mit dem Absuchen eines Baumes zu Ende war, einige Secunden, zuweilen zwei Minuten lang an dem Wipfel, bevor er einem anderen Baume zuflog, wie es mir vorkam, um Rundschau zu halten und zu lauschen. Im Allgemeinen hören wir in den südafrikanischen Wäldern den Schlag der Spechte viel seltener als wie in den heimischen Wäldern. Es sind einmal weniger Arten in Südafrika vertreten und den wenigen ist reichliche Nahrung auch ohne viele Mühe geboten.   *H.*

Cuculidae — Kukuke.

Centropus senegalensis (Linné) — **Senegal'scher Spornkukuk.**

Gray Hand-List. II Sp. 8946.

C. aegyptius (V.) C. monachus (Schl.)

Die beiden ausgestellten Thiere sind Weibchen. Das ausgewachsene Exemplar wurde von mir in dem hohen Grase um die Tamasanka-teiche im März 1876, der junge Vogel von Dr. *Bradshaw* in dem Röhricht am Oberlaufe des Panda-ma-Tenkaflüsschens erlegt. Mein Thier zeigte einen nahezu gereiften Eierstock; Iris carmin; Schnabel, Füsse und Nägel schwarz. Der Horntheil drei Viertel der Zungenlänge ausmachend, die Zungenspitze ausgehöhlt, sechsmal halbmondförmig gegerbt. Dr. *Bradshaw* fand an seinem Vogel die Regenbogenhaut braun, den vorderen Schnabeltheil bräunlich, die Mitte fleischfarben, die Wurzel rothbraun, Füsse bläulichgrau, Nägel schwarz.

Der senegalische Spornkukuk hat einen weiten Verbreitungs-bezirk. Ich fand ihn im Thale des Zondagsrivers (Ostprovinz der Cap-

11 *

colonie), in den Sumpfdickichten des Matebethales, in dem Geschilfe
am Tschobe und Zambesi, sowie auch im Matabelelande und stets in
unmittelbarer Wassernähe. Hohes Ufergras, Binsen, Schilfrohrdickichte,
und wo eine solche Vegetation mangelte, bildeten dichte Ufergebüsche
den Aufenthaltsort des Vogels. Sozusagen ohne Ausnahme traf ich
das Thier in Pärchen vor. Der Vogel erfreut sich einer allgemeinen
Beachtung bei Schwarzen und Weissen, dies vorzüglich durch seinen
Insectenverbrauch (Heuschrecken und andere grosse Kerbthiere),
durch die Vertilgung von Mäusen und Würmern. Doch glaube ich
auch, dass ihm kleine Vögel zum Opfer fallen, und dass er Reptilien
nicht verschmäht.

Man verübelte es mir stets, wenn ich davon sprach, einen oder
den anderen der sich oft in der Nähe menschlicher Wohnungen auf-
haltenden Spornkukuke meinen Sammlungen einverleiben zu wollen.

Auf mich machte der Vogel den Eindruck eines kräftigen, ver-
wegenen, raubsüchtigen und — trotz der Vorliebe für die letztgenannten
Aufenthaltsorte — eines scheuen und äusserst vorsichtigen Gesellen. Er
bewegt sich zumeist auf der Erde in der Nähe der genannten Gras-,
Rohr- und Gebüschdickichte, in welche er auch sofort, wenn aufgeschreckt, flüchtet.   *H.*

Cuculus canorus (Linné) — Gewöhnlicher Kukuk.

Gray Hand-List. II Sp. 8995.

C. rufus (Bechst.), C. cinereus (Brehm), C. indicus (Cab. et H.), C. borealis (Pal.).

Ein Männchen und ein Weibchen im Thale des Panda-ma-
Tenkaflüsschens im Ostbamangwatolande zur Winterszeit erlegt. Iris
gelbbraun ; obere und vordere Schnabelhälfte schwarzbraun, ebenso
die Spitze der unteren; die Partie an der Wurzel der oberen und
Dreiviertheile der unteren Kinnlade orange; ein schwefelgelber Hautring um die Augen; Füsse und Nägel orange. Nährt sich von Insecten,
namentlich Raupen. In Südafrika nicht häufig, häufiger gegen Centralafrika hin. Einzeln und in Pärchen in den nördlichen Betschuanaländern, im Matabele- und Marutsereiche angetroffen. Mir schienen
Anfangs die beiden erbeuteten Exemplare Varietäten zu sein, doch
sind sie wohl noch nicht vollkommen ausgewachsene Exemplare, und
demzufolge das etwas abweichende Gewand.   *H.*

Das Weibchen und theilweise das Männchen stimmen mit
einem von Dr. *v. Heuglin* erhaltenen Weibchen aus Wod Schelagi.

Nordostafrika, überein. Statur ziemlich klein; Flügel $7^3/_4''$ (20 $^1/_2$ Centimeter).   P.

Coccystes cafer (Licht) — Kaffer-Erdkukuk.

Gray Hand-List. II Sp. 9066.

Coccystes cafer (Leach) Zool. Misc. pl. 31. Coc. Vaillantii (Swain.) C. cafer (Steph.).

Zwei ausgewachsene und ein junges Männchen in den das Thal des Panda-ma-Tenkaflüsschens einschliessenden Wäldern (Ostbamangwatoland) im Januar 1876 erbeutet. Iris braun; Schnabel schwarz; Füsse schieferblau. Einzeln und in Pärchen lebend, im nördlich centralen Südafrika ziemlich selten. Nährt sich zumeist von Heuschrecken, doch auch von Würmern und Termiten.   *H.*

Coccystes jacobinus (Bodd) — Jacobiner-Heherkukuk.

Gray Hand-List. II Sp. 9062.

Coccystes melanoleucus (Gmel.), C. serratoides (Hodge).

Ein Männchen von Dr. *Bradshaw* und ein Weibchen von *Walsh* in demselben Fundorte wie Coccystes cafer und Cuculus canorus erlegt und einige Tage darauf, im Februar 1876, erstanden. Iris dunkelbraun; Schnabel und Füsse schwärzlich.

Nahrung: Insecten und Würmer. Selbst habe ich den Vogel nie beobachtet.   *H.*

*   *   *

Die Klettervögel durch ihre Formen — ich verweise auf die Papageien, die Schnurrvögel, Spechte und Kukuke — wie durch ihre Gehirnentwicklung (die Erstgenannten) ohnehin besonders beachtete Thiere, haben, was namentlich die Unterfamilie der Schnurvögel und die Familie der Kukuke anbetrifft, sehr zahlreiche Vertreter auf südafrikanischem Boden. Da die Papageien in Fruchtgärten keinen erheblichen Schaden verursachen und mit den Schnurrvögeln zumeist von Beeren und Wildfrüchten und die Schnurrer zugleich auch von Insecten leben, welche bei den Spechten und Kukuken die gewöhnliche Nahrung bilden, so können wir in dem südafrikanischen Territorien nur den Nutzen der Scansores hervorheben. Die Räubereien einiger der Kukuke, an kleinen Sperlingsvögeln ausgeübt, werden durch die Vertilgung von Mäusen und allerhand Ungeziefer gesühnt — — und so sehen wir manche

der Kukuke sich allenthalben eines eclatanten Schutzes von Seite des
Menschen erfreuen; dazu kommt noch die anerkannte Wohlthat der
leider so spärlich in Südafrika vertretenen Spechte.
Auch die Papageien sind spärlich vertreten. Auffallend durch
ihre Mannigfaltigkeit der Formen sind die Kukuke; ich verweise hier
auf manche derselben, wie z. B. auf die prachtvoll gefärbten, die
wärmeren Küstenstriche bewohnenden Goldkukuke (Chrysococcys),
auf die Erdkukuke, sowie auf die Honigsucher (Indicatores), welche
durch ihre Eigenthümlichkeiten zu den merkwürdigsten Vögeln Südafrikas gehören, — und sich eben in der Mehrzahl der Fälle durch
ihr Gebaren dem Menschen nützlich erweisen. Ich hatte keine Gelegenheit, einen der Honigsucher zu erbeuten oder zu erwerben.
Dagegen konnte ich sie mehrmals beobachten, doch nie so nahe, um
die Art genau bestimmen zu können. Erlegen durfte ich die Thiere
nicht; denn, da wo ich sie sah, war ich stets von Weissen oder
Schwarzen zu ihnen geleitet worden, die dem Rufe des Vogels folgten,
und hätte ich da eines der Thiere erlegt, so wäre mir dies von meinen
Begleitern gar sehr verübelt worden. Dies die Ursache, dass ich von
keiner Art, der eben erwähnten Geschlechter in den »Beiträgen zur
Ornithologie Südafrikas« specielle Erwähnung gethan habe. Einigen
dieser Indicatorspecies wohnt ein seltenes Vertrauen zu dem Menschen
inne. Hat ein solcher, Wälder und Buschdickichte bewohnender Vogel,
ein Raubthier — von einer Wildkatze bis zum Löwen oder eine Eule,
einen Erdleguan, oder eine der grösseren Schlangen, die Boa, Cobra,
Puffadder, Mamba, Ringhals etc. erschaut, oder hat er — und dies
ist die gewöhnliche Ursache seiner Streifung durch einen Walddistrict
— ein Nest der wilden Bienen erforscht, so nähert er sich dem zufällig
oder zuweilen eben zu diesem Zwecke diese Waldpartie aufsuchenden
Menschen, begrüsst ihn mit seinem monotonen, raschen, mässig lauten
Rufe und, von Baum zu Baum fliegend, eilt er vor dem Herren der
Schöpfung daher, um ihn dem Gegenstande seines Schreckens oder
dem gesuchten Bienenstocke so zuzuführen. Solch' ein an der »Hand«
des »Honigfinders« ausgeführter Spaziergang kann, je nachdem, einige
Hundert Schritte bis über eine englische Meile betragen und führt
zumeist in das Innere des Gehölzes oder die dichteren Gebüschpartien.
In manchen Fällen dürfte es wohl für den Geleiteten etwas unangenehm
sein, nach einer freudig aufgenommenen Bienenpürsche plötzlich einem
Leoparden gegenüber zu stehen, doch in der Mehrzahl der Fälle trifft

er auf eine Baumhöhlung, aus der die erwünschten Bienen aus- und einfliegen. Nach den Fähigkeiten einiger der Indicatores zu schliessen, würde ich jedoch glauben, dass der Ruf des Vogels — wenn er ein gefundenes Bienennest, nach dessen Maden es ihm eben gelüstet, oder im Gegensatze dazu, wenn er ein ihm gefährlicher scheinendes, verhasstes Thier andeuten will — ein nicht vollkommen identischer sei, und dass sich der eine oder der andere, bald rascher, bald lauter äussern müsse. Um dies constatiren zu können, will ich mir erlauben, die Aufmerksamkeit jener Colonisten, in deren Nähe zahlreiche Honigkukuke wohnen (vor Allen jener der Küstenstriche, der Natalfarmer und jener der westlichen und centralen Transvaal-Republik), auf diesen Gegenstand zu lenken. Wiederholte Beobachtungen, sagen wir in fünfzig Fällen, müssten uns einiges Licht über diese Frage geben und zeigen, ob meine Ansicht bestätigt werde und weitere Forschungen verdienen würde. Es wird mir auf der nächsten Reise stets ein wahres Vergnügen sein, jedem der Indicatores zu folgen, der für mich nur einen Lockruf haben sollte.

Zum erstenmale hörte ich einen solchen in der westlichen Transvaal in dem »Bushveldte« auf der Farm Rietfontein. An meinem Heimwege von Schoschong, (1874) wie später noch zweimal, verlebte ich einige Tage in *Fourier's* gastlichem Hartebesthäuschen. Während des ersten Besuches wurde ich von dem Farmer mit Honig beschenkt. Auf meine Frage, ob er denselben zum Geschenk erhalten oder von den Schwarzen erkauft, möglicherweise ihn vielleicht von gezüchteten Bienen gewonnen hätte, verwies mich Fourier auf den Honigsucher, der das Haus mit Honig zu versorgen pflege. Meinem Ansuchen nachgebend, führte mich der Sohn des Hauses in den nahen, eine englische Meile entfernten, westlichen Mimosenwald. Schon nach einer viertelstündigen Tour machte mich mein Führer auf einen grauen dorndrehergrossen Vogel aufmerksam, der eben angeflogen kam und einen einförmigen Ruf von sich gab. »Das ist der Honigsucher,« warf *Fourier's* Sohn ein. »Das ist unser Führer. Mir däucht es stets, dass ich einem und demselben Vogel folge.« Von den mir bekannten Arten schien er mir am meisten dem Ind. albirostris (Temm.) ähnlich zu sein.

Nach etwa 600 Schritten verblieb der Vogel in der Nähe eines und desselben Baumes und gab einen rascheren und sehr lauten Ruf von sich. An dem Baume, angekommen, erwies sich dieser als derselbe, aus dessen Höhlung — eben durch einen Honigkukuk geleitet —

Fourier vor einigen Tagen bereits Honig genommen hatte. Da die Bienen jedoch den Baum nicht verlassen hatten, so suchte er sie zum zweitenmale mittelst Rauch fernzuhalten, die Stelle wurde untersucht — und wir fanden in einer Seitenhöhlung noch zwei mit Honig und Waben gefüllte Blätter. — Der Vogel wurde wie immer mit den gefüllten Wabenzellen für seine Hilfe entlohnt. Im April 1875 und Mai 1876 zur Zeit meiner abermaligen Besuche (während der Zambesireise) hatte *Fourier* noch immer nur Gutes von dem Treiben der Indicatores in den Bushveldt- und Dwarsbergwäldern zu berichten.   *H.*

Aus dem Makalakalande.

Meyer's Papagei an seinem Nestloch.

IV.

Columbae —Taubenvögel.

Columbidae — Tauben.

Treron Delalandi (Bonap.) Delalandische Gewürztaube.

Gray Hand-List. II Sp. 9112.

T. calva (Verr.), T. nudirostris (Licht.).

Aus dem Zambesithale. Von *Walsh* erstanden. Ich selbst traf die Thiere an einigen wenigen Stellen weiter südlich an, jedoch immer äusserst local, wie z. B. im oberen Notuanythale, (Maricodistrict der Westtransvaal). Leider hat mir *Walsh* das Geschlecht der beiden Thiere nicht mittheilen können. Nähren sich von Sämereien, Würmern und Insecten. Obzwar ich mehrere beobachtete und sie stets paarweise antraf, war es mir doch nicht möglich, selbst eines der Thiere zu erbeuten. Diese schönen Tauben lieben geschützte, dicht bebäumte und bebuschte Thäler, sind sehr scheu und wissen sich in ihrem grünlichen Gewande in dem Laube gar wohl zu bergen.   *H.*

Aena capensis (Linné) — Captäubchen.

Gray Hand-List. II Sp. 9285.

Columba atrogularis (Wagl.). Cuv. Vol. 3. p. 92.

Schnabel und Füsse roth, zuweilen hell- und dunkelorange-farben. Das ausgestellte Exemplar, ein Männchen, stammt aus der centralen Transvaal.

Einer der muntersten der kleineren Vögel, die niedlichste und schmuckste aus der Zweigfamilie der Columbidae in Südafrika. Ich fand die Captäubchen über das gesammte Central-Südafrika ausgebreitet; doch dehnt sich ihr Gebiet auch nach Osten und Westen gegen die Küsten aus. Besuchen wir ein Farmgehöfte oder die an den Städten liegenden und kleine Viehkraals aufweisenden Ansiedlungen der

Schwarzen, so scheuchen wir sicherlich bei unserem Herankommen einige dieser anmuthigen Vögel auf. Mit vollem Recht verdienen sie den Namen »Hausvögel«. Kaum dass die Hirten die Herden auf die Weide getrieben haben, finden sich schon die Captäubchen ein, die inzwischen den Tag mit Absuchen des nahen Graslandes, der Sämereien halber, begonnen, um die zahllosen in dem Rinder- und Pferdedünger und in namentlich den oft jahrelang nicht gereinigten Schafkraalen (Hürden) lebenden Insecten, namentlich Coleoptera und deren Larven, aufzupicken. Sind diese Stellen abgesucht, so kommen die Täubchen näher an das Haus heran, oder sie setzen sich auf die nahen Umzäunungen der Viehhürden, um hier ihr Gefieder zu putzen und dann ihre Nahrungslese von Neuem zu beginnen. Die meiste Zeit verbringen sie auf der Erde, und wir sehen sie wohl gesellschaftlich, doch mit Ausnahme der Nestfamilien stets nur in Pärchen nebeneinander einherschreiten. Sie gehen sehr rasch und werden ob ihrer Kleinheit und ihres grauen Oberkleides sehr leicht übersehen. Die Bewegungen der Vögel sind anmuthig, und ihre Vorsicht könnte vielen südafrikanischen Vögeln zum Muster dienen. Obgleich Hausvögel, sind sie doch schwer einzufangen. Meine und die Versuche meiner Freunde scheiterten stets an der Wachsamkeit und Vorsicht der kleinen, zierlichen Geschöpfe, was ich um so mehr beklagen musste, als man sich über die wenigen Gefangenen, die ich beobachtete, sehr lobend aussprach.

Die Captäubchen bauen ihre kunstlosen Nester, nahezu flache, winzige Reisighäufchen, auf den aus Baumästen oder dichten Dornästen verfertigten Umfriedungen der Viehkraale, doch auch auf kleineren Bäumen oder Sträuchern. Das Nest zeigt zwei blassröthliche Eier (weiss mit einem Stich ins Röthliche). *H.*

Turtur albiventris (Gray) — Swainsons Lachtaube.

Gray Hand-List. B, M. II Sp. 9326.

Turtur semitorquatus (Swain.). T. risorius (Selby). T. vinacea (Bl.).

T. Levaillantii (Tenn.), T. Bicincta (Smith).

Ein Exemplar — ein Männchen — ausgestellt. Swainsons-Lachtaube oder die eigentliche südafrikanische, bläulichgraue Lachtaube, die wir von der südlichen Meeresküste bis zum und über den Zambesi in allen Flussthälern, welche immerfliessende Gewässer aufweisen, doch auch in der Nähe menschlicher Wohnungen, vorfinden, ist un-

streitig einer der beachtenswerthesten Vögel Südafrikas, eine Taube, die
wir, gleich der vorhergehenden Art, schon nach einer oberflächlichen
Beobachtung liebgewinnen. Dies um so mehr, wenn wir sie hundert-
mal wiedergesehen haben, uns an ihrem Gebaren ergötzen, an ihrer
Stimme erfreuen konnten. Findet der hungrige Reisende nach stunden-
langem Suchen kein Wild, oder hat er den Misserfolg seiner Unge-
schicklichkeit oder sonstigen Unfällen zu danken, und kommt er endlich,
sei es nach langem Irren im Walde, oder auf den Karroo-Ebenen, zu
einem Flussthale, so kann er dessen sicher sein, hier die Lachtaube
hinreichend zahlreich vorzufinden, um sich rasch ein Mahl zu bereiten
und gestärkt seinen Marsch fortzusetzen. Ich muss es schon gestehen,
dass wir auf unseren Reisen oft tagelang nur Lachtauben als Würze
für unseren Kukuruzbrei genossen, doch nur, wo ich es musste,
erhob ich meine Feuerwaffe gegen das Thier. Obgleich in den unbe-
wohnten Thälern vorsichtig und scheu, werden sie überall da zutraulich, wo sie sich mit dem Captäubchen an einem Farmgehöfte niedergelassen haben, während Eingefangene (im erwachsenen Zustande)
nie eine gewisse Wildheit abzulegen pflegen.

Swainson's Lachtaube nährt sich von Sämereien und Insecten, die
sie auf der Erde aufliest. Gesellschaftlich oder paarweise lebend, sucht
sie aufgeschreckt ihre Zuflucht in den nächsten Bäumen; doch sah
ich sie auch auf buschlosen Ebenen um verlassene Viehposten ihre
Nahrung suchen und dann, ihrer Schlummerstätte halber, weite Flüge
wagen. Sie fliegt rasch und schön in mässiger Höhe.

Nach der Zambesireise hielt ich bis zu meiner Rückkehr nach
Europa mehrere, zeitweise bis acht, in Gefangenschaft, und sie nahmen
unter meinem Gethier einmal durch ihr kosendes Gebaren, wie auch
ihre Verträglichkeit eine bevorzugte Rolle ein.

Mit Sperlingsvögeln verschiedener Art, wie mit Passer arcuatus, Crithagra Hartlaubii, Fringillaria capensis, Megalophonus und
anderen, lebten sie in der grössten Freundschaft. Wie oft sah ich
nicht diese kleineren Vögel (vor Allen namentlich gerade den unverträglichen Capspatz) zwischen den Täubchen ein Plätzchen suchen, sich
in den frostigen Winternächten traulich an dieselben schmiegen!
Machte jedoch einer der Letztgenannten der Passeres zum wiederholten-
male der Taube ein Körnchen streitig, so wurde er endlich mit einem
Flügelschlage zur schleunigen Flucht gezwungen.

Um so mehr nahm es mich Wunder, dass die Lachtauben stets bei dem Erscheinen der menschlichen Hand in ihre Behälter zornig aufgirrten, die Flügel zum Schlage erhoben oder wild hin- und herflogen, wobei sie so manche Feder aus ihrem dichten Gewande verloren. Auf Rechnung des letzteren haben auch alle die südafrikanischen Turteltauben einen starken Schuss nöthig, um sich ihrer zu versichern. Meine sämmtlichen Gefangenen waren »geflügelt«, nachher ihre Wunden geheilt worden, und nur auf diese Weise wurde es mir möglich, in kurzer Zeit in den Besitz einiger Exemplare zu kommen. Ich scheuchte die Thiere auf und suchte sie dann auf ihrer eiligen Flucht zu »flügeln«. Meine Gefangenen verschafften mir so manchen frohen Augenblick, und nur zu oft sass ich vor ihrem Behälter, um ihren Lachgirrtönen zu lauschen.

Selbst ihrem grauen, ins Hellviolettfarbene spielenden Gefieder wurde von den Besuchern Achtung gezollt. Mitten in meinem Höfchen hatte ich einen Pyramidenkäfig, an vier Meter hoch und auf vier Füssen ruhend, errichtet. Das untere Drittheil, prismatisch und mit einem Durchmesser von einem Meter, barg eine Felsengrotte, aus der Zweige hervorragten. Im August 1877 hatte ich an den vier Füssen einen südafrikanischen Creeper (Schlinggewächs) gepflanzt und bereits im December war ein grosser Theil der Pyramide damit um- und überwachsen, gegen Regen und sengende Sonnenstrahlen den Vögeln hinreichenden Schutz bietend. Ich hatte auch einen wildwachsenden Convolvus an den einen Fuss eingesät, der später reichliche Blüthen trug. Und so erschien an manchem Morgen die Spitze der dunkelgrünen Pyramide mit grossen weissen Blüthen geschmückt, und diese zuweilen zu einem schimmernden Bande oder einem Doppelkranze gruppirt. Offene Stellen, d. h. baar der glockenförmigen Blüthen und des dunklen Grüns der Liane, gestatteten dann dem Auge Einsicht in das Innere des Behälters, und man erschaute die einfach grauen, schmucken Täubchen, und die gelblichgrünen Crithagras, deren Roben mit der grünen, mit Weiss geschmückten Umrahmung des Pyramidenbehälters auf das Vortheilhafteste harmonirten und dem Beschauer eine Miniatur-Vogelidylle boten. — Um sie jedoch als solche auf längere Zeit zu bewahren, musste ich mich endlich mit Rücksicht auf die kleineren Vögel entschliessen, die unverträglichen Capspatzen zu entfernen.

Noch schöner wie ihr graues Gewand erschien mir das Girren der Vögel. Schon um drei Uhr Morgens liessen sich die Männchen mit ihrem Girren und dann mit ihrem Silbergelächter hören; und als sie auf diese Weise ihren Morgengruss den neben ihnen sitzenden Täubchen dargebracht hatten, da antworteten diese so leise und in so zarten Weisen, dass es wie aus der Ferne und äusserst lieblich und melodisch herüber ins Häuschen klang.

Ich hatte mich bald an dieses Girren gewöhnt, es machte mich munter, und so hatte ich den trauten Lachtäubchen, die den müden Körper rechtzeitig zur Arbeit riefen, gar so Vieles zu danken. *H.*

Turtur semitorquatus (Ruepp.) — Halsband-Turteltaube.

Gray Hand-List. B. M. II Sp. 9325.

Turtur erythropbrys Sw. B. W. Afr. 11, p. 22.

T. Levaillantii (Smith). — T. senegalensis (Müller).

Ebenfalls nicht selten; hat einen sehr weiten Verbreitungsbezirk im südlichen Afrika. Sie lebt in Pärchen sowie in Gesellschaften, letztere zumeist von einigen Nestfamilien gebildet; bebäumte Thäler, Waldesränder und ausgebreitete Dornfelder,* an Flüssen oder stets wasserhaltigen Lachen gelegen, auch Obstgärten und ähnliche Localitäten sind die von der Halsband-Turteltaube bevorzugtesten Orte.

Auch von diesen Vögeln hielt ich welche gefangen, und halte eines der Thiere besonderer Erwähnung werth. Ich hatte dasselbe auf der Farm Oliphantfontein im westlichen Oranjefreistaate verwundet und es sofort in Pflege genommen, obwohl ich nur eine geringe Hoffnung auf seine Genesung setzte. Eines der Schrotkörner hatte das Thier am Kopfe stark verletzt und von hinten nach vorne die Regenbogenhaut durchschneidend, die Hornhaut perforirt. Zu meiner Ueberraschung zog die Verwundung des Hinterhauptes keine sichtbaren Folgen nach sich und trotz einer starken Haemorrhagie heilte die Verwundung des Auges so vorzüglich in wenigen Tagen, dass man über diesen raschen Heilungsprocess einfach staunen musste. Einer der dunklen Diener liess einige Monate später den Behälter des Thieres unvorsichtiger Weise offen stehen, welche Gelegenheit auch dasselbe zur sofortigen Flucht benützte. Die Halsband-Turteltaube baut, ähnlich dem Captäubchen, aus kleinen Reisigstückchen ein einfach' Nest, hohlhand- und doppelthohlhandgross und mit einer unbedeutenden Vertiefung versehen. *H.*

---

* Ausgedehnte niedere Dornenbüsche.

176 Columbae — Taubenvögel.

Aplopelia larvata (Temm.) — Maskenturteltaube.

Gray Hand-List. B. M. II Sp. 9402.

Aplopelia sylvestris (Forst). — Apl. erythrothorax (Reich).

Eine der schönsten und grössten der südafrikanischen Wildtauben. Bewohnt die gebüschreichen Küstenstriche, insbesondere dichtbebäumte Schluchten und Thäler und die tieferliegenden der ausgedehnten, bewaldeten und reichliche Beerenfrüchte aufweisenden Terrassenabhänge der Hochplateaus. *H.*

Chalcopeleia afra (Linné) — Erdfleckentaube.

Gray Hand-List. B. M. II Sp. 9408.

Peristera chalcospilos. G. B. Gr.

Peristera afra (Linné) p. 1. Col. 160; (Temm.) Piq. I. 38, 39. — Turtur chalcospilos (Wagler) Nat. Lib. Vol. 11. p. 210.

In den südlichen Betschuanaländern in Mimosengehölzen, auch in der Nähe der Eingebornenstädte und ihrer Viehposten beobachtet. Nach dem mir Ueberlieferten reicht ihr Verbreitungsbezirk auch weiter nach Süden, stellenweise bis an die Meeresküste; sie soll insbesondere in den östlichen Partien der Ostprovinz der Capcolonie und dem unabhängigen Pondoland nicht selten sein. *H.*

Die wilden Taubenvögel Südafrikas werden von dem weissen Manne nur als ein Wildpret dritter Ordnung angesehen, von den Schwarzen werden sie gar nicht beachtet. Einen ferneren Nutzen bieten namentlich jene der Thiere, welche sich durch die Vertilgung zahlreicher Insecten in der Nähe der Farmgehöfte als zweckdienlich erweisen, doch ist in beiden Fällen dieser Nutzen ein so geringer, dass er keiner weiteren Beachtung verdient. Für Aviarien und den Liebhabern der Vogelwelt würde ich jedoch die Gewürztauben, die Cap- und Lachtäubchen wärmstens empfehlen.

Wir können die Taubenvögel — mit Ausnahme der Gewürztauben — zu den gewöhnlichsten Erscheinungen der südafrikanischen Vogelwelt zählen; jedenfalls sind sie gleichmässiger und selbst allgemeiner verbreitet als wie die Rabenartigen. Jeder Fremde — selbst jene, die vielleicht nur der Sucht, durch Diamanten und Gold in Kurzem reich werden zu wollen, nach Südafrika gekommen waren, Leute, die, sei es von dem grössten Indifferentismus befangen, keine Vorliebe für oder vielleicht nicht die geringste Kenntniss von der — nicht sofort mit klingender Münze entlohnenden — Natur und ihren wunderbaren Schöpfungen besitzen, selbst solche wissen sich auf die girrenden Tauben zu erinnern und meinen, dass eben diese Geschöpfe die Thäler und die einsam liegenden Farmhäuser beleben. Ja ich fand Manche, die bei der Erinnerung an den Besuch eines solchen Thales und noch eingedenk, der auf den gebüscharmen Hochebenen — welche

Captäubchen im Kraal.

solche Thäler von einander trennen — erlebten Mühsale, förmlich in eine, ihrem Wesen sonst gar nicht zukommende sentimentale Stimmung geriethen, und mit einem Lächeln in den wettergebräuntem Zügen von dem so »eigenthümlichen« sollte wohl heissen: »anmuthigen oder fesselnden« Girren der Lachtauben sprachen.

Die Turteltauben werden in Südafrika seltener, als wie bei uns, in Gefangenschaft gehalten; dagegen hat sich die Haustaube in allen möglichen Varietäten bereits sehr zahlreich eingebürgert; zu bedauern ist es jedoch nur, dass sie mit Vorliebe als Zielobject für die pigeon-shooting-matches gewählt, dabei nur zu grausam behandelt wird.

12

Die wildlebenden, südafrikanischen Tauben haben sehr viel von vierfüssigen wie befiederten Feinden zu leiden; vielleicht mehr wie die
Vertreter einer jeden der übrigen Ordnungen der Vögel. Der Gewürz-
taube erwächst die meiste Gefahr von Seite der Uhus (den beiden
erwähnten Arten, zumeist vom Bubo lacteus), dem Caracal und der
Pantherkatze; dem Captäubchen stellen Hauskatzen und Ratten nach;
den Turteltauben die nämlichen Feinde, doch mehr wie diese die
bläulichgraue Wildkatze, die Ginsterkatze, das Uferwiesel, die Mustella
nuchalis, der Mäusehund; der Cercopithecus weiss wohl die Nester
nach Eiern abzusuchen, ebenso die Cobra und die grüne Baumschlange, ohne dabei die Brut zu verschmähen; während der Milvus
aegyptius, der Melierax musicus und der Astur polyzonoides so
manche der Thiere im Fluge aufzuraffen vermag.   *H.*

Aena capensis.

V.

Gallinae — Hühnerartige Vögel.

12*

Pteroclidae — Flughühner.

Pterocles variegatus (Burch.) — **Buntes Flughuhn.**

Gray Hand-List. II Sp. 9465. — Smith, I. Südafr. Z. pl. 10.

Ich traf dieses schmucke Flughuhn in dem mittleren und nördlichen Central-Südafrika meist local und dann, wie in den Wäldern des Bamangwatolandes, in einer wahrhaft erstaunlichen Menge an. Hier bewohnen die Thiere die etwas grasärmeren, nackten Stellen der Waldlichten. Spät am Nachmittage erscheinen sie dann in kleineren und grösseren Ketten von 2-40 Stück, oft Hunderte binnen einer Stunde an den Regenlachen, den Spruittümpeln oder den von den Eingeborenen in den sandigen Wäldern aufgegrabenen Wasserlöchern. Sie fallen ein, ohne sich viel um die in der Nähe Lagernden zu kümmern, wobei ihnen zuweilen diese Zutraulichkeit zum Verderben gereicht. So oft ich in den Bamangwatowäldern dieses Flughuhn erschaute, und so oft ich noch jetzt an sein reichliches Einfallen in solche Tränkstellen zurückdenke, störte und stört mir noch immer der Gedanke an den Jagdstolz eines Elephantenjägers die Erinnerung an den ebenso interessanten, wie durch das Absuchen zahlloser Insecten so nützlichen Vogel. Jene berüchtigten. Worte. lauteten etwa: »I can assure you that I secured a whole bag full of those birds in a few minutes. I don't believe of having fired five shots.«* Diese Beute konnte der wüthende Nimrod unmöglich in anderthalb Tagen aufgegessen haben. In der südafrikanischen Sonnenhitze, auf der Reise und von den dunklen Köchen behandelt, ist ein solches Wildpret nicht länger als anderthalb bis zwei Tage zu halten ; nun, es war eben eine »Heldenthat«!

Die Thiere fliegen sehr rasch, 30-60 Meter hoch und vermögen äusserst rasche Schwenkungen zu machen. Während des Fluges, doch zumeist beim Einfallen an den Tränkestellen lassen sie einen wiederholten Pfiff, wenn hundertstimmig, ein wahres Gezwitscher von sich hören.

---

* Ich kann Sie versichern, in wenigen Minuten einen vollen Sack mit diesen Vögeln gefüllt zu haben, kaum dass ich fünf Schüsse auf die Thiere abgefeuert hatte.

Während des siebenjährigen Aufenthaltes erlegte ich im Ganzen 25 Stück; ich fand das Fleisch sehr deliciös, doch die Haut ob ihrer Feinheit die Mühe des Abbalgens schlecht lohnend.   *H.*

Flughühner zur Tränke einfallend.

Pterocles namaqua (Gmel.) — Namaqua-Flughuhn.

Gray Hand-List. II Sp. 9464.

Pterocles tachypetes (Tem.), P. simplex (Less.).

Ich beobachtete die Namaqua-Flughühner auf den Karoo-Ebenen und jenen zwischen dem Oranjeflusse und dem Vaal, sowie auf denen der südlichen Transvaal und in den Batlapinengebieten, welche niedrigen rasigen Graswuchs, zumeist nur büschelförmiges Gras, durch nackte Latterit-, Sand- und Kalkstellen getrennt, aufwiesen. In ihrer Lebensweise und ihrem Gebaren ähneln sie der vorigen Art.   *H.*

Pterocles gutturalis (Smith.) — Smith's Flughuhn.

Gray Hand-List. 9464. — L. Südafr. Z. p. 3. 31.

Während meines Aufenthaltes in Südafrika beobachtete ich dieses grosse Flughuhn nur zweimal, in beiden Fällen auf den Grasebenen der westlichen Transvaal, durch die sich der untere Marico windet. Doch berichteten mir einige Jäger, wie auch die Schwarzen, dass sich der Vogel auch in den Harts-und Molapoebenen aufhalte.

Ich selbst traf dieses Flughuhn am frühen Morgen und am Nachmittage in grosser Anzahl an morastigen Regenlachen an, und wurde auch versichert, dass es sich seit Monden täglich an denselben Stellen einzufinden pflege. *H.*

Phasianidae — Fasanvögel.

Numida cornuta (Hartl. et Finsch) — Gehörntes Perlhuhn.

Vögel Ost-Afrikas 569 note (Kaffernland, Capcolonie). — *Gray* Hand-List. II Sp. 9630.
Numida mitrata (Kirk). Pallas. Spic. Zool IV., t. 3., f. I.

Iris grau; Schnabel schwärzlich; Füsse schwärzlich, bei Jungen bräunlich; Nägel schwarz.

Das gehörnte Perlhuhn gehört zu dem häufigsten Federwild Südafrikas und findet sich in allen bebuschten und bewaldeten, ebenen wie hügeligen Gegenden, welche nicht an Wassermangel zu leiden haben. Während wir die Francolinusarten zumeist in Pärchen antreffen, lebt das Perlhuhn in Gesellschaften von fünf, doch meist 20-30, ja auch in Haufen von 100 Stück und darüber. An den Ufern der das ganze Jahr hindurch strömenden und durch einen langen Lauf ausgezeichneten Flüsse leben oft Hunderte solcher Gesellschaften. Ich traf die Thiere in den Küsten- und Terassenwäldern der Capcolonie, in den mit Mimosen bewachsenen Thälern ihrer Flüsse, im Vaalthale, in den Flussthälern der Transvaal und nicht minder gemein in ähnlichen Localitäten der Betschuana-, Matabele- und Marutsegebiete. Doch auch gegen die Ost-und Westküste findet sich der Vogel in grosser Menge vor.

Unter den Hühnervögeln sind diese Thiere vor Allem durch ihre Schnellfüssigkeit ausgezeichnet; sie leisten darin Unglaubliches und sind nebenbei äusserst scheu und vorsichtig. Dies alles mag noch dazu beitragen, dass wir das Thier trotz der Unzahl seiner Feinde doch noch in solcher Häufigkeit antreffen. An Stellen, wie am Limpopoflusse und im Thale des Tschobe vermag ein guter und ausdauernder Jäger täglich 1-2 Dutzend und darüber von diesen Vögeln zu erbeuten. Doch ich muss ihre Schonung einem jeden meiner Nachfolger warm ans Herz legen. Dadurch werden die Reisenden — und wenn sie

sich auch mit den Vögeln den nöthigen, täglichen Fleischbedarf sichern
— Südafrika auf noch lange hin eine seiner nützlichsten Wildgeflügel-
arten zu bewahren verhelfen.

Wird eine Gesellschaft versprengt, so suchen die Hähne die Mitglieder ihrer Truppe durch ein leises Gackern — von den niedrigsten
Baumästen aus — zusammenzurufen; dasselbe pflegen sie auch auf
der Flucht zu thun, um sich umzusehen.

Die Nacht bringen die Thiere gleich dem Francolinus nudicollis
auf Bäumen zu. An den Flüssen finden sie sich am zahlreichsten in
Gebüschen, welche unmittelbar an das Wasser herantreten und so
haben wir in hochbegrasten Thälern vor Allem jene schmalen Mimosengehölze zu berücksichtigen, welche die meilenlangen Thalwiesen durchschneidend, nahe oder fernabstehende Gehölze mit den Uferbäumen
verbinden. Wir finden in diesen schmalen Baumstrichen förmliche
Perlhühnerpfade vor. Die Holländer nennen den Vogel Tramtaler und
die Betschuanas in Folge des in seinem Geschrei vorherrschenden
Ka-ka-ka-ka den Ka-ka.

Die auf meiner Zambesireise im Limpopothale verlebten Tage
werden mir schon durch die häufigen Begegnungen mit den Perlhühnern
noch auf lange hin unvergesslich bleiben; doch da vergnügte Stunden
selten ungetrübt genossen werden können, so ist mir unter andern auch
eine etwas unangenehme Erinnerung aus jenen Tagen im Gedächtnisse
geblieben; derselben liegt jene Thatsache zu Grunde, der ich bereits in
den »Sieben Jahren« Erwähnung gethan, und wobei ich mein Streben,
einige Perlhühnerbälge zu gewinnen, um ein Haar mit meinem Leben
bezahlt hätte.*

Am Vaal- und Hartsriver und den anderen Nebenflüssen des
ersteren, jagt man diese Vögel mit dem besten Erfolge etwa 1 $\frac{1}{2}$ bis
2 Stunden vor Sonnenuntergang, zur Zeit, wo die Thiere von den
begrasten hie und da bebuschten Ebenen, in anderen Gegenden, aus
dem Gebüsch und den Wäldern zur Tränke eilen, um dann daselbst
in den Zweigen der höheren Uferbäume zu übernachten. Es lässt sich
fast mit Sicherheit die Tränkstunde auf vier Uhr Nachmittags für alle
Jahreszeiten feststellen. Gewöhnlich benützen die heimkehrenden
Thiere einen und denselben Pfad. Hat man sich nahe an diesem
Pfade versteckt und blickt dann etwa um halb vier Uhr von dem
Gewässer landeinwärts, so wird man — wenn es eben die Witterung

---

* »Sieben Jahre in Südafrika« II. Band, S. 44.

gestattet — eine Staubwolke sich nähern sehen; einige Minuten später vernimmt man die ersten Gackerlaute, ohne die Vögel selbst noch zu erblicken. Die Staubwolke wird dadurch erzeugt, dass die zur Tränke eilenden Thiere noch auf ihrem Heimwege unausgesetzt den Pfad verlassend im Sand- und Thonboden nach Insecten und Samen scharren. Die Vögel sind äusserst wachsam; im dichten Grase wetteifern die einzelnen, junge Thiere mit einbegriffen, in der Vorsicht und Behutsamkeit, indem sie alle eines nach dem andern oder mehrere zugleich ihre Köpfchen erheben und für einige Secunden Rundschau halten; ist das Gras drei Fuss und darüber hoch, so eilen die Führer 10-15 Schritte weit voraus, um von Zeit zu Zeit aufzufliegen, oder richtiger gesagt aufzuspringen und sich umzusehen. Haben sie etwas Verdächtiges erschaut, oder ist ihnen ein Mensch oder ein Raubthier von vorne her genaht, so ergreifen sie mit lautem Gackern die Flucht und leisten darin wahrhaft Unglaubliches. Ich kenne wirklich wenig Vögel, welche ihre Beine in eine so schnelle Bewegung setzen können wie die südafrikanischen Perlhühner; sie rennen so schnell in einem verlassenen Wildpfade dahin, dass sie ein mit ihren Gewohnheiten weniger vertrauter Jäger sicherlich während dieses Tages nicht mehr zu Gesicht bekommt. Niemandem würde ich anrathen die Thiere, ohne Hunde zur Verfügung zu haben, von hinten her zu jagen. Kennt man jedoch ihre Kniffe und sendet ihnen Hunde nach, oder hat man sich wohl versteckt gehalten, und tritt ihnen von vorne her plötzlich entgegen, so fliegen sie auf, und da sie eben einen schweren Flug haben, ist es für einen halbwegs guten Schützen nicht schwer, mit jedem Schusse eines der Thiere herabzuschiessen. Doch auch dann sind Hunde nöthig um die Verwundeten einzuholen und die in das tiefe Gras Eingefallenen aufzufinden. Von den Eingebornen droht ihnen wie auch den übrigen Wildvögeln keine grosse Gefahr. Man stellt ihnen wenig nach, da man Fallen und Aehnliches nicht berücksichtigt und der Betschuana sich lieber den Schuss für eine Antilope spart. Ich beobachtete nur, dass blos die Koranas den Vögeln etwas häufiger nachzustellen pflegten, sie mit Hilfe ihrer Hunde aufstöberten und dann aus Mangel an Schrot mit den harten Körnern des »Blauw-Busches« (eine kleine essbare Frucht) niederschossen.

Mehrmals machte ich den Versuch, eingefangene junge Thiere aufzuziehen, ohne dass es mir gelang, sie lebend zu erhalten, wohl weil ich, eben auf der Reise begriffen, die Thiere nur in kleinen Käfigen

unterbringen konnte. Dagegen beobachtete ich sie als Gefangene auf
zahlreichen Farmgehöften, wo sie sich mit den übrigen Vögeln sehr
wohl vertrugen und auch als Eierleger gelobt wurden.   *H.*

Zwei der ausgestellten Thiere sind noch junge Vögel. Der
Knochenhelm fehlt noch gänzlich. Oberkopf befiedert, rostgelb, mit
schwarzen Längsstreifen. Am obersten Theile des Halses weisse Längsstreifen, von welchen einige auch noch am erwachsenen Exemplar
sichtbar sind; ihre Folge sind die charakteristischen, weissen Tropfen-
flecke. Die Mundlappen sind noch klein und wenig entwickelt.   *P.*

Tetraonidae — Wald- und Feldhühner.

Francolinus pileatus (A. Smith) — Gehäubter Francolin.

Gray Hand-List. II Sp. 9667.

Perdix Francolinus pileatus, Sm., Z S.-Af., p. 14.

Ein Männchen erworben. Iris braun; Schnabel schwarzbraun;
Füsse hellroth. Wurde im nördlichen Bamangwatolande an einer, in
dem die Tamasanka-Vley umgebenden Walde gelegenen, etwas wenig
behuschten Lichte erlegt. Ich habe dieses Thier meist nur paarweise
in der Nähe von niedrigen, dichten, inselförmig auf Grasebenen und
Bergabhängen gruppirten Buschdickichten, in dem Oranjefreistaate,
den südlichen und mittleren Betschuanaländern, Westgriqualand und
der Transvaal angetroffen.

Der gehäubte Francolin nährt sich von Samen, Insecten,
namentlich Termiten und Heuschrecken, sowie auch von Würmern
und kleinen Knollen und Zwiebeln, welche er ausscharrt. Die Thiere
liessen mich stets ziemlich nahe herankommen und erwiesen sich
selbst dann nicht scheu, nachdem man sie bereits schon einigemal
(nacheinander) aufgescheucht hatte.

Einige der Eingebornenstämme des centralen Südafrika nennen
den Vogel ob seiner Stimme Khori-Khori. In der Gefangenschaft gedeihen die Thiere sehr wohl.   *H.*

An diesem Exemplar sind die weissen Flecke am Nacken und
Oberrücken bedeutend grösser als an einem Exemplare der kaiserlichen Sammlung aus Port Natal. Der Unterleib ist weniger quergewellt,
in der Bauchmitte einfärbig gelblich. Die Sporen sind stark entwickelt.
                                                               P.

Francolinus nudicollis (Gmel.) — Nackthalsiger Francolin.

Francolinus nudicollis. *Gray* Hand-List. II Sp. 9647.

Francolinus capensis, p., (Steph.) Perdix Capensis (Lath.); Tetrao nudicollis, Cuv. Vol. 3, p. 49.

Nächst dem Perlhuhn das meistverbreitete Hühnerwild Südafrikas. Local finden wir zwar die Pteroclidae massenhafter auftreten; doch ihre verschiedenen Arten sind nur in manchen, der Francolinus nudicollis in der Gesammtstrecke der Gebiete vom Cap bis nach Centralafrika hin, häufig anzutreffen. Während sich das Perlhuhn oft täglich 1-2 engl. Meilen weit von seiner Tränkstelle entfernt, liebt der nackthalsige Francolin die dichtbebuschten, hochbegrasten Ufer-stellen, um rasch, wenn erschreckt, in dem schattigen Unterholz oder der dichten und üppigen Gras- und Ufervegetation eine Zufluchtsstätte zu suchen. Leider ist ihm eine Gewohnheit eigen, die ihn — nur zu oft — ins Verderben führt. Hat das Thier etwas Fremdartiges erblickt oder hat es etwas Gefahrdrohendes erlauscht oder erschaut, wird es von einem Raubthiere beschlichen, von einem Raubvogel aufgestört oder von dem Menschen aufgescheucht, so fliegt der zweien bis sieben Hennen vorstehende Hahn sofort auf einen Baumstumpf, einen Termiten-hügel oder einen niedrigen Ast, um von hier aus Rundschau zu halten, die etwaige Gefahr mit Kennerblicken zu mustern und dabei seinen erregten Gefühlen in zornigem Gegacker Ausdruck zu geben. Diese Wissbegierde, mit der Vorsicht, sich über eine Gefahr zu orientiren, gepaart, macht ihn wider Erwarten dem Jäger schuss-gerecht, stellt ihn dem Angriffe des Raubvogels bloss, und hilft dem Caracal und Thari, einen erfolgreichen Sprung zu wagen. Der nackt-halsige Francolinus ist der stärkste unter den rebhuhnartigen Ver-tretern der Hühner in Südafrika, fehlt keinem bebuschten oder be-waldeten Thale, durch das ein Bächlein strömt, oder das die ganze Jahreszeit hindurch gefüllte Wasserlachen aufweist. So finden wir ihn auch im Innern der ausgedehnten Wälder, der sandigen Lachen-plateaux, nahe an kleinen Quellen und Regentümpeln, wo wir in der Regel das gehörnte Perlhuhn vermissen.

Sowie man sich auf seinen Reisen in den riesigen Ebenen des nördlichen Caplandes der beiden Republiken und der beiden südlichsten der Betschuanareiche an dem Knurrhahn (Otis afroides) gewöhnt, so gewinnt man auch den nackthalsigen Schreier in den nördlich von den genannten Ländern bis über den Zambesi hinaus sich ausbreitenden Waldgebieten so lieb, dass man ihn immer wieder, namentlich ob der grossen Sorgfalt für die Seinen, der Betrachtung werth findet. Haben wir uns — wie in dem schütter bewaldeten, sandigen Lachenplateau — müde gegangen, und sehnt sich die trockene Lippe, der von den brennenden Sonnenstrahlen heisserglühte Kopf nach einer Erquickung mit Wasser, so ist uns das Geschrei des Francolinus nudicollis eine wahre Himmelsbotschaft; seine Nähe bekundet die Nähe des Elementes, nach dem sich der ermattete Körper so inbrünstig sehnt. Was die Nahrung des Vogels anbetrifft, so stimmt diese mit jener der vorhergehenden Francolinusart überein. Nach Sonnenuntergang wählt sich die kleine Kette die Uferbäume, vor Allem die dicht verzweigten und etwas dichter belaubten Partien der Gebüsche und Bäume zu ihrer Schlummerstätte aus.   *H.*

Francolinus afer (Lath.) — Urikino's Francolin.

Gray Hand-List. II Sp. 9652.

Francolinus afer. Shaw. Vol. 11, p. 323, Perdix capensis (Lath.).

Diese Francolinusart findet sich in den südlichen Batlapinenländern und meist pärchenweise in ähnlichen Localitäten, wie Francolinus pileatus. So fand ich die Thiere in den theilweise bebuschten Ebenen, zwischen dem Oranje- und Molapoflusse, oft in sehr wasserarmen Strecken; man trifft sie jedoch auch in den Küstenstrichen im Süden sowohl, wie gegen Ost und West an. Nahrung mit jener der erstgenannten Francolinusart übereinstimmend. Nicht scheu.   *H.*

Cothurnix dactylisonans (Tem.) — Gem. Wachtel.

Coturnix europea (Swain.). — C. vulgaris (Sand.). — Tetrao coturnix (Linné). — C. communis (Bonn.).

In Südafrika zur Sommerszeit allgemein verbreitet, findet sie sich im Winter nur in den wärmeren Küstenstrichen, in dem Zambesithale, dem Lake Ngame-Becken und in einigen der wärmeren Thäler des Transvaallandes vor. Ich schoss sie während der erstgenannten Saison zumeist in solchen Gegenden der Hochplateauländer, welche einen sumpfigen, oder wenigstens zum Theile einen morastigen Charakter zur Schau trugen. Hier lebten sie in der Nachbarschaft der Schnepfen, diese in dem Gewässer, jene in dem hohen Ufergras. Freund *Bradshaw* berichtete mir von der grossen Häufigkeit des Vogels im Süden —

nämlich dass er während seiner Districtsurgeonsschaft* in der südwestlichen Capcolonie — in Gesellschaft eines Freundes — bis zu 80
Wachteln bei einem Ausfluge zu erlegen pflegte.** *II.*

* * *

Die Gallinae sind Nutzvögel in allen Welttheilen, so auch in Südafrika. Von den echten Hühnern, als heimischen Thieren, fand ich nur eine
Zwergart am centralen Zambesi vor, doch hatte sie sich nach Süden zu
auch schon bis Westmatabele und in die Makalakadörfer ausgebreitet. Ob
sie von der centralen Westküste herrührt oder vielleicht vom Norden
gekommen ist, kann ich ebenso wenig behaupten, wie dass sie nur die
Central-Zambesigebiete bewohnt. Von den Eingebornen wurden mir be-
treffs dieser Frage nur einander widersprechende Berichte zu Theil. Die
Species ist klein, ein wahrer Liliputaner mit bräunlichgelbem, roth-
gelbem und grauem Gefieder. In manchen Gegenden, wie von den
Katima-Molelo-Stromschnellen nach aufwärts, zeigt sie ein röthlichgelb-
braunes Gefieder und auch das Fleisch des Thieres erscheint wie mit
einer schwachen Safranlösung durchtränkt und ist zugleich mit einem
stark aromatischen Geruch versehen. Dies ist auf den Genuss eines
Grassamens zurückzuführen und ich beobachtete einen gleichen Geruch
an dem Ziegenfleische, weil sich all' die Thiere zumeist von diesem
Grase ernähren. Ich machte diese Bemerkung vier Tage vor meiner
Umkehr am Nambwe-Katarakt, zu einer Zeit, wo ich mich nur mit
Hilfe der dunklen Diener von meinem Krankenlager erheben, demzufolge diese Beobachtung nicht weiter verfolgen konnte. Während der
nächsten Reise will ich trachten womöglich die obige Frage zu lösen.
Ich machte die Beobachtung in der Sommerszeit; ob sie sich wohl auch
im Winter ergeben würde? Die kleinen Hähne, Ku-ku genannt, sind
sehr streitsüchtig, und die Hennen reichliche Eierspenderinnen. Die
Streitsucht der Hähne geht so weit, dass sie ihr in der Regel zum
Opfer fallen. Ich meine hier weniger ihren heimischen Hader, als wie
ihre Herrschsucht auf fremden Boden. Sehr oft sah ich diese, eben ob
ihrer Kleinheit als Curiositäten nach den südlichen Missionsstationen,
nach Schoschong, Molopolole etc. gebrachten Hühner sofort bei ihrem
Erscheinen die grossen von Europa eingeführten Hähne anfallen.
Letztere suchten gar oft dem Streite auszuweichen und flohen, doch

* Stelle eines Districts-Chirurgs.
** Dr. *Bradshaw* war als guter Schütze wohl bekannt.

es nützte nichts, sie wurden von dem Knirpsgeschlechte eingeholt und ihnen so hart zugesetzt, dass sie sich zu wehren hatten und in der Regel die kleinen kecken Angreifer so zurichteten, dass diese an den Folgen zu Grunde gingen. Da man allenthalben diesen Kämpfen zu steuern suchte, so wurden die Thiere wo möglich separirt gehalten; zuweilen gab man sich Mühe, die fremden und einheimischen nach und nach an einander zu gewöhnen, doch all' dies half wenig; — nur selten geschah es, dass sich endlich die Liliputaner den an den Hühnerhöfen üblichen, friedlichen Gesetzen fügten.

Diese kleinen Zambesi-Hühner, sind das einzige Hausgeflügel, welches die farbigen Bewohner des nördlichen Südafrika züchten; in den civilisirten Ländern wie in dem südlicheren der freien Eingebornenstaaten, finden wir mannigfache aus Europa eingeführte Racen vertreten. Ausser dem von diesen Thieren erwachsenden Nutzen wird noch jener des Wildgeflügels geboten. Im Süden und an der südlichen Küste betreibt man namentlich die Jagd auf Perlhühner und Wachteln, sonst muss jene auf Flug- und Rebhühner im centralen und nördlichen Caplande nur als ein geringer Sport betrachtet werden. Man hat eben grösseres Wild zur Verfügung, und so werden die Vögel unseres Capitels weniger berücksichtigt und mehr geschont. In den Betschuanaländern und dem Matabelelande schiesst sie wohl der die Gegenden besuchende Weisse überall da, wo er sie zufällig vorfindet. Und gerade hier können sie dem Forscher bedeutend nützen. Bedenken wir nur, dass man in diesen Gegenden wohl genug Hirse und Mais, allein kein ordentliches Mehl besitzt, dass der Reisende bei seinem zahllosen Gepäck sich unmöglich noch eine, zu dem Zwecke sonst erforderliche grössere Handmühle aufbürden kann, und dass er demzufolge mit jedem Becher Mehl wohl zu sparen hat. Nun, die Gegenden haben ja zahlreiches Wild. Rechnen wir blos durchschnittlich, dass der Reisende sammt Anschleichen und sonst Allem sechs Stunden braucht, um ein Stück Hochwild zu erlegen,* dass er jedoch in ein bis zwei Stunden für sich und seine Diener hinreichend viele Perlhühner als Nahrungsbedarf verschaffen kann, so ist es ihm, der im Allgemeinen täglich mit Rücksicht auf alle seine grösseren und kleineren Arbeiten vierzehn bis sechzehn Stunden zu arbeiten hat, viel erspriesslicher, Tag für Tag ein bis zwei Stunden der Jagd zu widmen, statt jeden dritten oder

---

* Ich spreche von den wildreichen Gegenden, in den wildärmeren bedarf er dazu eines Zeitraumes von zwölf Stunden bis zu drei Tagen.

vierten Tag einen Zeitraum von je sechs Stunden einem frischen Hochwildstück zu opfern.

Wir sehen im Allgemeinen, dass die Hühnervögel Südafrikas wohl für den Einzelnen von grossem, im Ganzen und Grossen jedoch, und wenn wir nebstbei den von den Gallinae (wildlebenden wie gezähmten) dem Menschen in anderen Welttheilen gebotenen Vortheil berücksichtigen, ebenso für die südafrikanischen Colonisten, wie auch für ihre dunklen Unterthanen und die unabhängigen Schwarzen von einem weniger nennenswerthen Nutzen seien; doch dürfen wir bei dieser Erklärung der Millionen von Insecten, zumeist Termiten, dann der Insectenlarven, Puppen, Heuschrecken und Käfer, nicht uneingedenk bleiben, welche alljährlich von den wildlebenden Gallinae Südafrikas vernichtet werden.

Von den Schwarzen fand ich nur die Matabele aus den Schwung-federn der Perlhühner Kopfverzierungen bereiten, welche faust- und doppelfaustgross auf der Stirne oder an einer der Craniumseiten getragen werden. Im Hinblick auf seinen Artenreichthum glänzt Südafrika durch seine Pterocliden und durch seine Francolinusarten, wie auch durch eine grosse Armuth der übrigen Familien und Geschlechter, ins-besondere jener der echten Fasanen, echten Hühner, Waldhühner und Anderer. *II.*

Matabele mit einem aus den Federn der Numida cornuta gefertigten Kopfschmuck

VI.

Struthiones — Straussvögel.

Struthionidae — Strausse.

Struthio camelus (Linné). — Afrikanischer Strauss.

Gray Hand-List. B. M. III Sp. 9841.

Transactions of the Zoological Society. 10. pl. 67a.

Die Oberherrschaft über die übrigen Welttheile, welche im Hinblick auf die Säugethiere dem afrikanischen Continente zukommt, gebührt ihm auch mit Rücksicht auf die Vogelwelt, weniger vielleicht durch seinen Artenreichthum, als vielmehr durch das Vorhandensein des werthvollsten und grössten Vertreters der sechsten Ordnung. Durch das Aussterben der Riesenvögel Neuseelands ward dieses Prestige Afrika zu Theil. Ausser dieser Anerkennung von Seite der Wissenschaft scheint gegenwärtig die gesammte civilisirte Welt ihre vollste Aufmerksamkeit der Existenz des grössten der Struthiones zu schenken. Der wilde Strauss wurde zum »Hausthiere« umgestaltet! Tausende haben ihm ihr täglich Brod zu danken, Millionen an Geld schaffte er in den Weltverkehr, und all' dies ist — Südafrika zu danken!

Im Folgenden erlaube ich mir den wilden Strauss dem gezähmten, das »Wild« dem »Hausthiere« gegenüber zu stellen.

Noch vor wenigen Decennien war das gesammte Südafrika von der Südspitze bis zum 16.⁰ südl. Br. von dem Strausse bewohnt. Dann folgte jene Periode, wo das Thier aus einem Dritttheile vollkommen verschwand und in einem zweiten nur allzu sichtlich abnahm. Gegenwärtig jedoch sehen wir wiederum zwei Dritttheile des genannten continentalen Gebietes von dem Strausse bevölkert, und in dem letzten Drittel ist er allmälig in Zunahme begriffen. Die zuerst angeführte Periode betrifft den früheren Verbreitungsbezirk des wilden Strausses; es folgte jene Zeit, wo Weisse und Schwarze mit einer wahren Leidenschaft die Straussenjagd betrieben, eine wahre Ausrottung dieses Thieres verursachten. Das Thier verschwand aus der Capcolonie, Kaffraria, Natal, den Griqua- und Korannaländern, dem Oranjefreistaate und bis auf wenige

13*

Thiere auch aus der Transvaal; in den südlichen Betschuanaländern
wurde es decimirt, in den mittleren war es nahe daran, decimirt zu werden,
und in den nördlichen, wie gegen die Westküste zu, wurde es aus gleicher
Veranlassung (in Folge der anhaltenden Jagden) von Tag zu Tag seltener. Indess kam die Zeit der Erkenntniss über Südafrika; sie zog in
das Herz der Colonisten ein, bemächtigte sich der schwarzen Regenten
und brachte ihren Unterthanen eine Fernsicht in die nächste Zukunft
bei. Da geschah jener Umschwung, dem wir die gegenwärtige, von
Jahr zu Jahr zunehmende Verbreitung des Strausses zu danken haben.
Wir sehen die Capcolonie, Westgriqualand, und den Oranjefreistaat
bereits mit mehr denn Anderthalbhundertttausend von diesen so
überaus nützlichen Vögeln bevölkert, und dieselben haben eben auch
begonnen, nach Natal und der Transvaal ihren Einzug zu halten.

Dies der Erfolg der Civilisation und die Frucht der Erkenntniss
im Herzen des weissen Mannes. Er begriff den Werth des nützlichen
Thieres, bevor es noch Abend, noch zu spät geworden war. Er holte
sich den Riesenvogel aus der Steppe und dem Walde und schuf ein
Hausthier daraus. Und der Schwarze? Nach der partiellen oder gänz-
lichen Ausrottung der Elephanten erkannte der dunkle Herrscher in
dem Strausse eine seiner bedeutendsten, manche — ihre grössten Reve-
nuen. Und es suchten die einen durch strenge Massregeln und Ver-
bote, andere durch bedeutende Anforderungen (70-100 £ Sterling),
mit denen sie an den Fremdling herantraten, der ununterbrochenen,
für ihren Säckel und das Wohlergehen ihrer Unterthanen so schädlichen Straussenjagd zu steuern. Manche, wie die drei südlichsten der
Betschuanafürsten: Mankuruane (Batlapine), Montsua (Barolonge) und
Chatsitsive (Banquaketse), verwehrten (bedingungslos) dem weissen
Jäger den Zutritt in die westlichen Theile ihrer Gebiete, in die Kala-
harigegenden, in denen ihre Sklaven, die Barvas nnd Masarvas,
den Rest der ihnen noch übrig gebliebenen Strausse bewachen. Und
in dieser Weise hatte sich bei den Barbaren das Gefühl der eigenen
Sicherheit mit Berücksichtigung der nächsten Zukunft kundgegeben, und
wurde die Schonung des Restes der wilden Strausse erzielt. Constatiren
wir gleich hier einen weiteren Erfolg. In der allerletzten Zeit (seit 1878)
war auch ein zweiter Lichtstrahl dieses bewährten, schönen Werkes der
Civilisation in die Herzen der nämlichen Barbaren gedrungen; denn
siehe, auch sie haben bereits begonnen, ihre Aufmerksamkeit der
Zähmung des Strausses zuzuwenden. Dies der Grund der gegenwärtig

allmäligen Zunahme der Strausse in dem Centrum Südafrikas, in den Betschuanaländern. Das Gebiet, welches der Strauss als ein Vogel der Wildniss im Laufe der letzten Decennien bis zu den Siebziger Jahren eingebüsst hatte, hat sich das »Hausthier Strauss« zurück erobert.

Dem Percentverhältniss seiner Häufigkeit entsprechend, würden wir die südafrikanischen Staaten in folgender Ordnung zusammenstellen: der zahme Strauss bewohnt zumeist die östliche, dann die westliche Provinz der Capcolonie, den Oranjefreistaat, die Cap'sche Provinz Westgriqualand, die Transvaal, Natal und in geringer Anzahl die drei südlichsten der unabhängigen Betschuanaländer. In einem ähnlichen Verhältnisse, jedoch in geringerer Menge, findet sich der wilde Strauss in dem Matabele-, dem westlichen und östlichen Bamangwatolande, im Maschona-Territorium, in den westlichen Partien der Bakwena-, Banquaketse-, Barolong- und Batlapingebiete, in den östlichen der Damara- und der das grosse Namakwaland bewohnenden Hottentottenreiche; einige wenige dürfte man noch in der nördlichen und westlichen Transvaal antreffen. Die eben erwähnten östlichen und westlichen Partien der unabhängigen Eingebornengebiete, welche den Flächenraum des Kalahari-Bushveldtes in sich begreifen, werden von den Farbigen als ihre Straussenkammer angesehen. Und obgleich an einem allzu fühlbaren Wassermangel leidend, bieten doch diese Landstrecken mit ihrem Niedergebüsch, ihren Grasebenen, dem kalkhaltigen Boden und den Salzseen so Vieles für das Gedeihen der Riesenvögel, dass die Schwarzen bei ihrer eigenen geringen Anzahl und dem ihnen zur Verfügung stehenden grossen Flächenraume mit der Zähmung der Strausse in dem Kalahari-Bushveldt noch günstigere Erfolge erzielen müssen, als dies bis jetzt — bei ihren grossen Erfolgen — bereits bei den südafrikanischen Colonisten der Fall ist. Interessant wird vielleicht die Thatsache erscheinen, dass im südlichen Centralafrika (nördlich vom Centrallaufe und östlich vom Oberlaufe des Zambesi, im Marutsereiche) keine Strausse (und auch keine Giraffen) zu finden sind, und erst wiederum an den grossen Seen und von da nach Norden zu angetroffen werden.

Der wilde Strauss lebt gesellschaftlich, ein Drittel des Jahres in Pärchen. Stossen wir auf Einzelvögel, so sind es zumeist Thiere, die sich von der Truppe verlaufen hatten oder die bei einer Versprengung derselben durch den Menschen, durch einen Löwen oder Leoparden von ihren Genossen getrennt wurden. Im Vergleich zu den starken

Heerden früherer Decennien finden wir gegenwärtig zumeist nur mehr Nestfamilien — bis an die zwanzig oder dreissig Stück in einer Truppe — vor. Ich beobachtete die grössten Haufen auf der Maque-Ebene und auf den ausgedehnten hochbegrasten Waldlichten des sandigen Lachenplateaus,* da wo sich dieses gegen das Stromgebiet des Zambesi zu senkt. Das »lichte Feld«, sei es, wie in der südlichen Kalaharistrecke, aus unabsehbaren Ebenen, oder wie in den mittleren Betschuanaländern und dem nördlichen Südafrika aus kleinen oder sehr ausgedehnten Waldlichten bestehend, bildet seinen eigentlichen Aufenthaltsort. Da jedoch die Lichten zuweilen äusserst beschränkt sind, müssen wir den wilden Strauss, der ohnehin auf seiner Flucht oft zu den Wäldern Zuflucht nimmt, auch ein Waldthier nennen. Mit Vorliebe sucht er auch gewisser Grassämereien halber die unbedeutenden (6 bis 30 Meter hohen), zumeist von Osten nach Westen ziehenden oder die Lichten und Senken umsäumenden, wellenförmigen, bewaldeten Boden-Erhebungen auf. Wir finden die wilden Straussheerden migrirend, wie auch ein bestimmtes 5 bis 20 engl. Meilen umfassendes Gebiet stetig bewohnen; im letzteren Falle beobachtete ich, dass sie täglich oder in kurzen Zwischenräumen gewisse samen-, frucht- und rasenreiche Stellen besuchten und sich sehr oft, hintereinander schreitend, förmliche Pfade zurecht getreten hatten oder Antilopen- und andere Pfade dabei benutzten. Mit Vorliebe nehmen die Thiere das Frühjahrsgras zu sich, welchen Umstand auch die meisten Straussjäger noch zur Zeit meiner Anwesenheit im Ostbamangwatolande im Juli und August benutzten, um das hohe, trockene Gras abzubrennen und so in kurzer Zeit (viel eher als es ohne diese Massregel geschehen wäre) ein saftig' Frühlingsgras nachsprossen zu lassen. Und es ist wohl um diese Zeit kein seltener Anblick, auf einer solchen Lichte eine weidende Straussheerde zu erblicken. Um so schwieriger ist es jedoch, im Hochsommer der scheuen und vorsichtigen Vögel gewahr zu werden. Während der heissen Tageszeit verhalten sich die Thiere in der Regel ruhig, indem sie durch das Gras gedeckt auf der Erde hocken, es dabei jedoch mit dem Kopfe überragen, und jede nahe Bewegung in demselben sowohl, wie alle in der Ferne sichtbaren Objecte sofort erschauen. Durch die jahrelangen Jagden sind die Thiere äusserst scheu geworden, und so macht es ungeachtet ihres ziemlich beschränkten

---

* Centraler und nördlicher Theil des Osthamangwatolandes.

Denkvermögens viel Mühe, ihnen beizukommen, um sie von der Nähe zu beobachten.

Haben wir die Thiere aufgescheucht, so suchen sie sich mit riesigen Schritten, wahren Sätzen zu retten; sie lüften dabei die kurzen stumpfen Flügel, und es scheint, als ob sie mit den Zehen den Boden kaum berühren würden. So rasch sind ihre Bewegungen, so leicht ihre Flucht. Ein meilenlanges Rennen scheint die Thiere kaum zu ermüden. Sind sie nach und nach in ein langsameres Tempo gekommen, so ist ihr Gang elastisch, ja schwebend, und wir müssen über dieses bedächtige Hin- und Herwiegen des plumpen Körpers und der mächtigen Läufe staunen. Zur Brutzeit wachen die Eltern abwechselnd bei den Eiern, verlassen sie jedoch auch, und dies namentlich zur heissen Tageszeit, sei es um auf die Weide zu gehen, sei es um zur Tränke zu eilen. Leider wird zeitweilig eben diese Abwesenheit von ihrer Brutstätte von einigen der farbigen Stämme benützt, um an den Thieren eine erfolgreiche Jagdweise zu erproben.

Zur Paarungszeit röthet sich der Schnabel und die vorderen Metatarsusflächen des männlichen Thieres werden dunkelrosa, was von einigen Straussjägern irrig als ein Merkmal für eine Artdifferenz angesehen wurde. Die Thiere geben einen dumpfen Brüllton von sich, der schon von Weitem vernehmbar wird und den fernen, letzten Gebrüllaccorden eines Löwen nicht unähnlich ist; so hat mich in der Copcolonie dieser Laut stets an die gesprächslustigen Löwen des Ostbamangwatolandes erinnert. Während des Brutgeschäftes sehen wir das verliebte Männchen durch Ergebenheitsbeweise die Aufmerksamkeit des Weibchens auf sich ziehen, sich ihre Gunst zu sichern streben. Der Herr Gemahl lässt sich auf seine hinteren Metatarsusflächen nieder; seine Schwingen sind gehoben und indem er mit ihnen, mit Kopf und Hals nach rechts und links hin- und herschlägt, wirft er sich förmlich mit dem ganzen Körper von einer Seite zur andern. Sein Körper bebt, und das Thier erzeugt mit dem Hin- und Herwerfen ein Geräusch, wie wenn man den Boden mit einer Spatenfläche schlagen würde, dass es bis auf hundert Schritte wiederhallt. Oft gibt der Vogel dabei den oberwähnten Brüllton von sich.

Obgleich die Zähmungsresultate bisher im Ganzen und Grossen erfolgreich genannt werden müssen, so hat doch bereits bis jetzt die Erfahrung hinlänglich bewiesen, dass der Vogel in der Wildniss viel besser gedeiht. Einmal scheint ihm das freie Herumrennen in der unbegrenzten Steppe und dem Niederwalde äusserst wohl zu thun, und in einer zweiten Hinsicht hat er in der Wildniss von jenen Uebeln, welchen jährlich Hunderte der zahmen Strausse zum Opfer fallen. nicht zu leiden. Letztere bestehen zumeist in inneren Feinden, Parasiten, welche dem Hausthiere viel gefährlicher sind, als es die Raubthiere der Einöden dem wildlebenden Vogel werden könnten. Unter den letztgenannten Feinden erweisen sich mit Rücksicht auf erwachsene Thiere die Leoparden, auf Junge und Halberwachsene der Caracal, die Pantherkatze und der Canis pictus, als die gefährlichsten Gegner, während Hyänen und Paviane eine zufällig angetroffene, Eier enthaltende Brutstätte nicht ohne einen Imbiss genommen zu haben, verlassen. Und doch, wie gering ist die Zahl der wilden Strausse, welche diesen Feinden, wie riesig jene der zahmen, die den Parasiten unterliegen.

Für den Bamangwato- und den Matabeleregenten ist die Straussfeder das zweitwichtigste, für die Könige der Bakwena, Banquaketse, Barolongen und Batlapinen das wichtigste Tauschobject, das sie dem weissen Händler, der bei ihnen weilt oder sie zeitweilig besucht, bieten können. Bei den Betschuanas hat der jeweilige freie Unterthan die schönsten der weissen und schwarzen Federn, bei den Matabele den gesammten Federschmuck an seinen Herrscher abzugeben. Da die besten Straussenjäger unter den Betschuanas eben die Sklaven sind, so haben diese die erbeuteten Federn ihrem jeweiligen Herrn, dem freien Betschuana, zu übergeben, der davon die nöthige Abgabe an seinen König ausscheidet, wobei jedoch der letztere mehr oder weniger hintergangen wird. Obgleich die schon erwähnten Sklaven mit und ohne Feuerwaffen wohlerprobte Straussenjäger sind und bei ihren Jagden sich gar in mannigfachen Methoden versuchen, so sind sie doch von der Jagdweise, der Schussfertigkeit und der guten Ausrüstung der Boerjäger so bedeutend übertroffen worden, dass eben diese — und nicht die Schwarzen — die meiste Schuld an der partiellen Ausrottung der Strausse trifft. Für einen jeden der zahlreichen holländischen Elephantenjäger war es eben ein Nebengeschäft, im Laufe einer Jagdsaison 20 bis 30 Strausse zu erlegen. Ausser ihnen gab es noch zahlreiche Jagdgesellschaften, (zehn bis zwanzig Jäger) welche, durch sechs bis acht Monate mit Benützung zahlreicher Pferde nur der Straussjagd oblagen. Da gab es reichliche Beute. Einzelne der heimkehrenden Wägen bargen das werthvolle Gefieder von 100 und mehr Straussen. Es waren eben diese Straussen- und Elephantenjagden, welche zugleich mit einer schlechten Behandlung von Seite der Boers, den Grund zu der Feind-

schaft legten, der namentlich die Betschuana noch gegen die Boers Ausdruck geben und welche sie noch lange hegen werden. Als ich auf meiner
letzten Reise nach Innerafrika begriffen, das Herz des Ostbamangwatolandes bereiste, hatte ich wiederholt unter der Ungefälligkeit und
einem barschen Gebaren von Seite der Bamangwato zu leiden. Die
Leute wiesen auf die rings um die Wassertümpel bleichenden Skelette
und wollten uns einen mehr als zweitägigen Aufenthalt an keinem
dieser Gewässer, an denen wir nach anstrengenden Märschen durch
wasserarme Gegenden einige Tage zu rasten gedachten, gestatten.

»Seht dort die Gebeine unseres Wildes. Es war unser und
unseres Morenas (Königs) Eigenthum. Da kamen die Boers, tödteten
alle die Strausse, die sie sahen, machten sich darauf an die Quaggas,
Gnus, Giraffen und Antilopen und überliessen dann, nachdem sie die Thiere
des leichteren Abhäutens halber an diese Tümpel heran geschleift,
das gute Fleisch den Geiern und den Phyri,* während wir selbst
hungern mussten. Von nun an soll keinem Weissen mehr die nöthige
Zeit dazu geboten werden.« Und während in früheren Jahren die
Schwarzen die Straussenpfade und die Aufenthaltsorte der Vögel dem
weissen Jäger verriethen, traten sie ihm in dem letzten Decennium in
der eben geschilderten Weise entgegen. Damit war auch schon eine
Schonung des wilden Strausses gesichert, denn wir können nur constatiren, dass ein Boerjäger einer 30-40fachen Zahl der farbigen Jäger
das Gleichgewicht hält. Neben der Schonung des erwachsenen Vogels
als Jagdthieres machte sich unter den dunklen Regenten noch eine
weitere geltend; sie betraf die Brut der Thiere. Die das Land durch-
streifenden Eingebornen waren einmal beauftragt, über die Nester
zu wachen und so die Eier zu schonen, womit jene Jagdweise, wie
ich ihrer auf Seite 88 II. Bd. der »Sieben Jahre« gedachte, verboten
wurde, und andererseits hemmten die Häuptlinge die Ausfuhr von
Straussküchlein und halberwachsenen Vögeln.

Was die Jagden auf wilde Strausse anbetrifft, so müssen wir
die ursprünglichen Jagdversuche der Schwarzen von denen der Weissen
trennen. Doch konnte man in den letzten Jahren, als das Verbot gegen
die Weissen erlassen wurde, beobachten, dass die Schwarzen in der
Mehrzahl die Jagdweise des weissen Mannes angenommen. hatten. Die
Betschuanas benutzten das hohe Gras, Regenmulden, Bach- und Fluss-

---

* Hyänen.

bette, um sich an die weidenden Strausse heranzuschleichen. Diese
Methode wurde später auch von manchen der Boerjäger, welche einzeln
und zu Fuss zu jagen hatten, mit Erfolg in Anwendung gebracht.
Uns sind Fälle zu Gehör gekommen, wo die weissen Jäger in
solchen Jagdversuchen wahrhaft Erstaunliches leisteten. Fügen wir
dieser Abhandlung wenigstens eine solche Episode bei.

Wir stehen am Rande einer an fünf englische Meilen langen und
eine Meile breiten Lichte. Ringsum von dichtem Waldgebüsch umsäumt,
senkt sie sich gegen Osten zu einer flachen, breiten Thalsohle. Das Regenwasser fliesst durch die letztere ab, ohne jedoch eine Abflussmulde
ausgewühlt zu haben. Etwa in der Mitte der Lichte, gute 400 Schritte
unter uns und auf der allmäligen Abdachung, grast ein einzelner
Strauss. Das kundige Auge unseres holländischen Begleiters hatte ihn schon
aus dem Walde erschaut, und nun durch einen vor uns stehenden,
dichten Palmenbusch gedeckt, vermögen wir mit aller Musse das Thier
zu betrachten. »Ich wette, Mynheer,« meint der an einem Tabaksbissen
sich gütlich thuende Jäger, »dass dort jener alleinstehende »Struys-
vogel« noch vor der Sonnenneige, »meenc« sein wird.« Ein Blick auf
die Lichte belehrt uns hinreichend, dass dies eine Unmöglichkeit sei;
das Gras ist etwa zwei Fuss hoch, davon entfällt nahezu ein Fuss auf die
Samen tragenden Stengel, welche allzu schütter, doch nur eine
schlechte Deckung gewähren können. Hie und da ersieht man kleinere
und grössere weissschimmernde Bodenstellen. Es sind die vegetations-
losen Partien, an denen das von dem Regenwasser aus dem Boden
ausgelaugte und deponirte Salz ein Sprossen und Grünen nicht zulässt.
Es ist auch noch ein anderer Grund vorhanden, warum uns »Ooms« bekanntes Anschleichen resultatlos zu werden verspricht, der Wind
streicht ja von Osten her, so dass der Jäger von unserer Seite von
dem mässigen Bodenabfall aus und ihm entlang einen erfolgreichen
Angriff kaum wagen kann. Bei einem solchen Versuche muss er ohne
Zweifel von dem etwas niedriger stehenden Thiere erschaut werden.
Der Jäger folgt mit listigem Blick unserem Kopfschütteln, schmunzelt
ein wenig und überrascht uns mit einer weiteren Versicherung: »Na,
wundert Ihr Euch? Da will ich mir doch den Vogel auf 100 Schritte
holen!« Des Spasses halber gehen wir auf die auf einige Pfund Pulver
und Blei fixirte Wette ein. Der »Oom« entkleidet sich seiner Jacke,
nimmt einen frischen Bissen in den Mund und verliert sich hinter uns
im Walde; wir jedoch lassen uns auf dem Rasen nieder, denn der lange,

beschwerliche Gang durch den sandigen Wald hatte uns recht müde
gemacht. Zeitweilig erhebt sich der Eine oder der Andere und mustert
genau die Senke wie die Thalsohle. Die goldene Scheibe hat nunmehr ihre Gegenwart auf unserem Horizonte nur noch auf eine Stunde
beschränkt! Kein »Ohm« zu erblicken, und der Straussvogel, der jede
zweite Minute der Umschau halber den Kopf erhebt, grast ruhig in
seiner gewohnten Weise weiter, nur dass er nach und nach der Thalsohle um 150-200 Schritte näher gerückt zu sein scheint. Des, wie
wir denken, resultatlosen Wartens müde geworden, begleiten wir
»Ohm Zwart« eben nicht gerade mit den freundlichsten Gedanken und
Worten; wir haben ja noch heute volle zwei Stunden zu unserem Lagerplatze zu trollen, auch werden wir uns eines allmälig sich mehrenden
Gefühles bewusst, das nur durch das Braten einiger der auf dem heutigen Marsche erlegten nackthalsigen Francolinuse befriedigt werden
könnte.

Jetzt jedoch ist diese allgemein sich geltend machende Sehnsucht
unausführbar, da selbst ein kleines Feuerchen den wilden Strauss auf
die Gegenwart seines Todfeindes aufmerksam und flüchtig machen,
und so — gegen unsere Absicht — »Ohms« Pläne durchkreuzen würde.

Alle haben wir uns endlich erhoben, und suchen vergebens Einer
nach dem Andern, sei es den Boer in dem Grase ausfindig zu machen,
sei es aus dem Gebaren des Vogels auf eine Wahrnehmung des
Anschleichenden zu schliessen. Wir können jedoch absolut nichts
wahrnehmen, und bedauern den Prahler, doch wollen wir grossmüthig
sein und auf eine Zahlung der Wette verzichten. Wenn er nur schon
wieder da wäre, denn unmöglich können wir ihn allein zurücklassen.
Da — ein Ruf von einem unserer Schwarzen; wir folgen seiner Hand-
bewegung, um wohl mehr denn zum hundertsten Male eben nach
jenem Orte, dem wir bereits seit drei Stunden unausgesetzt unsere volle
Beobachtung gewidmet hatten, hinzublicken. Ein kleines bläuliches Rauch-
wölkchen dem begrasten Abhange, 50 bis 60 Schritte vor dem Strausse,
entsteigend, hatte unseren Schwarzen zu jenem Ausrufe bewogen. Es
folgt der bekannte dumpfe Schall, doch vor ihm noch sehen wir den
Riesenvogel in das Gras kollern, aus dem sich eben — »Zwartes« Gestalt
erhebt. Er schwenkt mit dem Hute, er winkt, dass wir kommen sollen,
und bleibt zur Stelle, sein Gewehr von Neuem ladend. Dies ist für
uns das sicherste Zeichen, dass der Vogel durch den Kopf geschossen
sei, sonst wäre der Boer hinzugeeilt, um durch Blutstillung eine etwaige

Beschädigung des Gefieders hintanzuhalten. Wir aber sind noch für
einige Secunden — von unserer Ueberraschung überwältigt und sprach-
los geworden — an die Stelle gebannt, bevor wir laut jauchzend dem
Rufe des Farmers zu folgen vermögen.

Ausser dem Anschleichen machten einige des Betschuana-
stammes (die südlichsten) von einer Treibjagd Gebrauch. Sie führten
zumeist aus Dornbüschen einen bis zweitausend Schritte langen Zaun
auf; derselbe war in seiner Mitte auf einer Stelle durchbrochen und
im Allgemeinen weniger solid und niedriger gebaut als jener der
Hopofalle. Während nun eine Anzahl der Jäger die Strausse von der
Ebene antrieb, harrte eine andere, wohl versteckt, der Thiere an der
durchbrochenen Stelle und empfing die Fliehenden mit ihren Assagaien.
Die Buschmänner schossen die Thiere mit ihren vergifteten Pfeilen
nieder, und da der Mischlingsstamm derselben, manche der Masarwas
gewisse Anschleichmethoden von ihren Voreltern ererbt haben,
namentlich jene Methode, bei der sie in die Haut eines Strausses gehüllt, unmittelbar bis an die Strausse zu gelangen verstehen, so sind
diese Menschen gewöhnlich ihres Erfolges vollkommen sicher. Dass zuweilen jedoch ein solcher Jagdversuch für die Masarwa gefährlich
werden kann, zeigt hinlänglich die folgende Jagdepisode. Ein Elephantenjäger (mein Berichterstatter) hatte einige Masarwas für die Dauer der
Jagdsaison als Diener gemiethet. Zur Zeit als er an der Grenze des
Bamangwato-Matabelelandes jagte, meldete ihm einer der Schwarzen
die Anwesenheit einer Straussenheerde an einer der nächsten Waldlichten. Die Strausse waren jedoch auch von zwei anderen, eben
von einem Jagdausfluge auf ähnliche Thiere heimkehrenden Dienern
(einem Brüderpaare) bemerkt worden. Diese versuchten, ohne zu ahnen,
dass bereits auch ihr Herr das Wild beschleiche, sofort die zuletzt erwähnte Ueberlistungsmethode. Der eine bedeckte sich mit einem zu
diesen Zwecke schon oft zuvor benutzten, schlechten Straussbalge,
steckte den ebenfalls mitgetragenen getrockneten Strausskopf auf seinen
kurzen Spiess und suchte sich nun in gebückter Stellung, mit dem
geladenen Stutzen in der Rechten, den Thieren zu nähern. Als der
weisse Jäger am Waldessaume erschien, sah er vor sich in einer Entfernung von 600 Schritten einen einzelnen Strauss und etwa 300
Schritte weiter ab zehn fernere Vögel. »Die Mühe, sich an die letzteren
zu machen, wirkte auf mich abschreckend, ich zog die nahe und
sichere der fernabstehenden, zahlreichen Beute vor.

Mir schienen 600 Schritte eben keine allzugrosse Entfernung; ich benützte das nöthige Visir, schlug an und sandte dem Strausse, der sich mit seinem Körper in dem meterhohen Grase hin- und herwiegte, eine Kugel zu. Das Thier fällt, und als ich zugleich mit einem von dem Waldsaume zur Rechten herantrollenden Diener die vielverheissende Stelle erreichte, da standen wir an der — — Leiche eines meiner Diener, den ich unglücklicherweise durch die Brust geschossen hatte; jener, der auf mich vom Waldesrande zugelaufen kam, war sein Bruder. Der Getödtete hatte noch das Straussmäntelchen an sich und seine Hand hielt den Assagai mit dem Strausskopf krampfhaft umfasst.«

Auf derselben Methode des Ausnützens eines Straussbalges beruht auch die zumeist gegenwärtig von den schwarzen Herrschern verbotene Jagdweise am Straussneste.

Die unter den südafrikanischen Weissen üblichste Straussjagd ist eigentlich eine Hetzjagd, indem man die Thiere einzurennen oder ihnen nahe beizukommen sucht, um, rasch vom Pferde gesprungen, aus einer Entfernung von 100-200 Schritten einen erfolgreichen Schuss zu wagen. Der berühmteste der südafrikanischen Straussenjäger, O' Reily, machte zuweilen von mehr denn zwanzig Pferden Gebrauch. Bedenkt man nun, dass eigentlich alle, oder wenigstens die meisten dieser Jagdrosse, »gesalzene«* Pferde sein müssen, dass viele während der Jagd zu Grunde gehen und dass ein gutes wohl kaum unter 100 £ St. zu haben ist, so erkennen wir, und dies umsomehr, wenn wir noch die übrige Jagdausrüstung ins Auge fassen,** wie äusserst kostspielig sich ein solcher Jagdversuch gestalten mag.

In welcher Weise vermag sich nun der wilde Strauss seiner zahlreichen Feinde zu erwehren? Dem Jäger sucht er sich durch die Flucht zu entziehen und kleine Raubthiere von seiner Brutstätte und seinen Küchlein mit einem Anrennen und wiederhollen, mit dem starken Beine ausgetheilten Schlägen fernzuhalten. Zur Zeit des Brutgeschäftes geberden sich selbst viele von den zahmen Straussen wild; die südafrikanischen Blätter haben sozusagen jede Woche von einem Unglücksfall zu berichten.***

---

* Jene Pferde, welche die endemisch-herbstliche Pneumonie wohl überstanden haben, werden von den Holländern gezoute (gesalzene) Pferde genannt.

** Einen oder zwei der Riesenwägen mit je 15 bis 16 Zugthieren, all' den übrigen Bedarf, mit einem Trosse Dienern etc.

*** Wir wollen auf dies später zurückkommen.

Der Handel mit wilden Straussfedern, der in den letzten Jahren sehr abgenommen hat, ist in den Händen von englischen Kaufleuten, »Traders«, welche, sei es als ansässig, die Residenzen der Häuptlinge bewohnen und sich durch Agenten ihre Waaren von den Hafenstädten bringen lassen, sei es periodisch diese und andere Städte der Eingebornen besuchen und hier gegen verschiedene Tauschobjecte, von einer matchbox* an bis zu einem Hinterlader, Straussfedern, Elfenbein, Karossen etc. etc. entgegennehmen. Für den Fremden, als Zeugen, bietet ein solches Tauschgeschäft so manche interessante psychologische Studie. Ich erlaube mir auf eine vortreffliche Skizze hinzuweisen, welche Prof. *Fritsch* in seinem Werke über Südafrika so wohl und treu geschildert hat. Die Concurrenz hatte manchen dieser wandernden Kaufleute zu Offerten hinreissen lassen, welche die Preise zum äussersten hinaufschraubten, so dass man nur darüber staunen muss, wenn sich z. B. ein schwarzer Molopololist** in der Nacht an unsern Wagen heranschleicht*** und uns eine weisse Straussfeder für 10 bis 15 Shillinge (fl. 5.75 bis fl. 8.12) zum Kaufe anbietet! Die erwähnten Kaufleute ordnen die eingetauschten oder erkauften Federn und senden sie nach dem Süden, nach Capstadt, Port Elizabeth, Grahamstown, Durban oder auch nach den näherliegenden Inlandstädten Pretoria, Kimberley, Bloemfontein etc., in denen bedeutende Frühmärkte abgehalten werden.

Die Abnahme des Handels mit Federn von wilden Straussen wurde in den letzten Jahren, von Jahr zu Jahr mehr und mehr durch das Ergebniss rationeller Straussenzucht ersetzt.

Ein neuer Sieg, einer von denen, den schon so oft der Ackerbau und die Nutzbarmachung gewisser Thierformen über die Jagd davongetragen! Den wichtigsten Ausfuhrartikel Südafrikas bietet das Schaf mit seiner Wolle und seinem Fell, der zweitwichtigste, das Angorahaar, wurde von den Diamanten überholt. Ein neuer hat sich in den letzten Jahren in der That aussergewöhnlich emporgearbeitet, um jetzt schon unter denen des ersten Ranges als der vierte, und im

---

* Ein Päckchen Zündhölzchen.

** Molopolole ist die Hauptstadt der Bakwena's und Residenz des Königs Seschele.

*** Wenn ertappt, würde er schwer bestraft, im Matabelelande sogar getödtet werden, weil die weissen Straussfedern in all' den freien Eingebornenstaaten Krongut sind.

Laufe der nächsten Jahre wohl als der dritte genannt und gefeiert zu werden. Staunen müssen wir über die Ausbreitung, welche in dem letzten halben Decennium die Straussenzucht erlangt, staunen über die Dimensionen, welche der Handel mit dem genannten Object, der Schmuckfeder des zahmen Strausses, sich errungen hat. Mit Riesensprüngen wurden die Genera minorum ordinum, die Exportartikel zweiten und dritten Ranges, von ihr überholt. Für die geschlagenen Felle, Häute, Hörner ist eine geringe Hoffnung vorhanden, den früheren Rang zurückzugewinnen. Dem edelsten der Metalle winkt wohl eine goldene Zeit und ist eine Stelle im ersten Range in Aussicht gestellt, doch nicht eher, als bis das Matabele-Maschonaland, sei es einer freien Einwanderung erschlossen, oder colonisirt worden ist. Der Export der übrigen Metalle wird sich heben, sowie nur der Transport und die Arbeitskraft in Südafrika billiger geworden sind. Blicken wir noch einmal zurück auf die Objecte der dritten Ordnung, so erschauen wir eines, das da schmollt und sich in die Ecke drückt. Es ist das Elfenbein! Seine goldenen Zeiten für Südafrika sind für immer dahin gegangen. Der noch bis 1877 namhafte, wenn auch nicht mehr glänzende Export war kein Verdienst Südafrikas mehr; denn die meisten Elephantenzähne waren aus Centralafrika, aus dem Marutsereiche, herübergekommen. Dieses Sinken des südafrikanischen Elfenbeinhandels war vorauszusehen; es musste kommen! Die Abnahme des Exports mit den Federn wilder Strausse war ein Analogon dazu, wenn auch in einem geringeren Grade. Wollen wir nun vom gleichen Wunsche beseelt, wie im Hinblicke auf den gegenwärtigen Aufschwung des Straussfedernhandels, doch auch von den Pflichten der Humanität geleitet, mit ganzem Herzen erwarten, dass sich auch ein Analogon zu der Straussenzucht in einer Nutzbarmachung des Elephanten baldigst erweisen möge.

In Südafrika wurde mit der Straussenzucht im Oranjefreistaate begonnen, ohne dass man jedoch den Versuch eine allzugrosse Aufmerksamkeit geschenkt hätte. Die östliche Provinz der Capcolonie und zumeist Farmer englischer Abstammung nahmen die Sache ernst in die Hand, und von hier aus breitete sich dieser neue landwirthschaftliche Zweig über die Capcolonie und den Oranjefreistaat aus; gegenwärtig findet er raschen willkommenen Eingang in Natal* und der Transvaal,

---

* So berichtet z. B. der im October d. J. mir zugekommene »Cradok-Register« vom 2. September, ¡dass der in Südafrika so wohl bekannte Farmbesitzer Herr *Hilton Barber* hundert Straussvögel, in einer Partie, nach Natal gesendet habe.

während sich die Häuptlinge der Betschuana an die Zähmung und Nutzbarmachung der wilden Brut gemacht haben.

Im Allgemeinen müssen wir den Erfolg der Straussenzucht aner kennen. Sie lässt wohl noch so Manches zu wünschen übrig, doch dies hat sie in Südafrika mit der Pflege aller übrigen Hausthiere gemein. Es betrifft zumeist die veterinäre Frage, die ebenso in den südafrikanischen Colonien, wie in den unabhängigen Reichen der Eingebornen noch so viel, so sehr viel, zu wünschen übrig lässt.* Das grösste Hinderniss mit dem bis jetzt der Straussfarmer zu kämpfen hatte und durch das einzelne per Jahr bis zu 30 und 40 Vögel eingebüsst haben, sind die Entozoen-Parasiten, an denen der zahme Strauss zu leiden hat.

In den letzten Jahren war die Schafzucht etwas zurück gegangen. Anhaltende Dürren einestheils, wie der Mangel an umfangreichen Wasserreservoirs anderntheils, das letztere zumeist auf einer geringen Energie der meisten Farmer und den überaus theueren Arbeitskräften beruhend, waren die nennenswerthesten Ursachen, dass Tausende von Schafen dahinstarben.

Wenn wir bei der Berücksichtigung der landwirthschaftlichen Verhältnisse Südafrikas den Umstand stets im Auge behalten, dass dort mit Ausnahme einiger der fruchtbarsten Flussthäler, wo die Farmen dichter aneinander liegen, sonst 5 Dörfer und 95 Einzelngehöfte einer Anzahl von hundert unserer heimischen Ortschaften entsprechen, so wird es leicht begreiflich erscheinen, dass die Farmer über riesige Landflächen zu verfügen haben. In der Regel ist nur ein Minimum bebaut, das Uebrige, ein mehr oder weniger schlechtes, zuweilen jedoch auch ein ausgezeichnetes Weideland. Ebenso wie das Rind in dem letzteren wohl gedeiht, ebenso vortrefflich ergeht es den Schafen in den mit einem kaum fusshohen Zwerggebüsch bewachsenen Flachlande, das als Weideland zu der erstgenannten Kategorie gehört; eine bessere Weide, und auf hügeligem Boden, scheint den Cap'schen- und Angoraziegen wohl zu thun. Die durchschnittliche Grösse der Farmen ist für einige wenige Districte 1000, für manche 2000, für die meisten 3000 Joch. Ich

---

* Horribile dictu: zur Zeit meines Aufenthaltes in diesen Landen hatte die Capcolonie, Westgriqualand, das Basuto- und Nomansland, ein Gebiet von mehr denn 13.000 Quadratmeilen, einen einzigen besoldeten Veterinär-Surgeon, während jeder District einen benöthigen würde.

selbst kenne sehr Viele, deren Farmen 5000 Joch umfassen und Viele, welche mehrere Nachbarfarmen angekauft, einen riesigen Landcomplex zur Verfügung haben. Die meisten Farmer haben demnach hinreichend Weideland, um zweimal und dreimal so viel Vieh, als sie in Wirklichkeit halten, pflegen zu können. Deshalb müssen wir uns nicht wundern, dass die südafrikanischen Farmer die plötzlich mit Macht zu Tage getretene Frage der »Nutzbarmachung des Strausses« unverholen willkommen hiessen, sie freudig erfassten und ihr nun gegenwärtig eine seltene Energie angedeihen lassen.

Ein Theil der Farm wurde, je nach dem, was die Gegend billiger zu bewerkstelligen gestattete, mit einer vier Fuss hohen cementlosen Mauer, oder einer aus Pfählen, Dorngezweig, starkem Draht etc. errichteten Umfriedung für die Straussenheerde eingegrenzt und ein oder mehrere kleine Gärtchen ($\frac{1}{2}$ Acker gross) mit je einem kleinen Schupfen für die Brutvögel errichtet.

Man muss wohl darauf sehen, dass felsige Partien und schroffe, tiefe Regenmulden nicht mit in die Umzäunung eingeschlossen seien, oder wenn dies schon der Fall ist, dass die Felsblöcke womöglich entfernt, alle die schroffen Ufer abgeflacht und etwaige Bodenlöcher und Erdspalten verschüttet werden. Die anscheinend starken Knochen eines zahmen Strausses sind weniger widerstandsfähig wie jene des wilden,[*] und die Thiere erleiden nur zu oft bei einem geringen Fall in die Tiefe, beim Anrennen an Felsblöcke und andere stumpfe, niedrige Objecte Unterschenkel- und Metatarsusfracturen, welche Verletzungen sich bis jetzt als unheilbar und deshalb auch für den Straussenzüchter als äusserst schädigend erwiesen.

Sehr angezeigt erscheint es auch, die durch Regenflüsse[**] begrenzten Straussengehege durch gute Zäune zu schützen. Solch' plötzliche Hochwasser können grosse Verluste unter den Zuchtvögeln verursachen, obwohl ein verunglückter erwachsener Strauss mit dem tobenden und dahinbrausenden Elemente lange Zeit um sein Leben

---

[*] Deshalb setzt man auch in den letzten Jahren dem zahmen Strausse reichlich zerkleinerte Knochen vor, und benützt auf diese Weise die zahllosen, seit vielen Jahren überall in der Nachbarschaft der Städte, Einzelgehöfte und an den Landstrassen bleichenden Skelette der an den endemischen und epidemischen Krankheiten oder bei dem Verfrachten der von der See nach dem Innern zu, beförderten Güter zu Grunde gegangenen Hausthiere.

[**] Flüsse, welche nur nach Regengüssen plötzlich und riesig anschwellen.

14

zu kämpfen vermag, und es sind mir mehrere Fälle bekannt, wo solche
herabgeschwemmte Thiere nach einer langen »Fahrt« lebend aus dem
Wasser gezogen wurden.

Dies waren und sind die ersten Arbeiten, an die sich ein Straussenfarmer macht, dann folgt der Ankauf der Vögel. Zur Zeit meines südafrikanischen Aufenthaltes wurden 200 £ St. für je einen guten Brutvogel bezahlt, 5 £ St. für das eben dem Ei entschlüpfte Küchlein.
15 £ St. für 6 Monate alte Vögel u. s. w. Die mir vorigen Jahres
zugekommenen Zeitungen besagen, dass häufig ein Paar guter Brutvögel um 140-160 £ St. zu haben wären, und jene, die ich in letzter
Zeit erhielt, geben noch niedrigere Preise an, so dass es wohl gegenwärtig selbst weniger bemittelten Farmern möglich wird, einen Versuch
in der Straussenzucht zu wagen. Doch sie müssen ihr Möglichstes
thun, um den Vögeln den grösst denkbarsten Spielraum zu gönnen.
Je grösser derselbe, desto geringer die Ansprüche, welche der Strauss
mit Rücksicht auf die künstliche Fütterung an den Farmer stellt. Ist
nun das Erwähnte von einem Einzelnen oder von einer »Ostrich-
farming company« beschafft worden, so wird eine entsprechende
Anzahl von Dienern gemiethet. Am billigsten kommen wohl einige
Familien, indem man die Männer als Hirten, die Frauen in der Haus-
haltung und Kinder vom zwölften Lebensjahre an, bei der Pflege der
Küchlein beschäftigt und letztere sich auch für diesen Zweck förmlich
grosszieht. Man muss trachten, (doch es ist eben nicht leicht), bei den
Schwarzen wahre Zuneigung für ihre neue Beschäftigung zu erwecken.
Am ehesten wird man dies noch erzielen, wenn man sich Branntwein-
hasser wählt und ihnen, ohne dass man sich der nöthigen Anordnungen entschlagen würde, zu verstehen gibt, dass man ihnen das
Wohl der Vögel und damit eine nicht geringe Verantwortlichkeit
übergebe und schliesslich nach einem gelungenen Verkaufe, einem
guten Brutresultate oder bei anderen, dem Farmer aus der Straussenzucht erwachsenden besonderen Erfolgen gerne ein kleines Geschenk
überreichen wolle. Man wird sich in dieser Weise einen wichtigen
Factor für das Gedeihen dieses Hausthieres sichern. Es ist nöthig,
dass man selbst, oder dass ein Anderer, ja auch zwei Weisse für die
ersten zwei Jahre das Brutgeschäft in allen Details überwachen, bevor
man den Schwarzen unter der Oberaufsicht eines einzigen Weissen die
Pflege von 7 bis 10 Brutpärchen anstandslos anvertrauen kann. Ungeachtet des 500, 1000 und 2000 Joch betragenden umfriedeten Ostrich-

camps (Straussenfeldes) ist es doch angezeigt, einzelne Trupps von ein-, anderthalbjährigen und älteren Thieren unter der Aufsicht von je einem Hirten in den freien Farmpartien grasen zu lassen. So beobachtete ich nicht selten, dass 30 und 40 Vögel einem einzigen Hirten willig folgten, traf auch oft eine solche Anzahl auf der Reise begriffen* und dann auch nur von zwei, höchstens drei Schwarzen zu Fusse, selten einem zu Pferde geleitet. Solch' eine weidende, aus halberwachsenen und demzufolge nicht kampflustigen Thieren bestehende Straussenheerde ist für den Fremdling ein hochinteressanter Anblick. Einmal

Bruthöfchen zahmer Strausse in Kuilfontein.

hat man über den Gehorsam zu staunen, mit dem sich die riesigen Vögel den Anordnungen des Hottentottenhüters fügen, dann fesselt auch das bunte Durcheinander ihrer Beschäftigung. Während die einen emsig grasen, d. h. in einer äusserst raschen Aufeinanderfolge die Spitzen des Rasengrases einzeln abrupfen, zeigen sich andere mehr wählerisch und schnappen nur nach den samentragenden Rispen, einige wenige machen sich mit dem Auflesen von Steinchen zu thun; sie Alle jedoch krümmen dabei ihren langen Hals in allen möglichen S-Formen; dazwischen erblicken wir einzelne, die uns und unsere

---

* Nach abgeschlossenen Verkaufsgeschäften.

14*

nebenan kauernden Hunde neugierig beobachten und mit ihrem letztgenannten Körpertheile, sei es eine ähnliche, doch oberständige* und niedrige Krümmung bilden, sei es ihn gerade, wie eine Leuchte, emporhalten. Der eine der mächtigen Vögel scheint es besser wie sein Nachbar zu verstehen, einmal gravitätisch einherzuschreiten, um sich schon im nächsten Augenblicke auf seinen starken Stelzen förmlich einherzuwiegen und sich in der grossen Hitze je nach Bedarf mit den Schwingen rascher oder langsamer — Luft zuzufächeln. Manche begnügen sich hierbei einfach die Flügel zu lüften, ähnlich dem Schwane, wenn er, in Aufregung gebracht, einen Gegner vor sich zu sehen glaubt.

Ich erwähnte der kleinen Gärtchen, die man für die Brutvögel bedürfe. Man benützt dazu Theile eines Gartens oder überhaupt behäumte Stellen und sucht womöglich mehrere Bruthöfchen nebeneinander zu errichten. Wir stehen z. B. vor einem hochumfriedeten Raume, 300 Meter lang, 100 Meter tief; derselbe ist durch fünf, sieben bis neun Fuss hohe Reisig- oder Pfahlwände in sechs so ziemlich gleiche Partien getheilt. Die vordere Hälfte ist schütter mit Bäumen bepflanzt, die hintere bis auf einen, in die eine hintere Ecke hineingebauten, nach dem Höfchen zu an beiden Seiten offenen, 2 bis 3 Meter breiten, 3 bis 5 Meter langen, $1^3/_4$ bis 2 Meter hohen, flachdachigen Holz- oder Rohrschupfen, ein freier Raum. Dies ist für die Vögel der Ort ihrer Liebkosungen; hier werden gewöhnlich die Eier gelegt, während sich die eigentliche Brutstätte, durch eine seichtere Erdvertiefung gekennzeichnet, in der grössten Mehrzahl der Fälle in dem Schupfen befindet. So weit ist die Behandlung der gezüchteten Strausse in Südafrika eine ziemlich einheitliche; doch von diesem Stadium an erfahren die Thiere eine doppelte Behandlung, von der die eine wie die andere eben so zahlreiche Vertheidiger als Gegner besitzt. Die Einen sind für die natürliche Bebrütung, — meiner bescheidenen Meinung nach würde ich mich an ihre Seite stellen, — die Anderen für den künstlichen Ausbrütungsprocess. Sollten wir mit wenigen Worten die beiden entgegengesetzten Richtungen charakterisiren, so müssten wir die erstere als erfolgreicher, doch als mühevoller und bedeutend kostspieliger, die letztere als bequemer und billiger anerkennen. Bei der freien Züchtung sehen wir, dass die Vögel in der Regel weniger Eier legen als da, wo wir die gelegten Eier sofort oder bis zur Ankunft des nächsten Eies entfernen, allein es sterben weniger Eier ab, als wie bei der

---

* Ueber dem Niveau der horizontalen Körperlage erhoben.

künstlichen Ausbrütungsmethode, bei der man die Eier in Decken gehüllt dem Incubator anvertraut, und ihnen durch eine, mittelst zweien oder mehreren Petroleumlampen erwärmte Wassermasse die nöthige Wärme beizubringen sucht. Auf diese Weise zur Welt gekommene Küchlein werden dann einem Diener anvertraut, der sie mit kleingeschnittenem Getreide, Klee etc. zu füttern hat. Bei der freien Brütung übernehmen die Eltern diese Sorge, höchstens, dass man ihnen an Stellen, die sie vorwiegend besuchen, etwas grünes Futter vorwirft; sonst sucht man einer solchen Familie einen womöglich grossen Raum, einen der besten Weideplätze der Farm zur Verfügung zu stellen. Dies ist jedoch bei vielen Farmern, wenn sie vielleicht einen kleineren Grundbesitz oder sonst grosse Heerden von anderen Hausthieren haben, schwierig oder rein unmöglich und wohl das grösste Hinderniss der freien Züchtung. Während ein Farmer, welcher der anderen Methode huldigt, für seine Strausse das schon erwähnte, grosse umfriedete Straussenfeld, die genannten Bruthöfchen, und einiger beschränkter Räume für die Küchlein bedarf, sind für den Vertreter der freien Ausbrütungsform nicht allein die erstgenannten Räume, sondern auch ebensoviele — als er Brutpaare besitzt — wenigstens 200-400 Joch grosse, wohlumfriedete Orte nöthig. Wegen Holzmangels der meisten Gegenden, in denen bis jetzt Strausse gezüchtet werden, ist aber ausserdem eine dichte und hohe Umfriedung eine äusserst schwierige und kostspielige Arbeit. Und während nun bei der künstlichen Ausbrütung die meiste Gefahr des Absterbens für die Eier eben in dieser Methode beruht, so sehen wir in dem anderen Falle, dass den frei mit den Eltern herumrennenden Küchlein das in jenen Gegenden noch ziemlich häufige Wildgethier (Caracal, Hyäne, Schakal, Canis pictus etc.) und fremde herumvagirende Hunde gefährlich werden können. An manchen Farmen beobachten wir ummauerte oder sonst hoch umfriedete, 50-100 Schritte lange und breite Räume, wo man die erwachsenen oder halberwachsenen Vögel für die Nacht unterbringt. Ich muss mich offen gegen diese Gewohnheit aussprechen, ausser dann, wenn man ihre Krebsschäden rationell zu beseitigen sucht. Die meisten dieser Stellen sind mit allerlei Entozoen, welche den Thieren abgehen, förmlich besät, und da diese nur allzuoft die von ihnen selbst abgefallenen Eingeweideparasiten aufpicken, inficiren sie sich nur umsomehr mit einem Leiden, an dem ohnehin die meisten von ihnen zu Grunde gehen. Ich erlaubte mir anzurathen, diese Orte öfters und wohl zu reinigen und den Unflat in Erdgruben

zu schütten, sowie auch den Boden der mit Steinen umfriedeten
Straussenkraale periodisch mit trockenem Lang- oder Rasengras, Zwerggebüsch, Reisig oder den in manchen Gegenden üblichen, trockenen
Schafdünger abzubrennen und auf diese Weise von Zeit zu Zeit die
zu Tausenden abgegangene Entozoenbrut zu vernichten.

Während sonst die Strausse ihre meiste Nahrung auf dem Felde
zu suchen haben, werden ihnen zur Zeit des Brutgeschäftes sowie in
einer allzu trockenen Wintersaison Maiskörner, während des ersteren
jedoch auch, sowie den Küchlein in ihrem ersten Altersstadium, grünes
Kurzfutter vorgeworfen.

Dürre Winter, namentlich in den Karoogegenden, können dem
Straussenfarmer empfindliche Schläge beibringen. So nahm ich wahr,
dass zur Zeit der grossen Dürre im Jahre 1878 gar viele Farmer der
nördlichen Capcolonie ihre Straussenheerden des Grasfeldes halber nach
dem Oranjefreistaate senden mussten, was ihnen natürlich bedeutende
Kosten verursachte, jedoch billiger zu stehen kam, als wie wenn
sie ihre Vögel ausschliesslich mit Mais oder einer anderen Getreideart
gefüttert hätten.

Den letzten mir zugekommenen Berichten zu Folge, scheint sich
eine Pflanze, die man bereits an vielen Orten Südafrikas als eine Art
riesigen Unkrautes zu betrachten gewohnt war, die daselbst unter dem
Namen Prickly-pear (Opuntia vulgaris M.) bekannte Feigendistel und
davon zumeist das »Kaalblaad« oder die stachellose Art für die Thiere
äusserst erspriesslich zu erweisen. Bei der ersteren Art entfernt man
die Früchte und sucht die mit den zahlreichen Stacheln bewehrten Blätter
mittelst Feuer von dieser äusserst unangenehmen Waffe zu befreien.

Die Thiere verbringen die meiste Zeit des Tages mit ihrer Nahrungslese zu. Es ist allbekannt, dass sie nebenbei allerhand mehr oder
weniger unverdauliche Gegenstände, die sie von ungefähr erschauen,
und die — mit Rücksicht auf ihr Volumen — von ihnen geschluckt
werden können, zu sich nehmen. Oft werden »eine nebenanliegende
Stummelpfeife sammt der Tabakladung, geschlossene Messer, Nägel,
Holzstücke, Knöpfe« etc. hinuntergeschluckt. Es sind jedoch nur wenige
Fälle bekannt, wo die Vögel an dem Genusse solcher unverdaulicher
Objecte zu Grunde gegangen wären.

In Folge des Aufkommens und Emporblühens der Straussenzucht
sieht sich der Farmer gezwungen, mehr Land, als er es zu thun
gewohnt war, urbar zu machen. Dazu kann sich Gesammt-Südafrika

nur gratuliren; denn die winzigen Aecker zeigten nur zu deutlich, wie sehr der Ackerbau in Südafrika sich noch in den Kinderschuhen befinde. Man bedarf eben, der Strausse halber, jährlich mehr denn 50.000 Säcke Mais und ausserdem eine sehr grosse Quantität Grünfutter.

Im Allgemeinen beansprucht die Pflege der Strausse die grösstmöglichste Sorgfalt und vermag dafür auch reichlicher, als jede andere Zucht der gegenwärtig in Südafrika heimisch gewordenen Hausthiere, des Menschen Mühen und Kosten zu entlohnen.

Ausser dem bereits Angeführten sind es noch zahlreiche Nebenumstände, denen der Straussenzüchter während seiner Arbeit eine besondere Sorgfalt angedeihen lassen muss, und die ihm, wenn unbeachtet, den Verlust einzelner Vögel, ja sogar ganzer Brutstände herbeiführen können. So sind Straussengehege in der Nachbarschaft von Dickichten oder Felsenhöhen, welche noch den Leopard beherbergen, nicht angezeigt, oder man muss im vorhinein durch Strychninköder oder durch die bekannten riesigen Schlagfallen diese Raubthiere zu vermindern trachten.* Nester der Vögel, denen man eine freie Brütung gönnt, müssen, wenn am Fusse von schroff abfallenden Felsabhängen gelegen, gegen diebische Paviane geschützt werden, welche zumeist solche Höhen bewohnen und nach Möglichkeit sich rohe Eierspeisen zu verschaffen suchen. Es scheint aber auch die Abstammung der Brutvögel, und dies wenigstens in Hinblick auf Nestfamilien, eine besondere Berücksichtigung zu verdienen. Es sind einige Fälle bekannt, deren einer auch im Folgenden Erwähnung finden soll, Fälle, bei denen sich Farmer durch die Benützung von Brutvögel-Geschwistern arg geschädigt zu haben glaubten. Herr *J. Johnson*, Farmer zu Witteklip bei Humansdorp, bemerkte an einem Paare solcher Brutvögel, dass es ungeachtet einer vollen Nestspende von Eiern, die letzteren nicht bebrüten wolle. Man nahm deshalb zu einem Incubator (Brutkasten) seine Zuflucht und vertraute ihm acht der Eier an. Nach 43 Tagen kamen auch acht Küchlein zur Welt. Sie schienen jedoch Alle äusserst hinfällig und starben binnen wenigen Stunden. Die meisten waren missgestaltet und eines wies mit Ausnahme der Knochen in seinen Beinen, keine anderen im ganzen Körper auf. Die Henne füllte zum zweitenmale das Nest mit Eiern, und abermals weigerten sich die

---

* Die Nothwendigkeit davon hat sich bereits nur zu oft erwiesen.

Eltern, das weitere Brutgeschäft zu besorgen. Auch diesmal nahm man zum Brutkasten seine Zuflucht, und der Erfolg stimmte — leider nur zu sehr — mit dem ersteren überein. Sämmtliche Küchlein — reine Missgeburten — starben bald nach dem Ausschlüpfen aus dem Ei; eines der Thiere hatte nur ein Auge, ein zweites nur die obere Schnabelhälfte u. s. w. Herr *Johnson* gab als den Grund dieses äusserst misslichen Bruterfolges den Umstand an, dass die beiden Vögel Geschwister gewesen wären. Der Straussenfarmer muss womöglich den häufigen Gebrauch der Feuerwaffe im Gehege selbst oder in seiner Nähe hintanzuhalten suchen, sowie auch keine vagirenden Hunde auf seinem Besitze dulden. Schüsse, wie bei Nacht in dem Straussengehege herumlaufende Köter pflegen die Riesenvögel so zu erschrecken, dass sie in der Regel wie unsinnig hin- und herjagen und gegen die Umfriedung anrennend, sich zumeist an den, nur zu sehr gebräuchlichen, scharfgespannten Querdrähten schwer zu verletzen pflegen.* Da man sonst in Südafrika der Jagdlust eines Mannes keine besonderen Schranken setzt, so haben es viele unserer Farmer für nothwendig erachtet, mittelst Tafeln, an den Wegen angebracht, vor etwaigen Jagdversuchen zu warnen und um das Anleinen der Hunde zu ersuchen.

Die wichtigsten Krankheiten, unter denen die Strausse zu leiden haben, sind die bereits erwähnten Parasiten. Sie sind die gefährlichsten Feinde des Strausses und seines Züchters. Es sind wahre Eingeweide- und Muskelparasiten, Cestodes und Filariadae. So fand ich in den Gedärmen einzelner Thiere Tausende und Tausende von 1 bis 3 Cm. langen Taeniae struthionis lose, wie auch zahlreiche Köpfe dieses Bandwurmes dicht aneinander in den Darm eingesaugt vor. Nach Dr. *Lorenz*

---

* So sind mir wiederholt Fälle zu Gehör gekommen, wo sich die, gegen die Umfriedung in wilder Hast anstürmenden Vögel bedeutend an der vorderen oberen) Brustpartie verletzt oder sich an den Beinen die Sehnen stark beschädigt hatten; bei manchen waren selbst Metatarsusfracturen die Folge eines solchen heftigen Anpralles. Seitdem pflegen viele Farmer die Drahtzäune, d. h. die vier oder fünf je einen Fuss oder etwas darüber über einander dahinlaufenden Querdrähte mit Gebüschzweigen schütter zu durchflechten, damit sich selbe den Vögeln, weniger leicht von ihnen übersehbar, als wahre Hindernisse präsentiren mögen. Die genannten Verwundungen ziehen bei allgemeinen Unkenntniss in der Behandlung der von draumatischen Erkrankungen heimgesuchten Strausse und in Folge eines zweiten, späterhin zu erwähnenden Grundes in der Regel den Tod des Thieres nach sich.

erwies sich der Kopf als scharf abgesetzt mit vier seitlichen und einem oberständigen (einwärts — vice versa — einsländigen), grossen Saugnapf versehen. Der Hakenkranz war ein doppelter. Nicht minder häufig finden wir meterlang: Taenia solium, T. serrata, T. expansa und zahlreiche verwandte Arten, welche sonst den Hunden, Hasen, Schafen, Hühnern und anderen Hausthieren eigen sind. Gefährlicher noch als diese sind die Filariae, bei denen ja ein Extractum Filicis maris (Wurmfarm-Wurzelextract) vollkommen nutzlos erscheint. Sie werden bis meter-

Ein Filaria-Pärchen im Pericardium (äusserer häutiger Ueberzug eines Straussherzes) eingekapselt.

lang, zuweilen auch darüber, gleichen in ihrer Gestalt dem Strongylus gigas (R.), durchfressen die gesammte Muskulatur, und ich hatte einige Exemplare im Besitz, welche sich durch die Angriffe auf die Herzen der Thiere für die letzteren tödtlich erwiesen.

Beifolgende Zeichnung veranschaulicht ein Exemplar, welches sich zwischen das Pericardium und die Herzmuskulatur eingebettet hat. Dr. *Lorenz* fand bei der Eröffnung des Wurmcanals ein 1½ Meter langes Weibchen und ein 25 Centimeter langes Männchen vor. Dieses, wie andere ähnliche Präparate, erwarb ich auf einer Straussenfarm im Colesberger Districte (östliche Provinz der Capcolonie). Daselbst wurden mir mehr denn dreissig Cadaver von Straussen gewiesen, welche sämmtlich der Filaria zum Opfer fielen. Die Vögel mochten 2 bis 4 Jahre alt gewesen sein. Der ohnehin durch eine grosse Winterdürre schwer heimgesuchte Farmer wird wohl noch auf Jahre hin all' den Verlust, den ihm die Unfälle des Jahres 1878 beigebracht, zu beklagen haben! Doch staunte ich nicht wenig über die grosse Unvorsichtigkeit, dass man die todten Vögel mit ihrem Parasitengifte nicht vergraben oder nicht auf irgend einer Stelle auf der weiten Ebene verbrannt hatte, sie vielmehr etwa 1000 Schritte unterhalb des Gehöftes in ein trockenes Spruitbett* warf und es hier dem nächsten Regenschwalle überliess, den Unrath weiter nach abwärts, (ohne es im mindesten zu wollen), an den nächsten Besitz oder in den Oranjestrom zu schwemmen. Die Hunde der schwarzen Diener nagten oft an den Leichen, kurz man sah nur zu wohl, dass den Parasiten stets nur ein grösserer und grösserer Spielraum, um sich auszubreiten, geboten wurde, so dass man auch in der That um das leibliche Wohl der Farmbewohner selbst besorgt sein muss, wenn nicht bald energische, allgemein sanitäre Massregeln gegen dieses schwere Uebel in Anwendung gebracht werden.

Manche der erstgenannten Würmer greifen sogar die Eierstöcke an, bohren sich in die noch umhäuteten oder weichschaligen Eier ein, so dass so manch' abgestorbenes Ei nach seiner Eröffnung mit Echinoccocus-Blasen über und über ausgefüllt erscheint. Das Extr. filicis mar. wird centnerweise nach Südafrika importirt, und doch ist das damit erzielte Resultat mit Rücksicht auf die Anzahl der geretteten Vögel ein geringes und insofern kein stichhaltiges zu nennen, als man den Umstand, wie sich die Thiere in der schon früher gedachten Weise ununterbrochen mit den Würmern und deren Embryonen inficiren, noch zu wenig berücksichtigt, demzufolge seiner Abhilfe — als dem sichersten Heilmittel — eine noch viel zu geringe Beachtung schenkt. Was nützt es denn, nach vieler Mühe einigen der erkrankten Strausse einige Dutzend der genannten Farrenkrautkapseln schlucken zu lassen, sie dann für die nächsten drei oder vier Tage, des Abgehens der zahllosen Parasiten halber, in einem beschränkten Raume zu halten, wenn man sie für die darauffolgende Nacht in die ummauerten Schlafstätten bringt, oder ihnen in dem gemeinschaftlichen Gehege wieder freie Bewegung gestattet,

---

* Ein die meiste Zeit im Jahre hindurch bis auf wenige Stellen eingetrocknetes Flüsschen.

an welch' beiden Orten die geheilten Vögel wohl noch am selben Tage durch Aufpicken den nämlichen Krankheitsstoff von Neuem in sich aufnehmen. Unter den Krankheiten, denen namentlich die Küchlein während der ersten Wochen ihres Lebens zum Opfer fallen, rafft wohl eine allgemeine oder partielle Verfettung gewisser Organe, namentlich jene der Leber und der Nieren, die meisten Thiere hinweg. Auch heilen Verwundungen jeglicher Art in allen Altersgraden doch zumeist bei erwachsenen Vögeln sehr schlecht, da sich eine regelrechte Behandlung der Geschwüre oder verletzten Partien bei dem Gebaren* der Thiere sehr schwierig gestaltet.

Von einigen meiner Bekannten, so auch von meinem in den »Sieben Jahren« erwähnten Freunde und Besitzer der Farm Ottersport,** Herrn *Schulze,* um Rath gefragt, erlaubte ich mir darauf hinzuweisen, dass man nach angewendeter Gewalt — des Verbandes halber — die Thiere mit einer Zwangsjacke versehen müsse. Diese würde den Leib sammt Flügeln und die Füsse bis an die Fersen umspannen, während die langen, zumeist beschädigten Metatarsustheile frei bleiben sollen. Hat sich der Vogel an den Flügeln, dem Körper oder dem Unterschenkel Verletzungen zugezogen, so muss der betreffende Theil durch einen entsprechenden Ausschnitt in der Jacke der Behandlung zugänglich gemacht werden. Das genannte Gewand, aus starkem Segeltuch gefertigt und an entsprechenden Stellen wattirt, trägt etwas unterhalb der grössten horizontalen Leibesperipherie einen Gurt, der bei Thieren, welche am Körper oder an den Flügeln Verletzungen zeigen, mit vier, bei solchen, deren Beine etwaige Verwundungen oder Geschwüre aufweisen, mit acht Ringen versehen ist, je zwei oder vier Ringe an jeder der beiden Längsseiten. In diesen haften Stricke, 2 bis 3 Meter lang, welche mit ihren freien Enden an den senkrechten Pfählen (Balken) zweier seitlich und zu dem Körper des Thieres (in der Längenachse) parallel stehenden Jochpfosten befestigt sind. Die einzelnen Pfosten bestehen aus je zwei 3 bis $3\frac{1}{2}$ Meter hohen, in ihrem unteren Dritttheile durch schiefe Stützbalken gesicherten und oben mit einem gleich starken $3\frac{1}{4}$ Meter langen Querbalken verbundenen Pfählen. Die so geformten Jochpfosten stehen $3\frac{1}{2}$ Meter von einander entfernt und sind oben mit vier Querbalken miteinander verbunden; davon dienen

---

* Nach angewendeter Gewalt wird der Vogel scheuer.
** Ottersport, im District Philippolis, Oranjefreistaat.

die zwei äussern zur grösseren Festigung des Ganzen. Findet sich die Wunde des Vogels an seiner obern oder seitlichen Körperhälfte, so wird ihm ein »Stehen« und »Hocken« gestattet. Ist er am Unterleibe verletzt, so wird er gezwungen, »stehend« zu verharren; sind dagegen die Füsse vom Knie nach abwärts verletzt, so muss das kranke Thier »hängen«. In dem ersteren Falle, wo ihm das »Hocken« gestattet ist, sind die von vier seitlichen Gurtringen ausgehenden gleich langen Stricke etwa 70 Cm. über dem Boden an den vier senkrechten

Lazareth für verwundete Strausse. (Dr. E. Holub's Methode.)

Pfosten ebenfalls an Ringen befestigt, dass sie dem Vogel eine freie Bewegung von etwa 25 Cm. nach jeder Seite hin gestatten. Im zweiten und dritten Falle, wo der Vogel in einer stehenden oder schwebenden Stellung zu verharren hat, müssen die vier an den zuletzt erwähnten Balken befestigten Stricke straff gespannt und die Pfostenringe, in denen sie haften, $1\frac{1}{4}$-$1\frac{1}{2}$ Meter über dem Boden angebracht sein. In den beiden letzteren Fällen jedoch müssen wir vor Allem das »Aufhängen« berücksichtigen. Von denselben oder zweien mehr einwärtsstehenden Gurtringen laufen Stricke zu den mittleren, oberen, die beiden Jochpfosten mit einander verbindenden Querbalken.* Sie sind ebenfalls gleich lang und können nöthigenfalls an vier weiteren, welche von den nämlichen Ringen aus zu den Füssen der Längspfähle geführt werden, ein Gegengewicht erhalten. Man muss in dieser Weise den Vogel zwingen, sich so ruhig wie möglich zu halten und es ferner auch einrichten, dass man zur Zeit seiner Fütterung »behandelnd« an ihn herantritt. Ich bin für eine öftere, wenn auch weniger ausgiebige Fütterung, da wir unzweifelhaft durch das öftere Herantreten an den Vogel seine Wildheit und Scheu abstumpfen.

Das nebenan skizzirte Gerüst müsste ein flaches Dach tragen, sowie auch sein Innenraum mit dem kranken Thiere gegen die Wind- und Regenseite durch eine einfache Rohr- oder Bretterwand geschützt sein.

Was den Charakter des zahmen Strausses anbetrifft, so können wir nicht behaupten, dass die bis jetzt mit seiner Zähmung errungenen Erfolge in irgend welcher Weise die Denkkraft des Thieres gesteigert und veredelt hätten. Es hat wohl im Allgemeinen seine Scheu abgelegt, doch bedarf es nur eines geringen Zufalls, um insbesonders erwachsene Thiere zu einer rasenden Flucht zu bewegen; und derselbe Vogel, der eben in seiner Flucht, durch einen fremdartigen Gegenstand gefesselt, plötzlich inne hielt, erscheint in einem folgenden Momente dummdreist, ja belästigend. Dem Menschen und kleinem Gethier können die Strausse, davon zumeist Brutvögel, auch noch recht gefährlich werden, wobei sie in der überwiegenden Mehrzahl der Fälle den farbigen Hirten von einem Weissen nicht zu unterscheiden scheinen. Als ich während meiner geologischen Excursionen einige der ausgedehntesten Straussengehege besichtigte, da versahen mich die Farmer mit einem dunklen Diener, der einen langen Dornast vor sich her trug, um mit dieser Waffe die Strausse abzuwehren. Die Fälle sind gar zu häufig, wo ein herannahender oder plötzlich auf Einen zustürzender Strauss das Object seines dummen Zornes mit einem Fussstoss oder durch wiederholte Schläge mit seinem Watbein zu Boden schlug. Am gerathensten ist es dann, sich in seine unfreiwillige Lage zu fügen und in derselben wo möglich ruhig zu verharren. Ein

---

* Hängegurten (von oben nach unten den Leib umspannend) müssten mit Berücksichtigung des Brustbeines und des Unterleibes ausser Betracht gezogen werden.

Aufspringen, ein Fluchtversuch, Gegenwehr u. dgl. würde den böswilligen Vogel nur noch zu weiteren Angriffen veranlassen. Wiederholt berichten Cap'sche Zeitungen von Unglücksfällen, die wir auf die Dummdreistigkeit und Böswilligkeit des gezähmten Strausses zurückzuführen haben. So berichtet der »E. P. Herald« (Port Elizabeth) über einen *Siegfrid Hess*, einen in Port Elizabeth wohl bekannten Kaufmann. Derselbe hatte auf einer Reise durch die Colonie an der Farm eines Mr. *Goedhals* im District Graaf-Reinet der Rast halber ausgespannt. Den Straussen des Farmers war unbeschränkte, freie Bewegung gestattet. Plötzlich stürzte sich einer der grössten der männlichen, nach und nach an den Wagen herangekommenen Strausse auf den Trader, warf ihn zu Boden, schlug ihn, als er aufzuspringen suchte, wiederholt nieder, riss ihm die Kleider vom Leibe und brachte ihm so tiefe Fleischwunden bei, dass Haut und Muskulatur in Fetzen herabhingen, und der arme Mann in einen Wagen gehoben und sofort zu einem Arzte geschafft werden musste. Fracturen der Arme und Schenkel sind nicht selten die Folgen der Angriffe, denen zumeist Ahnungslose ausgesetzt sind.*

Da sich seit den grossen Dürren der letzten Jahre die Schafzucht wieder bedeutend gehoben, die Pflege der Strausse demgemäss keine sichtbare Beeinträchtigung der übrigen Zweige der Viehzucht bis zum heutigen Tage zur Folge gehabt hat, so wurde in den letzten Jahren durch die Straussenfarmen das landwirthschaftliche Capital in

---

* Der mir am 15. October zugekommene »Cradock-Register« vom 9. September 1881 berichtet über einen der letzten Vorfälle, wie ungalant zahme Strausse werden können, wie wenig sie von ihrer Dummdreistigkeit verloren haben und wie undankbar sie noch bis jetzt gegen Jene, welche ihre stattliche Gestalt bewundern, sein können. Herr *Charles du Val*, der bekannte Künstler, der seit einer Reihe von Monaten in Südafrika nach Lorbeeren strebt, hatte auch Oudtshoorn besucht. In der Umgebung des Städtchens Umschau haltend, erging er sich mit einem Herrn *A. T.* am Ufer des dortigen Flüsschens. An einem niedrig umfriedeten Straussengehege blieb *du Val* stehen, um einen im Innenraume graziös auf- und abschreitenden männlichen Vogel zu bewundern. Plötzlich übersprang der Strauss den Zaun und stürzte sich auf Thaliens Jünger, den er niederrannte, ihn dann am Schenkel nicht unbedeutend verletzte und ihm die schwarzen Unaussprechlichen buchstäblich zerfetzte. Der Zuschauer Herr *T.* warf sich aber sofort zur Erde, um in dieser Weise »aus dem Spiele« zu bleiben. Er meinte später, dass er, zu den Kämpfenden hinüberschielend, eigentlich nur einen Haufen prachtvoller Straussfedern erblickte, aus dem zeitweilig ein Paar langer Frackschösse gar lustig und munter hervorzüngelten.

der Colonie mit Hinblick auf eine beiläufige Anzahl von 180.000 Vögeln um etwa 2,800.000 £ St. (ungefähr 32,000.000 fl.) vermehrt. Durch diesen glänzenden Erfolg, der zumeist dem letzten Decennium zuzuschreiben ist, hat Südafrika, wie einst, vor 12 Jahren, durch seine Diamanten, so jetzt die Aufmerksamkeit der gesammten Welt mit vollem Rechte auf sich gelenkt.* Allein die Straussenzucht hat noch weitere erspriessliche Folgen nach sich gezogen. Es haben die Diamantenfelder als Fundorte des edelsten der Gesteine, doch mehr als vortreffliche Absatzquellen für landwirthschaftliche Producte die Boers, davon zumeist die Transvaaler und die Oranjefreistaater, aus ihrer Lethargie und aus ihrer Arbeitsscheu wohl aufgerüttelt, doch eine zweite noch allgemeinere und wichtigere und bis jetzt namentlich in der Capcolonie zu Tage tretende und nicht minder wohlthätige Consequenz hat da sStraussenfarmen nach sich gezogen und scheint ausserdem für die nächste Zukunft noch weitere Erfolge gesichert zu haben. Ich glaube mich in der Voraussetzung nicht zu irren, dass der Catastralausweis des nächsten Jahres ein Mehr in der bebauten Aera von wenigstens 10 Procent aufzuweisen haben wird, und dass dies der Pflege der neu aufgenommenen Hausthiere zu danken sei. So gehobene landwirthschaftliche Verhältnisse und der Ertrag des neuen, zu 98 Procent exportirten Productes mussten auch einen wohlthätigen Rückschlag auf den Handel Südafrikas nach sich ziehen. Und so finden wir, dass gegenwärtig selbst in Städten zweiten Ranges (1500 bis 5000 Einwohner) jeden Samstag Straussfedernmärkte abgehalten werden. Die bedeutendsten sind jene in Port Elizabeth, und laut einer der letzten mir zugekommenen Nachrichten wurden bei einer Auction in London über 600 mit Straussfedern gefüllte Kisten für die Summe von 106.000 £ St. (etwa 1.245.500 fl.) veräussert. In diesem Stadium sind die Straussfedern ein hervorragender Artikel im Welthandel geworden, und der günstige Erfolg der südafrikanischen Straussenzucht hat bereits auch auf andere Länder eine wohlthätige Rückwirkung zu Tage gefördert; einmal, dass man ihr in jenen afrikanischen Colonien, wo bereits ähnliche, doch weniger erfolgreiche Versuche gemacht wurden, neue Aufmerksamkeit schenkt, und in einer

---

* Laut den Angaben des Herrn *Fritz Robert* wurden im Jahre 1865 Straussfedern im Werthe von 66.226 £ St. (beiläufig 778.155 fl), zehn Jahre darauf, 1875, im Werthe von 304.993 £ St. (beiläufig 3,572.962) fl. exportirt; dies allein zeigt den bedeutenden Aufschwung in diesem Artikel.

anderen Hinsicht, dass man sich mit ihr in anderen Welttheilen,
namentlich in den südamerikanischen Pampas und den Grasgefilden
und Wüsteneien Australiens, auf das eingehendste zu beschäftigen
beginnt. In nicht ferner Zeit werden wir von Kreuzungen amerikanisch-
afrikanischer und australisch-afrikanischer Strausse hören, und ein
neuer Federschmuck wird sich wohl dann der besonderen Aufmerksamkeit von Seite unserer Damen zu erfreuen haben.

Wir können wohl nicht läugnen, dass bis jetzt die Feder des
zahmen Strausses, was die Qualität anbetrifft, jener des wild und frei
lebenden Vogels noch nicht ebenbürtig geworden ist und dass sich
ausserdem mit dem Abnehmen des wilden Strausses der Werth seiner
Feder nur steigern muss. Ich glaube jedoch, dass diesem Uebelstande
insofern abzuhelfen ist, dass die Betschuanas in ihren schütter bewohnten
Gebieten sehr ausgedehnte Straussengehege errichten, und nur 10 bis
30 Thiere in einem solchen halten, damit die Vögel mehr den Charakter
der wild lebenden Thiere beibehalten. Nur zur Zeit des Abrupfens
müssten die Thiere auf einige Tage in eine enge Umzäunung von
100-200 Joch gedrängt und ihnen hier fleissig Futter gestreut werden,
um so die ohnehin schon gemässigte Wildheit der Vögel für jenen
bestimmten Zweck noch etwas zu mildern. Nach dem Abrupfen
brächte man sie wieder in ihr ausgedehntes Rennfeld zurück.

Da die von diesen Stämmen bewohnten Landstriche zum grossen
Theile von einem schütteren Niederwald und von ausgedehntem Hoch-
gebüsch bedeckt sind, ist dem Farbigen ein gutes Mittel geboten, ausgedehnte Umfriedungen zu errichten und dieselben jährlich, je nach
Bedarf, zu vergrössern oder zu vermehren. Es würde einstweilen wohl
nur der jeweilige »Regent« der Straussenzüchter des Landes sein,
doch auch dies könnte nur der Gesammtsache nützen.* Die einzelnen,
mehr wohlhabenden von seinen Unterthanen müssten vorerst Strausse
von ihm, dem Besitzer aller Strausse im Reiche, erkaufen, dies würde
ihnen einmal zu viel Unkosten bereiten, sowie auch die erforderliche
Pflege der Thiere zuviel von ihrer Zeit beanspruchen, was im Ganzen
umsomehr zu beklagen sein würde, als sich gegenwärtig diese Stämme,
mehr denn je, den Ackerbau angelegen sein lassen, und auch auf denselben ihre meiste Kraft 'zu concentriren, ihm ihre meiste Zeit zu
widmen haben. Der jeweilige Morena* (König) erlässt ein Aufgebot,

---

* Bei den Betschuanas beherbergt die »Stadt« oder königliche Residenz die
Hauptstärke des dunklen Stammes.

Einmal werden seine in dem Kalaharibushveldt jagenden »Leibvasallen« durch Boten zur Stadt gerufen, ebenso eine Anzahl der über das ganze Reich zerstreuten, die königlichen Heerden hütenden »Makalahari«, wenigstens so viele, als eben nur von der Hut der Viehposten abgehen können, Dann werden die Freien aufgefordert, sich selbst und ihre Gespäne zur Verfügung zu stellen. Sie erscheinen mit einer Anzahl ihrer Leibeigenen, theils solchen, die in der Stadt wohnen, doch auch jenen, die hie und da am Lande ihre Heerden zu hüten oder für sie auf den Ebenen zu jagen haben. Nachdem sich der Morena wenigstens pro forma bei den Unterhäuptlingen und einigen der Aeltesten Rath erholt, bezeichnet er nun den von ihm gewählten Ort, welcher auch sofort mit einer mittelst einheimischen Hauen aufgegrabenen Furche oder Rinne gekennzeichnet wird. Sodann beginnt das Fällen der Bäume und das Herbeischaffen des Dorngebüsches u. s. w.: man macht sich eben unter der Leitung des obersten Herren zuerst an die Umfriedung des Straussengeheges. Ist diese aufgebaut, so beginnt das Planiren der sonst für das Gedeihen der Strausse nicht zuträglichen Stellen. Die Erdspalten, Mündungen verlassener Baue der Höhlenthiere werden mit den zum Wegschaffen bestimmten Felsblöcken verschüttet, Baumwurzeln ausgegraben u. s. w. Während dieser Arbeit sorgt zum grössten Theile der Morena selbst für die Bedürfnisse der Arbeitenden. Seine Jäger haben so viel Wildfleisch wie nur möglich einzuliefern, und so wie dieses nicht ausreicht, sucht er mit Rindsbraten und mit Hammelfleisch die Arbeitslust der »Freien« im richtigen Geleise zu erhalten. Ist der Straussenkraal aufgebaut, so erhalten die Kalaharijäger den Auftrag, die Nester der wilden Strausse aufzusuchen und zu bewachen und sich der jungen Thiere sofort nach ihrem Zurweltkommen zu bemächtigen und sie einzuliefern. —

Wir wollen hoffen, dass die von Jahr zu Jahr zunehmende Straussenzucht, in einer geklärten und rationellen Weise fortgeführt, für lange Jahre Südafrika zum Nutzen, der ihr entnommene Schmuck zur angenehmsten Befriedigung Aller, die an ihm ein Wohlgefallen finden, gereichen möge.

Was die südafrikanischen Eingebornen weiterhin anbetrifft, so machen manche der Stämme, unter diesen aber namentlich die Zulu-Matabele, von den Federn des Struthio camelus als Schmuck Gebrauch. Dieser ist ein doppelter; einmal ähnliche ballenförmige Schmuckobjecte, doch aus den kürzesten Federn gefertigt, wie sie von demselben Stamme

15

aus der Schwingenfeder der Numida mitrata und denen der in der folgenden Ordnung zu beschreibenden Otisarten gearbeitet werden, und ferner ein Schlachtgewand. Dieses besteht aus einer Kappe, einem Brust- und Hüftgewand. Die Federn, durchwegs nur schwarz von jeglicher Länge, sind kunstvoll in ein Bast- oder Grasgeflecht, ein rundmaschiges Netzwerk, eingefügt und sollen dem Matabelemanne als Gesammtschmuck einen wilden, kriegerischen Anblick verleihen. Es ist ungemein schwierig, solch' ein werthvolles Schlachtgewand von den Matabele zu erstehen. Jene ballenförmigen Kopfverzierungen werden auch von anderen Stämmen, wie den Makalakas und nördlichen Betschuanen gearbeitet und benützt, welche Stämme zuweilen auch ihr Wollhaar mit den kleinsten der schwarzen Federn zu schmücken pflegen; umso häufiger suchen sich die als Kutscher bei den Farmern und den Fuhrleuten bediensteten Hottentottenjünglinge mit längeren weissen, wie grauen und schwarzen Federn ihre Hüte zu versehen. Bei meiner zweiten Rückkehr in die Diamantenfelder wurde ich nicht wenig belästigt, ja täglich förmlich von solchen Schmuckbedürftigen, wie auch ihren »Liebsten« bestürmt und umlagert, um ihnen für einen Shilling und darüber, von den mitgebrachten Federn abzulassen.   *H.*

Kopfzierden der Matabele aus Strauss- und Trappenfedern.

VII.

Grallae   Sumpfvögel.

15 *

Otididae — Trappen.

Otis afroides (Smith) — Weissflügelige Renntrappe.

Otis afr. Smith. I S. A. Z. pl. 69.

Eupodotis afroides. — Gray Hand-List. B. M. III Sp. 9931.

Von den Holländern wie die folgende Art der Knorhaan genannt, ist diese Trappe das häufigste Federwild auf den Ebenen zwischen dem Oranjefluss und dem Notuany; sie wird auch südlicher und nördlicher, jedoch bedeutend weniger häufig angetroffen. Man findet sie zumeist einzeln, doch auch in Pärchen, oft bis zu 20 Stück auf eine englische Quadratmeile, namentlich auf begrasten Hochebenen, welche zu den Eigenthümlichkeiten dieser Landstriche gehören. Der Vogel ist eines ihrer lebenden charakteristischen Merkmale. Es geschieht nur zu oft, dass mir der Knorhaan plötzlich in der Erinnerung auftaucht; dann sehe ich wieder jene im Winter so fahlen, im Sommer blühenden und grünenden Steppengefilde, sei es jedes Busches baar und nur von den Hunderttausenden der Termitenbauten bedeckt, sei es hie und da mit einem Dorngebüsch bekleidet, — wie sie sich so endlos, so unbegrenzt vor mir ausbreiten. Der Tag bricht an; vereinzelte Knorhaanschreie, — hier unfern einem Farmgehöfte, dort in der stillen Wildniss, — rufen uns wach! Während des winterlichen Tagsturmes, der uns umheult, der die weite Ebene mit Millionen von Laterit- und Sandkörnern überschüttet und sie stellenweise unserem Blicke plötzlich entrückt, hören wir immer wieder des Knorhaans Gegacker; es folgt uns auch bei dem rastlosen Ritte, mit dem wir im Sommer das riesige Grasgefilde in der tropisch heissen Mittagszeit durchqueren. Der Tag dahin! Des Abends zunehmende Schatten im gewohnten Kampfe, jede einzelne Ackerkrume für ihre dunkle Königin zu gewinnen. Die Natur rings um uns geht ihrem Schlummer entgegen, so wollen auch wir uns ihrem Gesetze fügen und werfen uns in das sprossende, oder (nach der Jahreszeit) in das vertrocknete Steppengras zur Ruhe nieder; da hört! Es klingt der letzte Nachruf des scheidenden Tages zu uns herüber, — »Schlummere sanft« — der Knorhaan ruft!

Der Vogel lässt den Jäger ziemlich nahe herankommen und ist ob seines schweren Fluges leicht aus der Luft zu schiessen. Zweifach ist die Stimmweise des erwachsenen Vogels: die eine bildet die üblichen Knorhaan-Refraine, mit denen er den Tag empfängt und schliesst und eine reichere Nahrungsausbeute begrüsst, zugleich ein Ruf, auf den sich auch die einzelnen Thiere zusammenfinden und an den sich der Reisende, wenn er einige Monate in genannten Gegenden verlebte, so sehr gewöhnt, dass er ihn in der That empfindlich vermisst, sowie er, über das Gebiet der Steppen nach Norden gelangend, den bis nach Centralafrika reichenden Niederwald betrifft: die andere Stimmweise bildet ein Geschrei, das der Vogel während seines schwerfälligen, selten über 500-600 Meter sich erstreckenden Fluges hören lässt; es ist das unschöne, sozusagen ununterbrochen gleich modulirte Gackern. Ist er im Begriffe einzufallen, so verstummt der Knorhaan, und lässt sich mit nach aufwärts gehaltenen Flügeln und herabhängenden Beinen in einer schiefen Linie herab, um erst unmittelbar über dem Boden durch einen doppelten oder dreifachen Flügelschlag die Wucht des Falles zu mildern. Erschaut der Vogel einen fremden Gegenstand, so streckt er wiederholt seinen Hals vor und nickt mit dem Kopfe. So steht er einige Minuten da, dann läuft er einige Schritte nach vorwärts, um dann von Neuem auf eine kurze Zeit seine Betrachtungsstudien fortzusetzen. Sieht er sich verfolgt, so sucht er stets zuerst sein Heil in den Beinen, indem er, tief geduckt, was er selbst auf einer kurzbegrasten Fläche meisterhaft zu thun vermag, davonzuschleichen strebt. Gibt jedoch der Verfolger nicht nach, so erhebt sich der Vogel in die Lüfte, kaum 15 Meter hoch über dem Boden dahinflatternd, und ist eben ob seines schweren Fluges, und da er den Menschen ziemlich nahe herankommen lässt, leicht aus dem Fluge herabzuholen. Hat er vielleicht im Grase ein Schläfchen gehalten, und hat man ihn unversehens überrascht, so verhält er sich anfangs ruhig und fliegt erst dann laut gackernd auf, wenn man bereits einige Schritte an ihm vorbeigegangen war. Frühzeitig und an sehr thauigen Morgen sieht man hie und da auf den weiten Ebenen viele der Vögel, doch stets einzeln, die niederen Termitenhügel occupiren, um so den Sonnenaufgang erwartend, ihr Gefieder zu trocknen. Kaum dass das goldene Himmelsgestirn aufgegangen, wie auch vor seinem Scheiden, versuchen sich die meisten Vögel in kurzen Flügen, um einander gegenseitige Besuche abzustatten, die Hähne, um sich zur Paarungszeit, hoch aufspringend, zu balgen. Wo die Knorhaans oft gejagt werden, sind sie scheu. Ich fand jedoch im Allgemeinen die Weibchen, die nur eine schwache Stimme besitzen, weniger scheu als die Hähne. Ihre Nahrung besteht in kleinen Eidechsen, Blindschleichen, kleinen Fröschen, Insecten, dem Julus (Tausendfüssler) und Würmern. Sehr selten sieht man eine gezähmte Brut aus aufgefundenen und von Haushennen ausgebrüteten Eiern fortkommen. Die Thiere sind sehr schwer zu erhalten und meine eigenen Versuche scheiterten an der Wildheit des Vogels. Doch mag das letztere auch darin seinen Grund haben, dass mir nur ausgewachsene Vögel, und das während der Reise, wo ich dieselben nur in kleinen Käfigen unterzubringen vermochte, zur Verfügung standen. So flügelte ich einen in den Hartsriverebenen (Barolongland) im November 1876, einen zweiten im August 1878 zwischen dem Rietriver und Philippolis (Oranjefreistaat), liess ihnen die beste Pflege angedeihen, ohne sie jedoch erhalten zu können. Die Vögel verschmähten jedwede Nahrung, schlugen sich an den Wänden ihrer Käfige die Köpfe blutig, dass sie in Kürze an den Folgen dieser Verwundungen starben.

Diese wie die folgende Knorhaantrappe wird zumeist von Engländern gejagt. Obgleich sie eine sehr zarte Haut haben, so dass auch unter einer vorsichtigen Hand so mancher Balg verdirbt, bedarf dieses Wild doch eines guten und sicheren Schusses, um sich seiner zu versichern, und sein Fleisch eines guten Koches, um gelobt zu werden. In den Diamantenfeldern wurden diese Trappen häufig auf die Frühmärkte gebracht und mit 2 bis $2\frac{1}{2}$ Shillingen abgesetzt. Bei den südlichen Betschuanastämmen pflegen Hirtenknaben dem Vogel mit dem Wurfstocke »Kiri« zu Leibe zu gehen.   *H.*

Otis afra (Gmel.) — Gewöhnlicher Knorhaan.

Eupodotis afra. — *Gray* Hand-List. B. M. III Sp. 9930.
Otis afra. (L.) — Eup. afra. (Shaw.) Vol. II. p. 449.

Findet sich auf den Ebenen der Capcolonie seltener auf denen der nördlichen Nachbargebiete. Im Vergleich zu der vorhergehenden Art ist dieser Vogel gedrungener und stärker gebaut und soll ihr mit Rücksicht auf seine Eigenschaften so ziemlich gleichen. Ich selbst sah nur wenige der Thiere und kann somit das Urtheil weder bekräftigen noch verneinen.   *H.*

Eupodotis scolopacea (Tem.) — Vaal-Knorhaan.

Otis torquata (Tem.). — *Gray* Hand-List. B. M. III Sp. 9934.

Otis Vigorsii (Smith). — Otis V. (Less.). Proc. 3. S. 5, 1880. p. 11.

Diese Renntrappe hat einen sehr weiten Verbreitungsbezirk in den Hochplateaus des centralen Südafrika. Von der centralen Cap-colonie an, fand ich das Thier bis gegen den Zambesi. Die Lieblings-aufenthaltsorte des Vogels sind mässig hohe Gebüsche, mehr schütter als dicht und schattig, von kleinen, zahlreichen Lichten unterbrochen. Es sind vorzüglich sandige oder felsige Randpartien von Wäldern, allmälige Abhänge der Hochplateaus und mässige Bodenerhebungen, Localitäten, an denen wir zahlreiche nackte Bodenstellen vorfinden. Hier finden wir den Vaal-Knorhaan stets in Pärchen, ein stilles, ruhiges Dasein fristen. Bei der Annäherung des Menschen sucht der Vogel wohl davonzurennen, doch treibt ihn zu oft seine Neugierde stehen zu bleiben und den Ankömmling anzublicken. Haben wir ihm hart zugesetzt, so fliegt er plötzlich empor, macht 3 bis 5 Schwenkungen über die nächsten Büsche und fällt 20 bis 200 Meter weit in dem-selben Gehölze wieder ein. Statt sein Heil, wenn zu wiederholten-malen verfolgt, von Neuem seinen Beinen anzuvertrauen, hockt sich der Vogel an Bodenstellen, die seinem Gefieder nicht unähnlich gefärbt sind, nieder, und trachtet, in dieser Weise sich vollkommen ruhig verhaltend, dem Verfolger unsichtbar zu bleiben. So kommt es, dass ich gewiss von zehn Fällen achtmal an dem Vogel, ohne ihn zu sehen, vorüberschlich, und dass er nur zu oft plötzlich an meiner Seite auf-flog und rasch, bevor ihn noch mein Schuss zu erreichen vermochte, über den Büschen verschwand. Unter den südafrikanischen Trappen, deren Scheu in der Regel im Verhältniss zu ihrer Grösse zunimmt, ist diese Art wohl die am wenigsten scheue. *H.*

Eupodotis senegalensis (Vieill.) — Rhaad-Renntrappe.

Gray Hand-List. B. M. III Sp. 9924.

Otis Barowii (Gray). — Otis Rhaad (Ruepp.).

Einigemale auf den Graseebenen der südlichsten Betschuana-länder, der Transvaal und des Oranjefreistaates zwischen dem Oranje-flusse und dem Notuany und dann stets in Pärchen beobachtet. *H.*

Eupodotis melanogaster (Ruepp.) — Hartlaub's Reuntrappe.

Gray Hand-List. B. M. III Sp. 9923.

Eupodotis Hartlaubii (Heuglin). — E. melanogastra (S. R. Gr.)

Nur auf meiner dritten Reise im Zambesithale und in den breiteren der Thäler seiner Zuflüsse, sowie auch in den grossen hochbegrasten Lichten der Laubwälder im Albertsland beobachtet. Ausserdem an den Hochplateauwiesen, welche den nördlichen Theil des sandigen Lachenplateaus charakterisiren, und im Allgemeinen in Pärchen und kleinen Gesellschaften angetroffen. Der Vogel gehört wohl zu den Centralafrikanern, obgleich die an den genannten Localitäten vorgefundenen recht zahlreich das südliche Zambesiufer — bis an hundert englische Meilen weit vom Zambesistrom nach Süden zu — bewohnten. *H.*

Eupodotis caffra (Licht.) — Kafferntrappe.

Gray Hand-List. B. M. III Sp. 9918.

E. ruficollis (Cuv.). — E. Stanleyi (Gray).

Mit der folgenden Art das bedeutendste Federwild Südafrikas repräsentirend. Von der südlichen Meeresküste, wenn auch hier seltener, bis in die mittleren Betschuanaländer und an den Westostlauf des Limpopo nach Norden zu, verbreitet, findet sich die Trappe durchwegs in Pärchen vor. Nahrung suchend durchschreitet sie bedächtig die Waldlichten, die Karoo und die Steppen. Je ausgedehnter nach Norden zu, die Wälder werden, desto mehr nimmt die Trappe an Häufigkeit ab; sie ist jedoch häufiger wie die folgende Art und namentlich auf den Wildebenen des nördlichen Caplandes, des Oranjefreistaates, der südlichen und centralen Transvaal und auf den Hartsriver-Molapoebenen sehr zahlreich als Gesellschafterin der Spring- und Blässböcke und der schwarzen Gnus anzutreffen. Weil in Südafrika Weisse und Schwarze den Paauw (spr. Pau) als die des Schusses würdigste Trappe anerkennen, wird er oft des Jägers Beute. Ihre gefährlichsten Feinde sind eben die Boers, die mit ihrem Adlerauge und dem sicheren Arme eine Kafferntrappe auf 300 bis 500 Schritte zu erlegen vermögen. Unter dem Wildgeflügel wird sie wohl am häufigsten auf die Frühmärkte gebracht und, wie in den Diamantenfeldern, mit 10 Sh. bis 1 £ St. abgesetzt. »Oom Boer« aber lacht im Stillen über die närrischen Engländer und »Fremdlinge«, die für

einen wilden Paauw so viel Geld bezahlen, und lässt demzufolge um
so weniger bei seiner nächsten, zufälligen Begegnung eine solche
Trappe ungeschoren. Deshalb ist sie wohl auch in Südafrika die
scheueste ihres Geschlechtes.

Der Paauw nährt sich von Reptilien, Insecten, Würmern, Julus-
arten etc. Würden die freundlichen Patres familiarum, jene täglichen
Besucher der Frühmärkte in Südafrika, wissen, dass der von ihnen
so oft überbotene, als Wildpret hochgeschätzte Vogel so manch'
Schlänglein verzehrt, »Oom Boer« würde nicht eine halbe Krone für ihn
erhalten. Die Stimme des Paauws ist ein matter, zwei bis dreimal
sich wiederholender Glockenton, den man schon aus weiter Ferne
vernimmt. Obgleich der häufigste Vertreter des grösseren Federwildes
in Südafrika, so finden wir den Vogel doch nur selten gezähmt vor.
Das ausgestellte Exemplar wurde mir von dem Zoologen Herrn
Vormald in Port Elizabeth verehrt. Das Thier war auf einer hoch-
gelegenen Buschlichte zwischen dem Zondagsriver und Grahamstown
im Küstenlande erbeutet worden.   *H.*

Eupodotis Kori (Burch.) — Gom-Paauw.

Gray Hand-List. B. M. III Sp. 9919.

Otis luconiensis (Vieill.), — Eupodotis cristata (Scop.); Sonn. Voy. N. Guin, t. 49.

Diese grösste der südafrikanischen Trappen hat ebenfalls einen
sehr weiten Verbreitungsbezirk; sie erscheint wohl auf den Hochebenen wie Eupodotis caffra, doch häufiger wohl in solchen Localitäten,
wo sich in Gebüschen hochbegraste Auen ausdehnen, oder vice versa,
wo die Auen von zahlreichen Gebüschen durchsetzt werden, ausserdem
jedoch auch an unbedeutenden Waldlichten und in schütteren Wäldern,
während die vorhergehende Art mehr dem offenen, womöglich busch-
loseren Felde den Vorzug gibt. Demzufolge reicht auch der Gom-
Paauw weiter nach Norden bis in die Bamangwatoländer und das
Matabeleland. Den ersten Vogel erlegte ich auf der ersten Reise
im Jahre 1873 in der südlichen Transvaal und in einer äusserst
günstigen Situation. Wir waren noch eine Marschweite von Klerksdorp entfernt und lagerten an einem mässigen Abhange. Zahlreiche
Scapstecker (Giftschlangen), die wir zufällig am Abend zuvor in
dem, unsere Lagerstätte umgebenden Grase bemerkten, brachten uns
diesmal davon ab, in dem schwellenden Grase, das den durch Regen-

güsse breit ausgewaschenen Weg umsäumte, zu übernachten. So schliefen wir mitten unter rothblühenden Cinnas, welche allenthalben. gleich einem Unkraut, reichlich am Wege wucherten. Doch fanden wir das Lager etwas hart, und so hatten wir es zeitlich verlassen und sassen eben bei einem wässerigen Mocca am Herdfeuer, als mich meine Leute auf einen gerade auf den Wagen lossteuernden Vogel aufmerksam machten. Ich hatte wohl nur meine mit starkem Dunst geladene Schrotflinte zur Hand, doch war mir der Schuss aus einer solchen Nähe vergönnt, — der Vogel rauschte kaum zehn Meter über uns dahin, — dass ihn sogar der Papierpfropf erreichte, und das Thier, ein mächtiger Gom-Paauw, mit zerrissener Brust schwer zur Erde fiel. Wir hatten zwei Tage lang an dem Vogel zu zehren. Den grössten beobachtete ich in den Waldlichten nahe an der Notuanymündung; dieser ist mir einmal durch seine stattliche Gestalt, wie auch dadurch unvergesslich geblieben, dass an dem Morgen, an dem ich ihn erblickte, zum zweitenmale während der zweiten Reise meine vordere Wagenachse bei dem Passiren einer engen und tiefen Regenmulde mitten entzweibrach. — Auf der dritten Reise, ein Jahr später, jagte ich einige Meilen weiter nordwärts einige Pärchen auf. Sie hielten bis auf sechzig Schritte aus, versuchten sich nur in kurzen und niedrigen Flügen. Im Verhältniss zu ihrer Körpergrösse ist ihr Flug leicht zu nennen. Am höchsten und weitesten vermag Eupodotis caffra zu wandern.

Da der Vogel, wie schon erwähnt, Wald und Gebüschpartien im centralen Südafrika, zumeist die mittleren Betschuanaländer, bewohnt, wird er seltener als Wildpret auf den Markt gebracht.

· Der Gom-Paauw nährt sich ähnlich wie Eupodotis caffra, nur dass es ihm sein weiter Schlund noch ermöglicht, auch grössere Reptilien hinabzuwürgen. Insecten und Reptilien, Spinnen und Taussendfüssler bilden seine Hauptnahrung. Heuschrecken, Taussendfüssler und Reptilien im Sommer, Termiten und Reptilien während des Winters. Eine zahlreichere Ausbreitung hindern wohl die in den Gegenden seines Vorkommens so überaus zahlreichen hunde- und katzenartigen Raubthiere. — Mit Rücksicht auf das interessante Gebaren des Thieres während der Paarungs- und Brutsaison notirte ich mir den Gom-Paauw als einen jener Vögel, denen ich während der nächsten Expedition eine besondere Aufmerksamkeit zu widmen gedenke. *H.*

Charadriidae — Regenpfeifer.

Oedicnemus crepitans (Tem.) — Triel.

Gray Hand-List. B. M. II Sp. 9939.

Oedicnemus scolopax (Gmel.). — Oedicnemus griseus (Koch).

Oedicnemus capensis (Licht.) — Dikkop.

Oedicnemus maculosus (Cuv.). — Oed. grallarius (Tem.). — Oed. senegalensis (Grill.)

Den ersteren in den mittleren und nördlichen Betschuanaländern, den letzteren in der Capcolonie und Westgriqualand stets nur in Pärchen, doch nicht allzuhäufig beobachtet. Ersterer wird von den holländischen Colonisten der Berghaan, der Zweite Dikkop genannt. Der Oed. crepitans bewohnt zumeist etwas bebuschte, felsige Höhen, der Oed. capensis Gebüschränder. Kleine Reptilien, Insecten, Tausend-füssler und Würmer bilden die Nahrung dieser beiden Arten.   *H.*

Chettusia coronata (Smith) — Behaubter Sumpfkiebitz.

Hoplopterus coronatus (L.). — *Gray* Hand-List. B. M. III Sp. 9977.

Mehrere Weibchen und Männchen ausgestellt, im Allgemeinen viele in Südafrika erbeutet. Die ausgestellten im Matebethale zur Zeit des südafrikanischen Winters, im Monate Juli, erlegt. Iris dunkelocker-gelb; Schnabel schwarz, an der Wurzel carmin; Füsse carmin; Nägel schwarz. Der Vordertheil der Zunge weisslich, an der Spitze bräunlich.

Der behaubte Sumpfkiebitz, der eigentliche »Landstreicher« unter der südafrikanischen Vogelwelt, ist im Allgemeinen sehr verbreitet; er begleitet den Reisenden von der südlichen Küste bis an den Zambesi und noch weiter nach Norden. Er fehlt an keinem fliessenden Gewässer, sucht ebenso zahlreich die Seen als Teiche und Moräste auf, doch finden wir ihn auch viele Meilen weit landeinwärts in den Grasebenen und auf Gebüschlichten vor. Ausser seiner Häufigkeit macht sich der Vogel auch durch eine grosse Neugierde und durch nickende Kopf-bewegungen dem Reisenden bald bemerkbar. Hat man den neugierigen Kiebitz z. B. durch einen Schuss bedroht und so die Gesellschaft zur

Flucht genöthigt, so wird der sonst zudringliche Vogel so scheu, wie beinahe keiner der in Südafrika durch ein häufiges und geselliges Vorkommen leicht auffallenden, befiederten Bewohner der Lüfte. Seine Bewegungen am Boden, sowie sein Flug sind der Beachtung werth. Da steht eben eine solche Gesellschaft etwa 30 Schritte vor uns. Die Thiere waren soeben eingefallen, um wie gewöhnlich an dem Regentümpel — an welchem wir des schwarzen Gnu's halber seit den späten Nachmittagsstunden niedergekauert lagen — an einer unbegrasten Uferstelle zu übernachten. Mit Vorliebe suchen sie solche kahle Stellen auf, um leichter einen etwaigen Schakalangriff wahrnehmen zu können. Nur einen Moment lang verharren die Ankömmlinge in regungsloser Stille, — Umschau haltend; dann, wie auf ein gegebenes Schlagwort, laufen die Einen dahin, die Andern dorthin zwei bis drei Meter weit, — nach allen Richtungen auseinander. Während der seiner Sicherheit halber unternommenen Umschau hatte das scharfe Gesicht des Vogels auch den Boden in der allernächsten Umgebung gestreift, und der eine dies, jener ein zweites Kerbthier entdeckt. Kaum dass er es vom Boden aufgelesen, richtet er sich auch schon wieder auf, um abermals Rundschau zu halten und sich zu gleicher Zeit nach einer zweiten Termite zum Abendimbiss umzusehen. Dies äusserst rasche Vorwärtstrippeln, um ein Insect aufzulesen, das plötzliche Stehenbleiben mit oder ohne Kopfnicken begleitet, können wir an jedem Exemplare zahllosemale im Laufe einiger Stunden beobachten. Zuweilen sehen wir die Vögel sich gegenseitig necken, so auch die ehrenwerthen Mitglieder jener Gesellschaft, die uns an dem Regentümpel besuchte, einander jagen und zwei Hähne mit gesenkten Köpfen im Kampfe begriffen einen eigenthümlichen, gurgelnden Ton ausstossen, während sonst diese Kibitzart (und das gewöhnlich im Fluge) ein weit schallendes, kreischendes Geschrei hören lässt, dem sich ein Lachton anschliesst. Zu allen Zeiten vorsichtig, munter und dreist, wenn erschreckt — misstrauisch und scheu, neckisch und spiellustig, auch kampfbereit — wenn von den Genossen in seinem Rechte geschädigt oder wenn einen Räuber, sei es Thier oder Vogel erschauend, das sind die Charakterzüge des behaubten Sumpfkiebitzes, Tugenden, die dem Einheimischen sowohl wie dem Fremdling bald auffallen. Häufige Streitigkeiten verzeihen wir da schon den in der Regel 7 bis 10, doch auch bis an die 30 Stück zählenden Gesellschaften; wir thun es mit Hinblick auf den Schutz, den diese Kiebitze kleineren Vögeln namentlich den lerchen- und finkenartigen, wenn diese etwaigen Verfolgungen von Seite der Sperber und Falken ausgesetzt sind, angedeihen lassen. Laut kreischend werfen sie sich den letzteren entgegen und verfolgen sie weithin. Die Dreistigkeit, sowie die äusserst grosse Vorsicht, die unserem Vogel so eigen ist, bewahrt ihn vor vielen erfolgreichen Nachstellungen seiner Feinde, deren die in Südafrika so zahlreich vertretene Ordnung der Grallae in der That mehr denn eine Legion zählt.

Kaum aus dem Ei entschlüpft, wissen sich schon die, etwa einen halben Daumen grossen, weissgrau gescheckten, Flaumenballen nicht unähnlichen, hochbeinigen Küchlein bei herannahender Gefahr an den dichten Rasen, die Wurzeln der Zwergbüsche, Steine und ähnliche Objecte so wohl anzuschmiegen, dass sie auch in der Regel von Menschen und Thieren übersehen werden.

Den obenerwähnten Gurgelton, den wir vielleicht mit einem »Kollern« bezeichnen können, lassen die Hähne auch oft vor und während des Brutgeschäftes und dann zumeist während der Abend- und Nachtzeit hören.

Die Thiere vermögen sehr hoch und rasch zu fliegen, sowie auch weite Strecken zurückzulegen. Während des Fluges sind sie manch' schöner, plötzlicher Schwenkung fähig, und pflegen sich auch, wenn in der Nacht aufgescheucht, auf eine viertel bis halbe Stunde hin in die Lüfte zu flüchten, um hier in mässiger Höhe einmal schweigend, das anderemal laut kreischend, den Ruhestörer, Mensch oder Thier zu umschwärmen. Während der Nachtzeit ist neben dem Tetrapteryx paradisea der behaubte Sumpfkibitz der vorsichtigste Vogel, den ich in Südafrika kennen gelernt habe. Da, wo sich der Vogel ausser Gefahr wähnt, streicht er rasch und laut mit den Flügeln schlagend, knapp über dem Boden dahin.

Die Chettusia coronata wird — als einer der grössten Termitenfeinde — den Colonisten durch die Vernichtung von Myriaden dieser Inseeten und der Heuschrecken sehr nützlich. Und so wollen wir von dem Vogel als gute Freunde scheiden, ihm seine Dreistigkeit und Wachsamkeit verzeihen, mit der er uns nur zu oft dem Wilde verrathen,wenn wir hungernd und unter Herzklopfen bereits so manche Stunde in den Erdlöchern, am Ufer der Wassertümpel verträumend das herangrasende Wild in banger Spannung erwarteten, um uns und den Unsrigen ein saftig Stück frischen Fleisches zu sichern.   *H.*

Hoplopterus speciosus (Licht.) — Pracht-Spornkiebitz.

Hoplopterus speciosus (Licht.). *Gray* Hand-List. III Sp. 9971.

Hoplopterus armatus (Jardine et Selby).

Iris hell carminroth; Schnabel, Füsse und Nägel schwarz. Im gesammten centralen Südafrika, namentlich vom 32. Grad südl. Br. nach Norden zu an stehenden und fliessenden Gewässern ebenso häufig in Pärchen, wie gesellschaftlich anzutreffen. Er begrüsst den ankommenden Menschen mit einem lauten Tik-Tik, welchen Schrei er auch in seinem stossweisen, raschen Fluge von sich gibt; der Vogel erhebt sich nie so hoch in die Lüfte, wie Chettusia coronata. Längs des Ufers hin- und hertrippelnd, pickt er bald hier, bald dort seine Nahrung auf, die vorherrschend in kleinen, in der Nähe des Wassers lebenden Kerbthieren, Würmern und Molusken besteht. Eine seiner Charaktereigenthümlichkeiten sind die äusserst häufigen, nickenden Leibesbewegungen, mit denen der schmucke, schwarzweissgescheckte und an jedem Flügel mit einem scharfen schwarzen Sporn bewehrte Vogel seine ununterbrochenen Betrachtungen anstellt. Hervorragende Neugierde ist ihm eigen, doch ist er dabei vorsichtig und weniger scheu wie seine nahe Verwandte, die bereits erwähnte Chettusia. Selten fehlt er einem sumpfigen Weiher. Bei kleinen Gewässern dieser Art, die versteckt im hohen Grase liegen, ist eben sein bekannter Ruf das Erste, was uns auf die Nähe des Wassers aufmerksam macht. Und fühlt er sich dem herantrollenden Menschen oder dem vorsichtig durch das Untergras heranschleichenden Schakal gegenüber am Ufer nicht sicher genug, so schwingt er sich auf das nächste, einige Meter vom Ufer entfernte Inselchen oder umflattert durch einige Minuten die Ankommenden, um sich schon nach wenigen Minuten, nachdem er seiner Neugierde Genüge gethan, an einer anderen, nahen Uferstelle wiederum niederzulassen.

Die ausgestellten Exemplare sind männliche Vögel und stammen aus dem Matebethale (Westtransvaal) und von den Hartsriver-Molapo-Salzseen. Auf trockenen Ebenen traf ich diese Vögel nie weit landeinwärts — von Gewässern entfernt — und auch nie in solch' zahlreichen Gesellschaften an, als wie die Chettusia coronata, die sich im Allgemeinen mehr nützlich erweist, wenn auch der Pracht-Spornkiebitz ein friedlicherer und liebenswürdigerer Geselle genannt werden muss. *H.*

Lobivanellus albiceps (Gould.) — **Weissköpfiger Sumpfkiebitz.**

Hartl. O.-W.-Afr. 214.

Hoplopterus albiceps *Layard* B. S-Afr. 293. — *Gray* Hand-List III Sp. 9974.

An den Sandbänken im Zambesistrom und an den Ufern seiner
Zuflüsse im Albertslande, meist paarweise beobachtet. Die beiden ausgestellten Vögel sind Weibchen. Regenbogenhaut in den Regenbogenfarben schillernd. Vordere Schnabelhälfte schwärzlich, die hintere gelbgrünlich; die Füsse leberbraun. Nährt sich von Insecten und kleinen
Fischen. Ich habe diese Species nicht südlicher als bis zum 18 Grad
südl. Br. getroffen.   *H.*

Lobivanellus lateralis (A. Smith) — **Gelappter Sumpfkiebitz.**

Finsch et Hartl. Vögel O.-Afr. 643.

Chettusia (Lobivanellus) lateralis. *Gray* Hand-List. III Sp. 9966.

Ein Weibchen ausgestellt. Regenbogenhaut irisfarben; das vordere
Drittel des Schnabels schwarz; die hinteren Zweidrittel grünlichgelb.
Die oberen Hautlappen roth, die unteren stechend gelb; Füsse licht
grüngelblich, an jedem Flügel ein kurzer Sporn. Nahrung: Insecten
und Würmer. Aus dem Zambesithale. Nur wenige Exemplare und nur
in dem Bereiche des Zambesistromes, nicht südlicher, vorgefunden.
                                                                          H.

Charadrius tricollaris (Vieill.) — **Südafrik. Sandregenpfeifer.**

Gray Hand-List. III Sp. 10002.

Charadrius indicus (Lath.); Lesson, Vol. 2 Pl. 320.

Schnabel an der Spitze schwarz, die beiden anderen Drittheile,
sowie ein Hautring um das Auge zinnoberroth; Füsse schmutzig
ockergelb; Nägel schwarz. Die ausgestellten Männchen im Matebethale bei Linokana, im August 1876, erlegt. Im gesammten Central-
Südafrika verbreitet. Lebt gesellschaftlich am Rande von Gewässern.
Stehenden, morastlosen, ebenso wie sumpfigen, die ein Wasserstrahl durchströmt, gibt er stets vor grösseren, fliessenden Strömen den Vorzug.
In der Nähe der Farmgehöfte, an den Teichen und Pfützen findet er
sich noch zahlreicher vor als Chettusia coronata. Während meiner
ersten südafrikanischen Reise, von der Küste nach den Diamanten-

feldern war er einer der ersten Vögel, die mir durch ihre Häufigkeit, ihr geselliges Zusammenwirken und ihre Scheulosigkeit auffielen. Emsig seiner Nahrung nachgehend, die zumeist in kleinen Wasserinsecten, Würmern u. dgl. besteht, ist er in einer ununterbrochenen Bewegung, in der That ein äusserst munteres und sehr nützliches Thierchen. Er wie sein Nachfolger finden sich täglich in beträchtlicher Anzahl, zugleich mit Bachstelzen in Pärchen und Nestfamilien immer wieder an demselben Gewässer zu Tische ein. Die grössten Gesellschaften die ich bemerkte, zählten an zwanzig der Thierchen. *H.*

Charadrius asiaticus (Pall.) — Steppenregenpfeifer.
Gray Hand-List. III Sp. 9990.

Ein Männchen ausgestellt, aus dem Panda-ma-Tenkathale herstammend, Iris braun; Schnabel schwarz; Füsse schmutzig ziegelroth; Nägel schwarz. Der Vogel hat sein Sommergewand angelegt. Südlicher vom Albertslande habe ich ihn nie beobachtet. *H.*

Glareolidae — Schwalbenwader.

Glarcola Nordmanni (Fischer) — Steppenbrachschwalbe.
Gray Hand-List. III Sp. 10027.

Diese Glareola ist eine der häufigsten Erscheinungen in der südafrikanischen Vogelwelt. Im Gegensatze zu dem grauen Kranich (Tetrapteryx paradisea), der »det grote Springhaanvogel« genannt wird, von den Holländern »det kleene Springhaanvogel« benannt, ist sie unstreitig einer der nützlichsten Vögel jener Hemisphäre. Zur Sommer- wie zur Winterzeit wird der Reisende. der das centrale Südafrika — die östliche Provinz der Capcolonie mit einbegriffen — aufsucht, und jene unabsehbaren Karrooebenen und Grassteppen bereist, nur allzu häufig einem Vogel in grosser Anzahl begegnen; er hat die Bekanntschaft eines der besten Segler, eines rastlosen Bewohners der Lüfte, die der südafrikanischen Steppenbrachschwalbe gemacht. Während der Sommermonate gehört die Glareola der Hochplateaus den Lüften an, zur Zeit der schneelosen, dürren Wintertage vertauscht sie den Aether mit der Erde und wird zu einem Rennvogel. Ohne Rücksicht

16

jedoch auf Winter und Sommer, bleibt das Thierchen seinem Berufe
treu, »dem Menschen zu nützen«. Und so wollen wir jene endlosen
Ebenen aufsuchen, um nach unserem Vogel zu fahnden.

Sommerzeit ist in die Hochplateaus eingezogen! Auf den grasarmen Karrooflächen blühen die Scaapbüsche;* ein starker ihnen ent-
strömender Duft, sowie der schöne Anblick, riesige Flächen mit Millionen ihrer Blüthen, hier rosaroth, dort dunkel violett, hie und da
weiss oder gelb gefärbt zu sehen, verscheucht aus der beengten Brust
die wehmüthigen Gefühle, die sich sonst des Reisenden bei der Umschau
in dieser trostlosen** Gegend bemächtigen. Sommer ist es auch jenseits*** des Oranje und Vaalrivers geworden. Unabsehbare Ebenen
schwellen vom wogenden Grase; hundertfache Blumen mit Tausenden
von mannigfach gefärbten Blüthen geschmückt drängen sich zwischen
den Grasbüscheln hervor, »farbige Teppiche« in möglichster Form,
wohl ein Gegensatz zu den nackten Bodenstellen, welche die Zwerg-
scaapbüsche der Karroo von einander scheiden. Seht ihr hier in der
Karroo und dort auf der blüthenreichen, wogenden Steppe, jene dichten
grauen Wolkenmassen, die sich riesigen Rauchsäulen gleich, langsam
über die Erde gegen uns heranwälzen? Wohl Steppenbrand! Doch
nein, das Gras der Riesenau ist noch zu saftig. Was kann es sein?
Meilenlange Schwärme wandernder Heuschrecken sind es, diese heran-
brausenden Wolken, der Schrecken des Farmers dessen winzig Feld,
dessen Weideplätze sie ernte- und graslos zu machen drohen. Der
einzelne Farmer, und mögen ihm auch noch so viele Diener zur Verfügung stehen, ist hilflos gegen solch' einen Angriff. Da eilen ihm
aber Tausende der Vögel zu Hilfe, alle wie sie auf seiner und den
Nachbarfarmen nisten und leben, davon die grauen Kraniche als die
tüchtigsten am Platze, allen voran! Doch im Hinblick auf ihre Zahl,
mehr wie sie alle, erfolgreicher wie alle diese ständigen Bewohner der
Gegend, erweisen sich die Steppenbrachschwalben als Retter.

Bei dem Heranbrausen der verheerenden Insecten fielen uns
sicherlich gewisse dichtere und dunklere Stellen in der rauschenden
Wolkenmasse auf. Es sind die, hier einige Dutzend, dort Hunderte und
Tausende von Thieren zählenden Schaaren der Glareola, welche auf

---

* Kaum 1 bis 1½ Fuss hohe Zwergbüsche, an denen Schafe wohl gedeihen.
** Gebüscharm, baumlos, nur selten ein kahles Farmgebäude aufweisend.
*** In den Steppen des Oranjefreistaates, der Transvaal und den südlichen
Betschuanaländern.

ihren wiederholten, pfeilschnellen Streifzügen durch die südafrikanischen Hochlande die Heuschreckenschwärme rasch wahrnimmt, sie verfolgt, an ihnen Tage und Wochen lang zehrt und nimmer müde, nimmer satt, täglich hunderttausende der schädlichen Insecten vernichtet, als bis der geschwächte Rest — den Lüften und dem Wandern entsagt. Und alle die ständigen Vögel, vom Adler bis zur Drymoica herab, nicht minder wie jene, die vom Norden herabgekommen zu Tausenden

Die Steppenbrachschwalbe.
„Im Kampfe ums Dasein, doch auch als Retter des Menschen wirkend".

und Tausenden südlich vom Aequator überwintern, helfen in diesem grossen Vernichtungswerke, und haben doch so viel erzielt, dass die Wanderheuschrecken nicht zu einer allgemeinen Landplage in Südafrika geworden sind.

Die Südafrika bewohnenden Weissen und die Eingebornen segnen die Glareola, und schonen die ständigen wie die fremden befiederten Wanderer. Der einzelne Farmer hat für sie hinreichenden Raum und

16*

sein Besitz bietet mehr denn die nöthige Nahrung. So sind die dunklen Barbaren und die eingewanderten Europäer in ihrer grösseren Mehrzahl »Selbstthierschützler« geworden.

Doch auch zur Winterszeit erweist sich die Glareola für den Colonisten wie auch für den Farbigen als sehr nützlich. In den eigentlichen Wintermonaten nähren sich die Brachschwalben beinahe ausschliesslich von Termiten, und in der Frühlingszeit verfolgen sie verschiedene noch nicht vollkommen entwickelte Schrickenarten, welche in langen Zügen und riesiger Anzahl am Boden einherkriechend meilenweite Strecken durchwandern.

Ein Beobachter, welcher der Vogelwelt vielleicht nur ein geringes Interesse entgegenbringt, wird unwillkürlich bei dem Anblicke des daherrauschenden Brachschwalbenheeres zur Stelle gebannt. Die schöne Flugweise der gewöhnlichen Schwalbe ist bei der Glareola mit grösserer Kraft und Ausdauer gepaart.

Strecken, wie die Frühjahrs- und Herbstwanderungen unserer Schwalbe legt die Glareola auf ihren Streifungen mehrmals im Jahre zurück. Doch nicht allein die Ausdauer und der treffliche Flug des einzelnen Vogels sind es, welche schon für einen Laien so viel des Interessanten bieten, es ist vielmehr der »Massenflug«, das Gebaren der Tausende in den Lüften, welche Aug' und Geist auf so lange, ja immer wieder zu fesseln vermögen. Pfeilschnell — als Rächer der geschädigten Auen — jagen die dichten Schaaren der südafrikanischen Steppenbrachschwalben den über der Erde geballten Heuschreckenwolken entlang. Und auf diesem raschen Fluge da hascht und schlingt ein jedes der Thiere, dass die abgezwickten Flügel der Insecten förmlich — herabregnen; dem ungeachtet halten sie alle die eingeschlagene Flugrichtung ein, bleiben getreu in Reih und 'Glied. Da plötzlich schwenkt die Vorhut zur Seite ab und — mitten in die Heuschreckenwolke hinein, durchbricht dieselbe und wirkt noch vernichtender, als es ihr auf dem Längsfluge möglich war; denn während des Durchbruchs werden viele der Orthoptera von den Schwingen der Rächer getroffen und fallen todt oder schwer beschädigt zur Erde herab. Kaum dass die letzten der Brachschwalben den Heuschreckenschwarm durchbrochen, ihn verlassen haben, hat sich die Vorhut gehoben, und jagt wiederum längs — doch zugleich auch hoch in den Lüften über den dichten Insectenmassen dahin, um sich vielleicht schon im nächsten Augenblicke allmälig in dieselben zu senken oder sich theilend, wie zuvor, längs den Orthopteraschwärmen und unmittelbar über den Boden dahin zu streichen. Der Längsstoss, das Abschwenken nach den Seiten, das allmälige und schiefe, wie das plötzliche, hohe und tiefe Steigen und Fallen veranschaulichen dem Beobachter das Trefflichste, was ein Vogel »als Vogel« zu leisten vermag.

Bei der Nahrungslese im Winter zeigt sich der Vogel nicht minder behend, wenn er, auf dem Boden hin- und hertrippelnd, sei es die unbeflügelten Schricken in ihrem Gänsemarsche aufzuhalten, sei es die auf Raub ausgegangenen Termitenjäger aufzulesen sucht. Bald ist er hier, bald ist er dort, stets flink und behende, rasch und schlagfertig.

Die südafrikanischen Steppenbrachschwalben sind durchaus nicht scheu, sie werden es nur dann, wenn man Versuche macht, ihnen zu schaden, sonst aber lassen sie den Menschen nahe herankommen, wohl fühlend, dass sie geschont werden. Klugheit im Vergleich mit anderen Rennvögeln, sowie auch Vorsicht müssen neben ihrer Nützlichkeit als die vorwiegendsten Eigenschaften dieser Thiere angesehen werden.

Bei allen den Vorzügen in ihrem Charakter besitzen doch diese Thiere eine nennenswerthe Untugend und wir müssen nur staunen, dass der Vogel, dieser Eigenschaft ungeachtet, so innig den Satzungen eines gesellschaftlichen Lebens gerecht wird. Ich habe wenige Vögel beobachtet, welche sich so unverträglich erwiesen hätten, als wie die südafrikanischen Brachschwalben. Weniger in den Lüften als vielmehr auf der Erde zur Sommer- und Winterszeit, bei ihrer Nahrungslese, wie wenn sich die Thiere in ihrer unermüdlichen Gefrässigkeit einige freie Momente gönnen, sehen wir sie stets im heftigsten Streite, sei es im »ernsten« Spiel, sei es im »argen« Kampf begriffen. Auch Gefangene bleiben dieser Untugend getreu. Ich hielt einige der Thiere durch mehrere Monate in Gefangenschaft, sie gediehen wohl, doch gingen an ihnen die möglichst interessanten Beobachtungen, welche man an mehreren gleich- oder verschiedenartigen, in einem Behälter gehaltenen Thieren machen kann, vollkommen verloren. Ich musste sie immer wieder separiren und jedem einzelnen einen besonderen Käfig zuweisen. Zuweilen hatten sich zwei Männchen in einander so verbissen, dass ich mit der Hand den Sieger fassen musste, bevor er seinen Gegner, den er in der Regel an der Stirne gefasst hatte, losliess.

Obgleich ich in den Sommermonaten die Thiere einzeln und in Pärchen, doch stets eine grössere Zahl auf der Erde hockend vorfand, so habe ich doch kein Nest des Thieres gesehen, trotzdem glaube ich, dass es in manchen Gegenden Südafrikas nistet und dass seiner wünschenswerthen noch grösseren Häufigkeit die zahlreichen Canina und Felina der Steppen hindernd entgegentreten.   *H.*

Cursorius Burchelli (Swains.) — Burchell's Wüstenläufer.
Gray Hand-List. B. M. III Sp. 10037.

Ein Männchen ausgestellt. Schnabel schwarz; Füsse weisslich. Diese Species wie die folgenden und einige weitere südafrikanische Arten werden von den Holländern Patlooperke genannt, wohl ob ihrer Eigenschaft, Ebenen, doch meist die weniger dicht begrasten kahlen Stellen, welche die Hochebenen von Süden her bis an den Oranjefluss und stellenweise bis an den Vaalfluss charakterisiren, sowie auch Wege, Nahrung suchend, abzulaufen.

Sie gehören zu den gewöhnlichsten Erscheinungen auf diesen Hochebenen, und es wird sicherlich dem Reisenden diese oder jene Art, sowie er die höheren Terrassen erstiegen hat, in die Augen fallen.

Sämmtliche Arten sind auffallend zahm, die meisten lassen den Menschen auf 15 bis 10 Schritte herankommen, und leben in Gesellschaften von 3 bis 30 Stück. Sie sind muntere Vögel, ohne so dreist wie die unbespornten Kibitze und ohne so streitsüchtig wie Glareola Nordmanni zu sein. Sie sind äusserst flink am Boden und fliegen sehr rasch, wobei ihr Flug mehr überstürzt als schön genannt werden muss; sie wenden sich bald nach rechts, bald nach links, ohne eigentlich im Zickzack zu fliegen; sonst ist ihr Flug im Allgemeinen ein solcher, dass man nicht weiss, wohin sie sich im nächsten Momente zu wenden gesonnen sind. Sie leben zumeist von Insecten und Würmern.   *H.*

Cursorius senegalensis (Licht.) — Senegal'scher Wüstenläufer.
Gray Hand-List. B. M. III Sp. 10038.

C. senegalensis *Layard* B. S.-Afr. p. 290. — *Gurney* in Anderssons Birds of the Damaraland p. 261. — *Schlægel* Mus. Pays. Cursores 13.

Ein Männchen und ein Weibchen ausgestellt; Schnabel schwarz; Füsse weisslich. Etwas mehr scheu wie die vorige Species, pfeift auch öfters, namentlich im Fluge. Ich beobachtete die Thiere nicht so häufig wie C. Burchellii und in Gesellschaften, welche die Zahl fünfzehn nicht überstiegen. Die ausgestellten Exemplare stammen aus dem Oranjefreistaate; ausserdem sah ich sie wiederholt im West-Griqualand, der südlichen Transvaal und den Betschuanaländern bis gegen den Zambesi nach Norden hin. In den nördlicheren der letzteren bewohnen sie die grösseren der mehr grasarmen Wald- und Gebüschlichten.   *H.*

Cursorius bicinctus (Temm.) — Doppeltbebänderter Wüstenläufer.

Gray Hand-List. B. M. III Sp. 10040.

C. africanus (Temm.).

Zu wiederholtenmalen in kleinen Gesellschaften bis zu 10 Stück, zumeist Nestfamilien, zwischen dem Oranjeriver und dem Molapo das ganze Jahr hindurch beobachtet. Gebaren und Lebensweise so ziemlich mit der, des Cursorius Burchellii übereinstimmend.   *H.*

Gruidae — Kraniche.

Grus carunculata (Gmel.).

Gray. Hand-List. B. M. III. Sp. 1087.

G. car. Cuv., Vol. 3, p. 332. Shaw. Vol. 11. p. 533.

Dieser Kranich ist im Allgemeinen der seltenste in seiner Unterfamilie. Auch scheint er für gesellschaftliches Leben nicht sehr eingenommen zu sein, denn ich beobachtete ihn nur in Pärchen (ohne dass ich eines der Thiere hätte erbeuten können) und nahm ein Gleiches von meinen Berichterstattern entgegen. Wie die Riesenreiher liebt er mehr die unmittelbare Nähe der Gewässer, statt wie seine beiden folgenden Verwandten sich den Tag über und der Nahrung halber in grösseren Ausflügen auf die Ebenen, Lichten etc. zu versuchen. Er frisst Alles, was ihm an dem Gewässer in den Wurf kommt. In manchen Localitäten ist er scheu, im anderen traf ich ihn kaum 300 Schritte von menschlichen Wohnungen entfernt an. Er ist gleich den beiden folgenden Verwandten zumeist ein stätiger Bewohner des einmal gewählten Wohnortes, und brütet auch an Stellen wo man ihm als Gast die nöthige Ruhe gönnt.

Das erste Exemplar, ein Weibchen, erschaute ich in dem halbausgetrockneten Bette des Fischrivers oberhalb Cradock, wo das Thier in einigen seichten Tümpeln fischte.   *H.*

Tetrapteryx paradisea (Licht) — Heuschreckenkranich.

Anthropoides paradisea *Gray* Hand-List. III Sp. 10092.

Anth. Stanleyanus. Layard p. 303; Zool. Journ. II 234. Pl. 8; Cuv., Vol. 3, 330; Grus paradisea (Licht.). Tetrapteryx capensis (Thunb.).

Welcher Colonist, welcher Eingeborne, welcher unter den Reisenden auf südafrikanischem Boden sollte den Heuschreckenkranich nicht kennen? Nicht allein die weite Verbreitung ist es, die den Vogel solch' einen Vorzug geschaffen, als vielmehr seine Nützlichkeit, welche ihm in der Capcolonie sowohl, wie in den Republiken, in Westgriqualand und den Betschuanaländern eine allseitige Schonung und Hochachtung erworben hat. Mir ist nur ein einzig Land bekannt, in dem man seinen grossen Nutzen missachtend, oder sagen wir richtiger, unvermögend ihn zu erfassen, eifrig dem Vogel nachstellt. Es ist dies das nördliche Zululand, das Reich der Matabele, ein Hort von blutdürstigen Creaturen, welche nur von Raub und Mord, von den Schwielen und den Mühen Anderer leben, ohne selbst je den Segen des Landbaues kennen gelernt zu haben. Was liegt diesen Landpiraten daran, ob die Wanderheuschrecke die Sorghum- und Maisfelder ihrer Nachbarn vernichte? Sie, die sich »Männer«, die »Horden La Bengola's« nennen, kümmern sich nicht darum, denn Beef und wiederum Beef bildet ja ihre Hauptnahrung; sie bedürfen jedoch der langen Flügelfedern, welche den Tetrapteryx paradisea zieren, sie bedürfen der schönen Feder, um sich auf ihren Raubzügen ihr wollig Haar damit zu schmücken. Sonst ist der »Blue crane«, auch »the large Locustbird« der englischen und »det grote Springhaanvogel« der holländischen Colonisten. ebenso wie die Glareola — allgemein geachtet. Er ist unter den grossen Sumpfvögeln der nützlichste Insectenvertilger Südafrikas. Wir üben nur einen Act der Dankbarkeit aus, wenn wir den Vogel für jene, von zahlreichen Orthopteren und Neuropteren wimmelnden, von meilenlangen Heuschreckenschwärmen heimgesuchten Gegenden eine wahre Wohlthat nennen. Seine eigentliche Heimat sind die weiten Ebenen der centralen und nördlichen Capcolonie, das grosse Namaqualand, West-Griqualand, der Oranjefreistaat, die südliche und centrale Transvaal, die südlichen Betschuanaländer und die mehr gebüschfreien Partien des Kalahari-Bushveldtes. Sonst findet er sich auch in den Küsten-strichen, nach Norden zu bis über den Zambesi, doch in einer be-schränkten Anzahl vor. Seine eigentlichen Aufenthaltsorte sind die grossen Grasebenen; dem Vogel um so willkommener, je freier sie sind und je spärlichere Gebüsche sie aufzuweisen haben.

Der Reisende ist wohl nicht weit ins Land gekommen und schon hat er Gelegenheit, die grossen grauen, sich bereits von der Ferne durch ihren schönen dunklen Flügelschmuck hervor-thuenden Kraniche zu betrachten. Auf der ersten ausgedehnten Hochebene, die wir betreten, erschauen wir in weiter Ferne neben den Springbockantilopen auch kleinere Objecte, die wir bei un-serer raschen Annäherung für Vögel an-erkennen müssen. Befragt, belehrt uns der schmauchende Malayenkutscher, der sein treffliches Sechsgespann von Mo-ment zu Moment den Thieren rasch näher bringt, dass dort die »Springhaan-vögel« neben den Springböcken gemüth-lich einherweiden. Eine Viertelstunde später stehen wir kaum 300 Schritte von ihnen entfernt, ja ihnen gegen-über. Unserer Neugierde nachkommend,

Matabele mit einer Flügelfeder des Tetrapteryx geschmückt.

hält für einige Augenblicke Java's brauner Sohn in seiner wilden Fahrt inne. Der Gang der Vögel zeigt von Selbstbewusstsein und Kraft und doch ist er nebstbei auch leicht zu nennen; der vorgestreckte Hals, die raschen Wendungen mit dem Kopfe, wie ein wiederholter schwacher Ruf sprechen deutlich für des Vogels grosse Vorsicht, wie das minuten-lang währende Beäugeln auf eine ungewöhnliche Neugierde schliessen lässt. Unsere längere Betrachtung hat jedoch endlich seine Zuthunlich-keit zu sehr auf die Probe gestellt, sein Misstrauen rege gemacht.

Seht, da lüften die Kraniche eben ihre Flügel und schon gestaltet sich ihr bedächtiger Tritt zu einem Laufschritt, ja, ja sie haben einen Anlauf genommen und schon hat sich die Schaar an drei Meter hoch emporgeschwungen, um nach einem langsamen niederen Fluge, etwa tausend Schritte weiter ab, eine zweite von Termiten wimmelnde Stelle zu wählen. Mit den Vögeln haben sich auch die Antilopen geflüchtet und später habe ich dies auf den Harts- und Molapoebenen wiederholt beobachtet, dass diese Kraniche neben den grossen Trappen nur all' zu oft das vierfüssige Wild auf den heranschleichenden Jäger aufmerksam zu machen verstehen.

Ausser dem Dahinstreichen längs des Bodens, fliegen die Thiere auch in mittlerer Höhe; dies zumeist bei ihrem Ausfluge am Morgen und ihrer Heimkehr am Abend, wenn sie eine wohlbekannte Strecke zwischen ihren Schlummerstätten und den alltäglich besuchten Weideplätzen zurückzulegen haben. Wechseln sie jedoch ihren Aufenthalt, sei es durch das Puffen bei den zahlreichen Antilopenjagden geängstigt, oder aus Nahrungsmangel im Aufsuchen von Gegenden begriffen, welche weniger durch die Winterdürre geschädigt, zahlreichere Insecten aufzuweisen haben, so fliegen sie so hoch, dass man sie nur als Punkte wahrnimmt, und doch schallt ihre Stimme so deutlich zu uns herab, dass es den Anschein hat, als ob die Thiere hundert Meter über uns schweben würden. Nicht minder beachtenswerth, wie das Gebaren und Auftreten des Vogels und sein langer Flügelschmuck, erscheint uns namentlich seine schöne, erstaunlich weit hörbare Stimme; es sind tiefe, melodische und langsame, zwei- oder mehrfache Gurgeltöne, die auf sehr weite Entfernungen die horizontalen wie die senkrechten Luftschichten durchbrechend, erlauscht werden können. Mächtig, ja ergreifend und überwältigend wirkt des Vogels fesselnde Stimme, wenn sie in der tiefen Stille einer jener klaren,wundervollen tropischen Nächte aus der Ferne, doch noch mächtiger wenn sie aus der Nähe plötzlich — wie auf ein Machtgebot hin hervorgerufen — in hundertfachem Chorus dem einsamen Wanderer entgegenschallt. — Bis zu ihrer vollen Entwickelung lassen die Thiere nur ein Gezwitscher hören, dass dem der Küchlein unserer gewöhnlichen Hühner nicht unähnlich ist.

Ich erwähnte, dass wir die Heuschreckenkraniche in kleineren und grösseren Gesellschaften vorfinden. Während der Brutzeit, sowie wenn in jenen oberwähnten Gegenden angetroffen, welche ausser dem eigentlichen Verbreitungsbezirke liegen, treffen wir die Thiere zumeist in Pärchen an. Solche Thiere erweisen sich dann als die scheuesten.

Obgleich meistens Farmgrund bewohnend und wohl beinahe täglich den Menschen erschauend, sind doch diese Vögel als scheu und tagsüber auf der Weide, wie während ihrer nächtlichen Rastzeit, als sehr vorsichtig zu bezeichnen. Die grosse Scheu geht aus einer Eigenheit, einem Misstrauen hervor, das selbst die gezähmten Thiere nicht verleugnen, wenn sie z. B. einen auffallend gekleideten Menschen oder sonst einen fremden, auffallend gestalteten oder gefärbten Gegenstand erblicken. Was ihre Vorsicht anbetrifft, um sich während der Nacht sicher fühlen zu können, bieten die Vögel dem Reisenden manch' interessante Beobachtungen und nöthigen ihm die Ueberzeugung ab, dass sie auch anderen Sumpfvögeln als Rathgeber und Lehrmeister gedient haben mochten. Und so sehen wir, dass viele andere Stelzenvögel, wenigstens zu einem gewissen Grade, von eben dieser Vorsicht Gebrauch machen. Einzelne Pärchen oder Nestfamilien, welche sich in einer von Menschen etwas dichter bewohnten Gegend aufhalten, finden sich oft schon am Tage bei ihren Schlummerstätten, grösseren künstlichen Gewässern oder den seichten Salzseen ein, während die grösseren Gesellschaften erst spät am Abend zu denselben wandern; sie hatten etwa eine halbe oder eine Stunde vor Sonnenaufgang ein solches Gewässer verlassen und sich, der Nahrungslese halber, auf den ganzen Tag von demselben entfernt.

Die Heuschreckenvögel wussten sich die grössten der vielen Teiche* und die noch umfangreicheren und noch seichteren Salzseen nutzbar zu machen. Diese Gewässer sind ihre Schlummerstätten geworden. Lagern wir an denselben und haben wir uns den Tag über nicht durch wiederholtes Schiessen allzu bemerkbar gemacht, so sehen wir, in den Sommermonaten bereits bei Sonnenuntergang, zur Winterszeit, wo die Nahrungslese der Vögel mehr Mühe erfordert, in der späten Abenddämmerung, von allen Seiten Schaaren von Sumpf- und Schwimmvögeln zu dem Gewässer heranziehen. Grössere Salzseen weisen die meisten Arten der Schutz- und Sicherheitsuchenden auf. Da gibt es neben unserem Vogel Pfauenkraniche, Reiherarten, Störche, Kampfhähne, Flamingos, Enten, Nil- und Sporngänse. Auch der drollige Träumer, der braunbekuttete Scopus findet sich ein. Die Einen als Mann und Weib neben- oder hintereinander daherziehend. Knapp hinter

* »Damm« von den holländischen Colonisten genannt.

ihnen eine schwer arbeitende Nestfamilie. »Vater« und »Mutter« sich
mit Schnabelhieb und Flügelschlag arg abmühend, um die wohl flügge
gewordene. jedoch unsicher flatternde Kinderschaar in der richtigen
Höhe und in Reih' und Glied zu erhalten. Auch lange Züge kommen
dahergerauscht, die einen im Gänsemarsch, andere in Bogen- und
Triangelform, dass man bei dem sich mehrenden Dunkel kaum mehr
die Arten zu unterscheiden vermag.

Nunmehr ist es Nacht geworden. Nur hie und da noch ein Nachzügler zu erlauschen, doch dem Auge nicht mehr sichtbar. Nach
dem, was wir am frühen Morgen beobachtet, doch auch nach
den verschiedenen Weisen zu urtheilen, die sich hier unmittelbar
unter uns in den Binsen als ein betäubendes Geschnatter, aus der zur
Linken gelegenen kleinen Bucht als ein Gekreisch, vom jenseitigen Ufer
her als wiederholtes Pfeifen u. s. w. hören lassen, haben sich die
mannigfachen Arten der Stelzen- und Schwimmvögel gruppirt und
ihre gewohnten Standplätze eingenommen.

Jene der Heuschreckenkraniche scheinen sich so ziemlich in des
Sees Mitte und vielleicht ein wenig nach rechts vorzufinden. Unser Vogel
hat solch' eine bevorzugte, ohne Zweifel die sicherste Stelle in dem
See, seiner Stärke zu danken, doch auch jenem Umstande, dass er
sich in der weisslichen, kaum einen halben Meter tiefen Fluth des
salzhaltigen Gewässers so zahlreich eingefunden hat.

Seine mächtige hundertfache Choralstimme übertönt und über-
dauert noch eine Stunde lang all' das übrige Gegacker und Geschnatter.

Die rasche Aufeinanderfolge. die Mannigfaltigkeit der wechsel-
vollen Bilder und der nicht minder zahlreichen, verschiedenen Laute
und Stimmweisen, welche wir während der kurzen Abendzeit am Ufer
des stillen, seichten, salzhaltigen Gewässers erschaut und vernommen,
wirkt förmlich ermattend auf unsere Sinne ein; wir werden eines ängst-
lichen Gefühles bewusst, dass unserem Gedächtnisse — trügerisch ist
wohl die treueste Denkkraft — vielleicht eine der Scenen, eine der
bunten Vogelgruppen entschlüpfen könnte, und schon macht sich das
Streben geltend, zu unserem Lagerplatze zurückzukehren und das Erschaute und Gehörte beim Scheine des Nachtfeuers zu notiren. Da
werden, kaum dass fünfzehn Minuten vom Augenblick der eingetretenen
Stille verronnen sind, abermals Laute in und über dem See hörbar:
doch unser Missmuth ob der unangenehmen Störung schwächt sich.
kaum dass er hervorgerufen war, auch sofort ab; denn es sind unsere

Lieblingslaute, die nächstliebsten, die uns dieser See nur bieten kann. Es sind einige wenige der Heuschreckenkraniche, die uns da mit einem gedämpften Rufe überraschen. Und dies wiederholt sich in ähnlichen Intervallen (zuweilen auch sechsmal in der Stunde), Nacht für Nacht, so lange, als die Vögel — nicht brütend — des nächtlichen Schutzes halber diese Gewässer aufsuchen. Haben wir eine Nacht an solch' einem See oder Teich zugebracht und ist das Gewässer beschränkt (200 bis 300 Schritte lang) und hat es 100 bis 200 Kraniche zu beherbergen, so werden wir dessen bewusst, dass die Laute von verschiedenen Punkten, die gleichzeitigen von je einem aus der Vogelheerde herüberschallen; ja wir werden es zuweilen beobachten, dass diese gedämpften Weisen am Abend an dem einen Ende der Vogelschaaren beginnen, quer durch dieselbe, der fortschreitenden Nacht entlang wandern, und am Morgen an dem entgegengesetzten Ende ihren Abschluss finden. Wie sollen wir uns das Gebaren dieser Thiere erklären? Eine ungewöhnliche Vorsicht und die allzunöthige Wachsamkeit des Kranichs schafft uns den nöthigen Aufschluss. Die sich immer und immer wiederholenden Stimmen sind die Rufe derer, die da wachen! Diese Wächter stimmen eine mässig laute Plauderei an, einmal und damit ihrer Wachsamkeit Ausdruck zu geben, wie auch um die zum Ablösen bestimmten Nachbarn wachzurufen. Nur in dieser Weise fühlen sich und sind auch die Vögel vor einem etwaigen Angriffe der wilden Canina sicher, und können zugleich auch für die »Wächter« der übrigen befiederten Insassen des Sees angesehen werden. Der folgende Vorfall, den ich mehr denn Dutzendmal beobachten konnte,[*] spricht hinlänglich für die grosse Wachsamkeit des Thieres. Ich hatte mich vor oder nach Mitternacht dem Gewässer genähert. Die Erde war wohl mit einem dichten Schleier überdeckt, doch der Aether rein und von Sternenmyriaden erhellt. Auf 500 Schritte dem See nahegerückt, legte ich die nächsten 200 Meter in gebückter Stellung zurück. Da ich der bereits geschöpften Erfahrung gemäss nicht viel Hoffnung hegte, in dieser Weise von den Vögeln unbemerkt das Gewässer zu erreichen, so suchte ich dasselbe durch die fast meterhohen Binsen schleichend zu gewinnen. Es war dies der zahlreichen, kleinen Giftschlangen halber wohl nicht sehr angenehm, allein auch

---

[*] In der nördlichen Capcolonie, im Oranjefreistaat, in der südlichen und westlichen Transvaal, imWestgriqualande und den südöstlichsten der Betschuanaländer wiederholt erlebt.

wiederum eine erfolgreiche Annäherung gar nicht anders möglich. Ich kroch so leise, als es mir nur möglich war, hielt öfters inne, und doch ward ich, kaum auf 50 Schritte dem Gewässer genaht, bemerkt, und sofort als ein Feind signalisirt. Dem lauten Mahnruf der Wächter folgte einmal ein zehn- bis zwanzigfaches, doch auch zuweilen mehr denn hundertstimmiges Geschrei der Wachgerufenen, und that ich noch einige Schritte vorwärts, so schwebte die schreiende Gesellschaft auch schon über meinem Haupte; ich hörte deutlich das Schwirren der mächtigen Flügel, sie schienen kaum 20 bis 25 Meter über dem Boden zu schweben — und doch vermochte mein Auge keinen einzigen der Vögel zu erschauen.

Die Ruhe sämmtlicher, das Gewässer des nächtlichen Schutzes halber Aufsuchenden, und der es stetig bewohnenden Vögel, war für einige Stunden, und wiederholte ich später noch einmal meine Annäherung, für die ganze Nacht gestört. Wenn aufgeflogen, kreisten die Heuschreckenkraniche noch eine Zeit lang über dem Gewässer, um dann in dasselbe und nahe am gegenüberliegenden Ufer einzufallen. Ist es dem Reisenden um einen oder den andern Balg zu thun, oder zwingt ihn der Hunger sich Wildpret an einem solchen Salzsee zu holen, so ist es gerathen, sich schon anderthalb bis zwei Stunden vor Sonnenuntergang an dem Gewässer einzufinden, sich im Gebüsch, * in den Binsen oder in einer zum Theile mit Gras überdeckten seichten Grube zu verbergen und in der ruhigsten Weise das Einfallen der Vögel zu erwarten.

Von Jugend an gezähmt, — doch müssen sie nicht zu früh dem Neste entnommen werden — werden sie sehr zutraulich und folgen mit Vorliebe Dem, der sie füttert oder sie laut anruft und mit ihnen zuweilen spielt. Sie lieben Letzteres umsomehr, je älter sie werden und tanzen dann gleich den Kronenkranichen zu wiederholten Malen um ihren Freund. Wenn in einem besonders guten Humor, laufen sie wie unsinnig hin und her, sie scheinen oft Einen anrennen zu wollen, um jedoch unmittelbar vor dem Menschen plötzlich zur Seite zu springen oder ihren Tanz zu beginnen. So viel Respect auch die Thiere vor einem Erwachsenen haben, eine ebenso geringe Achtung zollen sie den Kindern; es sind wiederholt Fälle vorgekommen, dass sie zornig auf dieselben losfuhren, sie im Gesichte verletzten, ja welche sogar

---

* Jedoch in der Nähe jener natürlichen Gewässer nur selten möglich.

des Augenlichtes beraubten; und ich selbst beobachtete, dass sich die Vögel an zahlreiche Kindergesellschaften wohl gewöhnten, sie jedoch mit allen möglichen Neckereien belästigten. Bald simulirten sie, mit weit aufgesperrtem Schnabel vor dem Kinde einher tanzend, einen Sprung auf dasselbe, bald führten sie gelinde Schnabelhiebe nach seinem Kopfe. So beliebte es z. B. »Toni«, den ich aus Südafrika mitbrachte und dem Prager Stadtpark schenkte, meiner kleinen Dienerin *Bella,* sowie einem etwa fünfjährigen Knaben in Cradock durch gelinde auf die Scheitelhöhe geführte Hiebe seine Aufmerksamkeit und Zärtlichkeit an den Tag zu legen. Diese Kraniche werden so zahm, dass sie gleich den Kronen-Kranichen Ausflüge unternehmen, um jedoch schon nach wenigen Stunden zu dem Gehöfte, an dem sie gefüttert werden, zurückzukehren. Wenn mit den Kronen-Kranichen in Vergleich gezogen, zeigen die Heuschreckenkraniche wohl kein so farbenreiches Gefieder, entbehren auch des Kronenschmuckes, allein sie überflügeln ihren schönen Stammesbruder durch so manche, einem wohl grösseren und vorzüglicher entwickelten Gehirn entspringenden Eigenschaften. Einmal gewöhnen sie sich leichter an den Menschen und werden in anderer Beziehung nie so boshaft und hinterlistig, wie es in der Regel die Balearicae zu sein pflegen. Im Momente der Aufregung sträuben sie ihr feines und schönes Kopfgefieder und stehen steif da, hoch aufgerichtet, mit halb aufgesperrtem Schnabel. Erwachsene Thiere betragen sich am Hühnerhofe sehr anständig. Ich besass eines, das unter einigen dreissig gezähmten, frei in einem Höfchen herumwatenden Wildvögeln (Raub-, Schwimm- und Sumpfvögeln) ein erklärter Freund meines Pferdes wurde und sich sehr oft im Stalle bei demselben einfand. Es unterschied uns wohl von den Fremden, war sehr zutraulich und kam mir, wie dem Diener *Andreas* und der kleinen *Bella* in der Regel entgegengelaufen. Gleich dem Pelikan stattete es dem Hause und der Küche öftere Besuche ab, ohne sich jedoch dabei so diebisch als wie sein eben genannter Gefährte zu benehmen. Ich hatte das Thier in den Diamantenfeldern um 10 Schilling erworben. Es gehörte einem Farbigen an, und lief frei in dem Bultfontein-Camp herum. Im Allgemeinen beobachtete ich diese Kraniche sehr zahlreich im gezähmten Zustande von englischen wie holländischen Farmern an ihren Gehöften gehalten.

Ich sprach bereits über ihre Nützlichkeit und auch theilweise über ihre Nahrung, und will nur hinzufügen, dass sie ausser Heuschrecken, deren Larven und Termiten, auch Reptilien, Eidechsen, Blindschleichen, kleine Schlangen und Lurche, Fische und Wasserasseln, doch auch Samen, Körnerfrüchte und kleine Früchte verzehren. Gezähmt essen sie sozusagen Alles, was nur ein Vogel zu sich nimmt, doch beobachtete ich, dass sie im gezähmten Zustande kleingeschnittenem rohem Fleische vor den Insecten, und diesen wiederum vor jeder anderen Nahrung (zu der wir noch Brod und Mais zählen können) den Vorzug geben.

Die grimmigsten Feinde der grauen Kraniche sind die furchtbaren Hagelwetter, wie sie sich, glücklicherweise nicht so häufig, über jenen südafrikanischen Hochebenen entladen. Ganze Schaaren der Vögel gehen oft durch Hagelschlag zu Grunde; statt ruhig dazustehen, wobei die mächtigen Flügel die Wucht des fallenden Eises um ein Bedeutendes brechen würden, rennen die Kraniche mit halbgelüfteten, ausgespannten Flügeln hin und her, und geben auf diese Weise von allen Seiten ihren Körper den zahllosen Hagelschossen preis.

Die Heuschreckenkraniche brüten in der Nähe oder unmittelbar an den hochumgrasten oder umbinsten, grossen Regentümpeln, an einsamen Teichen und an den bekannten Salzseen.   *H.*

Balearica regulorum (Licht.) — Mahem, südafrikanischer Pfauenkranich.

Gray Hand-List. III Sp. 10095.

Grus Balearica. Pl. Ent. 265. — B. regulorum. Layard p. 304. Südafrikanischer Kronenkranich. Kafir-Crane der englischen, Ma-hem der holländischen Colonisten.

Zwei Exemplare (ein Pärchen), lebend nach Europa gebracht, erlaubte ich mir, Sr. kais. Hoheit dem durchlauchtigsten Kronprinzen Rudolf zu widmen, der sie auch huldvollst annahm und sie der Schönbrunner Menagerie einzuverleiben geruhte. Das eine der beiden Thiere (♂) stammt aus der centralen Transvaal, das andere (♀) aus dem Oranjefreistaate. Dieser Vogel ist wohl eine schönere Varietät der Balearica pavonica (in Sudan, Central- und Nordafrika), und hat im Allgemeinen einen grösseren Verbreitungsbezirk als Tetrapteryx paradisea. Er lebt wohl gesellschaftlich, doch habe ich ihn nie in so zahlreichen Heerden wie seinen eben genannten Verwandten angetroffen und im höchsten Falle 30 bis 40 Thiere beobachtet. Die Pärchen sind es, die man meist an Flussufern oder an einsamen Weihern antrifft;

grössere Gesellschaften verleben ihre Tage auf Grasebenen, zwei
bis vier englische Meilen weit ab von ausgedehnten, kleine seichte
Weiher aufweisenden Gesümpfen, oder den bekannten, seichten südafrikanischen Salzseen. Sie flüchten sich gegen den Abend in diese
seichten Gewässer, um hier in ähnlicher Weise, wie Tetrapteryx paradisea, zu übernachten, zeitlich Früh, in der Regel etwas zeitlicher
als der letztgenannte, den Ort zu verlassen und, sei es in einer geraden Linie, sei es in Triangelform, auf ihre entfernten Weideplätze
zu ziehen. Ihr Flug ist weder so schön noch so hoch wie jener des
Heuschreckenkranichs. Hat auch die Natur in dieser Hinsicht, sowie
im Hinblick auf die Anlagen (den Charakter) den letzteren freigiebiger
ausgestattet, so hat sie unseren Vogel mit einem Gefieder versehen,
dem selbst ein Vogelhasser — wenn es je einen solchen Menschen
geben könnte — seine Bewunderung nicht versagen könnte.

Doch noch beachtenswerther als das Gefieder ist die diesem
Kraniche eigene, laute Stimme, welche mit den weithin tönenden
Lauten einer riesigen Aeolsharfe in Vergleich gezogen werden könnte.

Als ich während meiner ersten Reise auf einer Wildebene in
der südwestlichen Transvaal den Schrei des Vogels zum erstenmale
vernahm, ward ich sofort von ihm gefesselt, und mit einem gleichen
Wohlgefallen lauschte ich den schönen Tönen immer wieder, so oft
sich mir nur eine Gelegenheit darbot, — sei es aus unmittelbarer
Nähe, sei es aus weiter Ferne — sie zu hören. Die holländischen
Farmer glauben in der Stimme dieses Vogels ein deutliches »Mā-hem«
(das »hem« höher modulirt) zu hören und haben den Vogel auch so
benannt.

Die Stimme des südafrikanischen Pfauenkranichs ist wohl das
Schönste, was ich in dieser Hinsicht in dem mächtigen Heere der
grösseren und grossen Vögel Südafrikas vernommen. Sie besteht aus
einem Doppeltone; der erste ist der längere und tiefere; ihm folgt ein
kurzes Intervall ($\frac{1}{2}$-2 Secunden) und diesem der zweite kürzere, rasch-
steigende Ton, zuweilen im Schlussmomente etwas gedehnt, wobei
jener metallische Klang, der beiden Tönen, doch vorzüglich dem zweiten,
eigen ist, und der, vom ersten zu diesem herüberklingend, das Intervall
ein wenig in seiner Schärfe abschwächt, und namentlich beim Schlusse
des zweiten Tones als ein schöner Nachklang zur vollen Geltung kommt.
Mit Bewunderung lauschte ich dieser Stimme, so oft sie über die
unbegrenzte Ebene oder aus einem Thale zu mir herüberklang. An

17

trüben unfreundlichen Morgen, nach regnerischen, im Freien zuge-
brachten Nächten vermochten mich diese Töne zu erheitern und aufzumuntern. Ich fühlte, wie wenn sie mir mitten in das Herz gefallen,
in mein Innerstes gedrungen wären; es war wohl der »Tribut«, den
die »Macht der Töne« auch dem einsamen Ruhelosen in der Wildniss
stillem Zauber zu entlocken vermochte.

Ausser diesem Rufe, den der Vogel während des Fluges in der
Regel zweimal, sonst jedoch bis siebenmal hören lässt, gibt das Thier
gewöhnlich zeitlich am Morgen eine Reihe von gegen ihren Abschluss
zu verschwimmenden dumpfen Brülltönen von sich. Während der
Vogel bei den obbeschriebenen Lauten den Hals gestreckt hält, krümmt
er ihn S-förmig, wenn er dies letztgenannte Pū-Pū hören lässt. Er
schliesst dabei den Schnabel und bläst die Luft in die feuerrothe Hautfalte seiner Kehlpartie, dass sie sich bei jedem Tone blasenförmig
ausdehnt.

Es scheint, wie wenn der in Bezug auf seine Gehirnfunctionen
sonst nicht so hoch wie der graue Kranich begabte Vogel, seines
herrlichen Gewandes, der Federkrone, wie seiner schönen Stimme sich
bewusst wäre; denn so auffällig beträgt er sich, stolzirt einher, und
beginnt zu tanzen, so oft sich einige Menschen oder zufällig zahlreiche
Vögel, die er in einem Hofraume zu seinen Genossen zählt, um ihn
gruppiren. Man kann ihn wohl auch zähmen, doch sind die Fälle
selten, wo sich der Gezähmte dem Menschen und anderen Thieren
gegenüber so zutraulich wie T. paradisea benimmt. Er fliegt zwar oft
weit fort von dem Gehöfte, an dem er aufgezogen wurde, umkreist
auch seinen Pfleger, doch sind es nur seltene Ausnahmen, dass er
gegen den Herantretenden die anscheinend einem anderen Objecte
gewidmete Aufmerksamkeit nicht plötzlich in einen Angriff ändert,
und nicht mit einem oder wiederholten Schnabelhieben seine Böswilligkeit kund gibt.

Unter den südafrikanischen Stelzen- und Schwimmvögeln ist er
nach dem Chenalopex aegyptiacus der streitsüchtigste Geselle. Brachte
ich ihn als neuen Zuwachs zu meinen, mehreren Ordnungen ange-
hörenden Vögeln, so zeigte er anfangs eine staunenswerthe Feigheit:
er lief wie besessen hin und her und rannte oft gegen die Pfosten
und die Mauer an. Fand er schon einen Genossen seiner Art unter
der befiederten Gesellschaft vor, so ward er stets von diesem mit
Schnabelhieben empfangen. Doch gewöhnten sich die Pfauenkraniche

in einigen Tagen aneinander und hielten dann getreu zusammen. Ich glaube, dass die Ursache ihres anfänglichen Streites in einem grossen Misstrauen, welche diese Vögel zum Theile charakterisirt, wurzelt.

An den freilebenden Vögeln können wir dies in einem um so höheren Grade beobachten; als solche sind die Thiere unter den südafrikanischen Grallae wohl die scheuesten; ich hatte hinreichende Gelegenheit, sie von dem Oranjeflusse an bis über den Zambesi nach Norden hinaus zu beobachten. und doch war es mir nicht möglich geworden, etwa vierzig Begegnungen ungerechnet, bei denen ich eben der Beobachtungen halber den Thieren kein Leid anthun wollte, auch nur einen einzigen Kronenkranich zu erlegen. Die Thiere meiden bewaldete Partien und zeigen in Südafrika in Bezug auf ihre Häufigkeit zwei nennenswerthe Centren. Das südliche liegt auf den Ebenen zwischen dem Hartsriver und dem Malapo, das zweite wird von dem Zambesithal gebildet.

Meine Kronenkraniche betrugen sich den Hunden gegenüber stets feindlich (während die grauen Kraniche mit ihnen spielten) und verwundeten oft blutig mit ihren Schnäbeln die zu nahe an sie herangetretenen Fremden. Ich stimme mit meinen südafrikanischen Bekannten, welche jahrelang diese Vögel in ihren Gehöften hielten, darin überein, dass die Weibchen weniger böswillig als die Männchen seien. So berichtete mir unter anderem Rev. *Jensen* aus Linokana, dass von drei Thieren (zwei Männchen und ein Weibchen) stets das Weibchen das zahmste gewesen sei. Es folgte Herrn *Jensen* auf Schritt und Tritt und merkte sich wohl seinen Namen, sowie die beiden Worte »Schön« und »Tanzen«; beim Nennen des ersteren richtete es seine Krone auf und schüttelte sein Gefieder,* beim zweiten fing es an zu tanzen. Es erschien jeden Morgen an dem Fenster seines Schlafzimmers und klopfte so lange mit dem Schnabel an den Scheiben, bis er einen Laut von sich gab; dann wartete es auf- und abschreitend, bis es von dem Prediger mit Brot oder dergleichen beschenkt wurde. Der letztere hielt diese drei Vögel durch längere Zeit, wobei sie sich immer die Ueberdachung des Hauses zur Schlafstätte wählten; da sie jedoch stets nur an den Dachrand anflogen und dann auf die Giebelkante emporklommen, beschädigten sie ihm das aus trockenem Gras gefertigte Dach so sehr, dass er sich gezwungen sah, ihnen diese Schlummerstätte zu entwöhnen und sie an das niedere Dach eines

---

* Dies thun die Thiere auch im Momente einer zornigen Erregung.

17*

Hühnerstalles zu verweisen. Leider lag dieser etwas abseits und reichte
mit seinem Dache auf einer Seite bis zum Boden herab. Eine Woche
nach diesem Wechsel vermisste Herr *Jensen* zwei der Thiere, die einige
Tage später von den Eingebornen in den Linokanasümpfen zerrissen
vorgefunden wurden; eine Pantherkatze war der Thäter gewesen.
Das dritte, eines der Männchen, hatte dreist einen der zahmen Strausse,
die der Missionär in einer Umzäunung hielt, angegriffen, wofür es
dieser mit einem Fusse niederschlug.

Die Vögel tanzen minutenlang mit ausgebreiteten Flügeln in der
Wildniss zu ihrem eigenen Vergnügen, im gezähmten Zustande, um

Balearica-Nest in einem Sumpfweiher der Hartsriverebene.

Menschen oder Thiere, an die sie sich einigermassen gewöhnt hatten,
zu begrüssen und auch um ihre Neugierde zu befriedigen. In der
Regel springen sie dabei empor, doch nicht so hoch, wie die Heuschreckenkraniche. Was ihre Nahrung anbetrifft, so muss ich
Aehnliches berichten, wie von den letzteren. Solche, die aus- und
einfliegen können, wählen sich in der Regel hochstehende Objecte,
meist die Dächer der Häuser und Hütten zu ihrem nächtlichen
Aufenthalte.

Ich traf die ´Ma-hems im März brütend an, was mir als die
zweite Jahresbrütung erscheint; die erste fällt in den südlicheren
Gegenden wohl zu Ende September und Anfangs October, in den
Zambesigegenden um einen vollen Monat früher. Ich fand zwei mehr

denn ganseigrosse, längliche Eier in einem grossen aus Schilf, zuweilen auch aus Binsen und Gras gefertigten Neste. Die Thiere benützen in der Regel eine kleine Insel in einem ringsum beschilften, ausgedehnten Sumpfweiher, oder sie bauen sich eine solche, indem sie in der Mitte einer dichten, 1 bis 2 Meter hoch beschilften Stelle das Schilfrohr in einem Umkreise von 25 bis 32 Meter niedertreten und in der Mitte derselben zum eigentlichen Nestbau wählen. Das niedergetretene Schilf, Binsendickicht und Sumpfgras dient erstlich zur Auspolsterung des Nestes, sowie auch um dieses zu einer wasserdichten, schwimmenden Insel zu schaffen, wobei sie rings um dasselbe eine freie Wasserstelle bilden und in dieser Weise dem letzteren wie der Brut mehr Sicherheit verschaffen. Bei näherem Augenschein hat das Nest die folgende Form:

Umfang des Nestes 8 Meter, Durchschnitt der Höhlung am aufgeworfenen Rande ¹/₂ Meter; Durchmesser der Höhlung 33 Centimeter, die tiefste Stelle in der Höhlung 16 Centimeter. Die Eier sind weisslich mit einem Stich ins Bläuliche, Längenachse 9 Centimeter, kurze Achse an der breitesten Stelle 5 Centimeter, das Ei von dem verdickten nach dem anderen Ende etwas gerippt.

Man hält in Südafrika mit Vorliebe diese Vögel gezähmt und ich sah sie wiederholt um den Preis von 2 bis 5 £ St. an den Mann gebracht.   *H.*

Ardeidae — Reiher.

Ardea cinerea (Linné) — Gemeiner Fischreiher.
Ardea leucophoea. (Gould). Bonap. Comp. Vol. 2, p. 111.

Während der zweiten Reise im Thale des oberen Molapo im Lande der Baralongen erlegt. Ich fand diesen Fischreiher einzeln, oder so lange, als die Jungen noch nicht vollkommen erwachsen waren, gesellschaftlich von der südlichen Küste bis über den Zambesi vor, und glaube nach dem, was ich von anderen Reisenden vernommen, dass die Vögel durch das gesammte Afrika (auch gegen seine Ost- und Westküste zu) anzutreffen seien. An Teichen wie Gesümpfen, an fliessenden Gewässern wie an Salzseen, im Tiefland und Hochland, werden wir des Vogels gewahr. Ich fand denselben wohl nistend, doch stets wachsam, misstrauisch und scheu, zänkisch und raubsüchtig. Nur an einigen Farmen beobachtete ich die Thiere als einzelne Ausnahmen seit Jahren ansässig und weniger scheu, so dass sie den Menschen bis unter ihr Nest herankommen liessen. An Gehöften, die meist an trostlosen Ebenen lagen und nur einige Bäume (die einzigen weit und breit) und fischlose Regenlachen aufwiesen, zeigten sich die Vögel durch das Vertilgen der die letzteren in sehr grosser Menge bewohnenden Lurche und anderer Wasserthiere sehr nützlich.

Diese Einzelbäume und von ihnen wiederum die bereits etwas Verkümmerten wurden von den Reihern zu Brutstätten erkoren. Ich fand 1 bis 3 Nester, die sonst alle Charaktere der europäischen Nestbauten trugen, auf je einem Baume, und in den südlicheren Hochplateaus bereits Ende September zwei Wochen alte, doch auch zuweilen nahezu halberwachsene Junge. Neben Bäumen beobachtete ich den Vogel, wie bei Middleburg in der Capcolonie, auf unzugänglichen Vorsprüngen schroff abfallender Felsenwände (Kranze) seinen Horst errichten.

Ausser Lurchen, Eidechsen, Fischen, Insecten und Molusken lesen die gemeinen Reiher in Südafrika auch nebenbei kleinere Schlangen auf, die sie bei ihrem Angriffe förmlich zerfetzen. Der von den Thieren verursachte Schaden ist sehr gering, einmal weil in Südafrika noch keine Fischzucht betrieben wird, sowie auch, weil die Menschen den Fischfang in den fischreichen Flüssen mit geringen Ausnahmen nur als eine Erholung betrachten — und die Fischreiher die lurchenreichen, doch fischlosen Teiche in der Nähe einsam liegender Gehöfte, den dichter umwohnten Flüssen vorziehen; ja wir können in Anbetracht der schon erwähnten Mahlzeitlese einen mehr nennenswerthen Nutzen constatiren.

Auch an diesem Vogel machte ich eine ähnliche Beobachtung, wie am Secretär und dem Heuschreckenkranich, eine Beobachtung, die wir wohl mehr oder weniger vielleicht an den meisten der grösseren Stelzenvögel wahrnehmen könnten, dass nämlich nahezu gereifte Junge, die, sei es zu früh aus dem Neste genommen wurden, oder demselben zu zeitlich entlaufen waren, durch ihre Steh- oder Gehversuche Verdickungen der langen Fussknochen erleiden. Doch glaube ich im Stande zu sein, einen gewissen Unterschied in diesem pathologischen Processe, den ich an diesen drei genannten Arten beobachtete, hervorheben zu können. Die Knochen des Secretärs sind mehr solid, sein Knochengerüst viel gewaltiger wie das des Heuschreckenkranichs und des gemeinen Reihers; es bedarf eines grösseren Quantums von phosphorsaurem Kalk, um seine Bestimmung erfüllen zu können. Wird dem Thiere dieser Bedarf nicht zugeführt oder verlässt dasselbe sein Nest früher, bevor noch sein Knochengerüst die entsprechende Consistenz erlangt hat, so tritt zumeist eine allgemeine Erweichung und Verdickung der Knochen auf, mit Verunstaltungen und Verkrümmungen des höchsten Grades gepaart. Und weil eben eine allgemeine, so finden wir auch einzelne Knochen in ihrer ganzen Länge afficirt und können oft bogen-, ja selbst S-förmige Verkrümmungen derselben beobachten. Dem Secretär folgt mit Rücksicht auf die solide Bauart seines Knochengerüstes der Heuschreckenkranich. Da seine Knochen weniger massiv sind, erreichen die jungen Vögel in kürzerer Zeit ihr Gehvermögen, als die Brut des Ebengenannten; ein kürzerer Process ist hier nöthig, um die, im Verhältniss zur Körpergrösse und in Vergleich zu jenen des Secretärs quantitativ eine geringere Kalkmenge erforderlichen Knochen »dienstfähig« zu machen. Wir sehen deshalb auch an den erkrankten Thieren, dass nur zumeist die dicken Knochen, und im allgemeinen jene Theile, welche ohnehin bei allen Geschöpfen am spätesten die gereifte, gesunde Knochenconsistenz erreichen und im frühen Alter mehr schwammig, später mehr oder weniger porös erscheinen, erweichen, demgemäss die Epiphysen in erster Reihe und davon wiederum solche, welche am meisten angestrengt werden, also jene des Metatarsus und der Unterschenkelknochen auch am meisten von dem Uebel in Mitleidenschaft gezogen werden. Bei dem Heuschreckenkranich können solche Entartungen zu gleicher Zeit erhärten und zur Heilung führen, worauf solche Vögel um 6 bis 20 Centimeter niedriger verbleiben und kegelförmig verdickte Metatarsus- und Tibia-Fibulaque-Epiphysen zeigen. Für eine solche Heilung erweist sich jedoch auch schon der Charakter des Vogels von Belang. Die angestammte Wildheit des Secretärs und die noch grössere des grauen Reihers gönnt schon den Jungen, mögen sie sich in Gefangenschaft befinden, oder dem Nest entlaufen, anderen fremden Eindrücken in der Wildniss ausgesetzt sein, kaum einen ruhigen Augenblick und hat in der Regel eine ununterbrochene Lageveränderung zur Folge, was wohl gar viel zu jenen Verunstaltungen der noch nicht hinreichend solid gewordenen Knochen führt.

Die jungen Heuschreckenkraniche sind an und für sich weniger wild, und sind es Gefangene, so gewöhnen sie sich so leicht an den Menschen, dass sie höchstens dem Gehen und weniger dem Springen, den Flügelschlägen, den Schnabelhieben und Halszerrungen huldigen und so im höchsten Falle die obigen Metatarsusverdickungen und zuweilen eine Verkrümmung der unteren Halswirbelpartie erleiden. Bei dem Fischreiher finden wir, was die Knochenerweichung anbetrifft, ein Verhältniss, das sich mehr an das, wie wir es bei dem zuletzt genannten Vogel. als an jene beim Secretär beobachten, anlehnt. Die Röhrenknochen sind bedeutend schwächer und macht der junge Vogel jene oberwähnten, das Uebel beschleunigenden Versuche, so schwellen wohl auch die Epiphysen an, da jedoch das sie verbindende mittlere Knochenstück sehr dünn und schwach ist so geschieht es, dass dasselbe an, in und unter den Epiphysen einzuknicken und sich dann winkelig und seitlich zu verbiegen pflegt. Dies ist bei dem, einen stärkeren Durchmesser aufweisenden Knochen des Kranichs nicht leicht möglich, während sich bei dem Secretär der dicke Röhrenknochen, dessen Gesammtmasse beinahe gleichmässig erweicht war, bogenförmig krümmt. Jedes Einknicken, das zuweilen in förmliche Fracturen ausartet, wird nur durch die grosse Wildheit des Thieres hervorgerufen und beschleunigt. Solche Einknickungen haben wiederum ulceröse Processe zur Folge, wie wir selbe aus den nebenan gestellten Skizzen entnehmen können.

Auf dem ersten Blatte sehen wir Ansichten beider Watbeine eines noch nicht vollkommen halberwachsenen Fischreihers. Das linke Bein von hinten, das rechte, mehr verunstaltete, von der Seite und von vorne betrachtet und in Fig. 1 und 2 in natürlicher Grösse wiedergegeben.

Am meisten durch den Process verunstaltet zeigt sich das rechte Bein. Von Aussen sehen wir die unterste Partie der Tibia, den Tarsus sowie zwei Dritttheile der bereits verwachsenen Metatarsusknochen verunstaltet. Am linken Bein gilt ein ähnliches von den zwei zuerst erwähnten Partien von der letzten jedoch ist blos ein Drittheil von dem Process ergriffen. Die erkrankten Stellen fühlen sich rauh an, namentlich das Fersengelenk. Der rechte Fuss ist an der hinteren unteren Tibial-Epiphysenfläche, an der vorderen oberen Tarsus-Epiphysenfläche, ferner 2·5 Cm. und 4·9 Cm. unterhalb des Fersengelenkes höckerförmig aufgetrieben. Die Epiphysal-Protuberanzen kommen auf Rechnung von Anschwellungen der Knochenmasse der Tibia, der

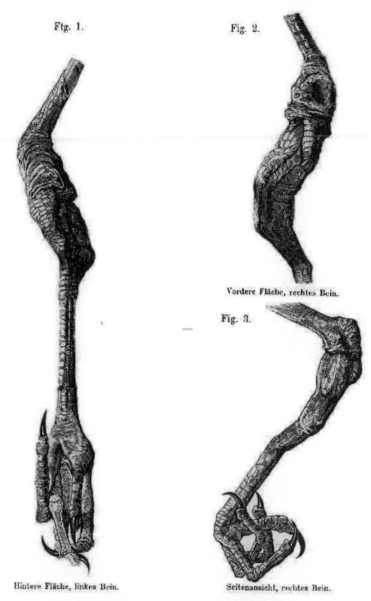

Ftg. 1.

Fig. 2.

Vordere Fläche, rechtes Bein.

Fig. 3.

Hintere Fläche, linkes Bein.

Seitenansicht, rechtes Bein.

Ardea cinerea (junges, noch nicht flügges Thier).

Unterschenkel-, Tarsus- und Metatarsusknochen erweicht und ulcerös.

beiden ossa tarsi das superius und inferius und des Metatarsusknochens. Die Protuberanzen an dem Mittelstück des letzteren beruhen auf Einknickungen, auf die nach abwärts zu noch eine dritte
1·6 Cm. unterhalb der zweiten Einknickung und ohne mit einer
Knochenanschwellung gepaart zu sein, folgt. Am linken Beine finden
sich ähnliche Epiphysal- und Tarsus-Protuberanzen, doch nur eine
2·4 Cm. unterhalb des Fersengelenkes, welche auf eine Einknickung
zurückzuführen ist und der 1·8 Cm. weiter nach abwärts eine zweite
protuberanzlose Einknickung dieses Metatarsusmittelstückes folgt. Von
dieser wie der dritten Einknickung des rechten Fusses erscheint — von
aussen untersucht — die übrige Metatarsuspartie nach abwärts zu normal
zu sein. Die Epidermis zeigt sich nur um das Fersengelenk stark verdickt, am rechten Fuss mehr wie am linken, sowie auch vorne an
allen Einbiegungen, d. h. an den, den hinteren Protuberanzen entsprechenden Vertiefungen; ausserdem fühlte sie sich rauh an und löste sich
in kleineren und grösseren Schüppchen ab. Das Thier machte bis zu
seinem Tode Stehversuche und ging schliesslich an einer amyloiden
Entartung seiner Leber und der Harnorgane zu Grunde. Beim Durch-
schnitte zeigte der rechte Fuss, dass:

    1. das Os tarsi superius, mit der in ihrer unteren Partie ulcerös
erkrankten Tibia theilweise verwachsen war; in der Tibialhöhle fanden
sich Eiterablagerungen vor;

    2. das Os tarsi inferius, namentlich in seiner hinteren Partie
(6 Mm.), verdickt war, und hier einen Abcess enthielt, (vide Abbildung
bezüglich seiner Form); es war mit dem langen Metatarsus n i c h t
verwachsen;

    3. die zwei oberen Dritttheile des langen Metatarsus, zu einer
ziemlich homogenen, soliden, 1·2 Cm. starken Knochenmasse verdickt
waren. Diese Verdickung nimmt allmälig nach abwärts ab und gestaltet
sich im unteren Dritttheile bei normaler Metatarsurstärke zu einer
schwammigen, die Knochenhöhle ausfüllenden, reichlich eiterhaltigen
röthlichgelben Knochenmasse. An seinem oberen Ende sehen wir noch
an dem Metatarsus drei getrennte Epiphysen, ferner die verdickte
Knochenmasse an den Einknickungsstellen etwas porös und an der
zweiten findet sich ein kleiner eingekapselter Abscess vor, neben welchem
nach vorne hin sich an den Bruchstellen des Knochens ein falsches
Gelenk zu bilden beginnt.

    An dem linken Fusse fand ich, dass:

1. die untere Tibialhöhle einen Eitercanal darstellte und dass die Tibial-Epiphysen von dem Eiter aufgezehrt worden waren, ferner

2. das Os tarsi superius, in seinen seitlichen Partien 1·4 Cm., in seiner Mitte 8 Mm. hoch, ·im Querdurchschnitt 1 Cm. stark verdickt war, ferner auch an seiner oberen und unteren Fläche, in der Mittellinie von vorne nach hinten eingeschnürt, an der unteren Fläche schüsselförmig vertieft und die Knochenmasse mehr schwammig als solid, von zahlreichen Abscessen (der grösste von Linsengrösse) durchsetzt;

3. das Os tarsi inferius, in seiner ganzen Peripherie 3 Mm., sowie in seinem Centrum, am meisten, 5 Mm. (hoch) verdickt, war, vorne 1·6 Cm. im Breitendurchmesser enthaltend und in seiner Mitte einen Abscess bergend. So wie das Os tarsi superius oben sowohl wie unten je eine Gelenkfläche aufwies, so zeigte auch diese Gelenkflächen nach oben und gegen die noch getrennten Epiphysen des langen Metatarsusknochens. Die erste Einknickung zeigte an diesem eine geheilte Fractur, die zweite stellte einen vollständigen ungeheilten Bruch dar. Die Epiphyse des Knochens war 1·5 Cm. stark verdickt, im Allgemeinen jedoch und das besonders von der ersten Einknickungsstelle nach abwärts zu weniger solid, indem der schwammige Charakter vorwog und die Gesammthöhlung des Knochens ausfüllte; die kleinen länglichen Höhlungen dieser porösen Knochenmasse waren mit Eiter gefüllt, ja es fanden sich sogar Abscesse in den unteren Epiphysen des Knochens vor. Die Länge des rechten Metatarsus* betrug 11·7 Cm., die des linken 10·8 Cm. —

Selbst auf ihren Pfleger losfahrend, wissen ihm die meisten der jungen Vögel für all' seine Mühe und Sorgfalt nur mit Schnabelhieben zu danken. Dadurch, dass der graue Reiher und viele der Reiher auf Bäumen nisten, verhüten sie ein vorzeitliches Flüchten der Brut aus dem Neste, sowie ihre Verkrüppelung und ihren vorzeitigen Tod. Ich machte mehrere Zähmungsversuche mit jungen Reihern, doch habe ich auch nicht einen einzigen guten Erfolg zu verzeichnen. Wir alle hatten mehr oder weniger wunde Finger davon getragen, so unbarmherzig wurde unsere Fürsorge von der Brut gelohnt. Kaum dass wir dem einen Thiere einen Fleischbissen gereicht hatten und es ihn eben gefasst hatte, so hieb es auch schon mit seiner scharfen Waffe auf unsere Hand ein. Auf den gebüsch- und baumlosen Hochebenen und selbst auf jenen, wo wir gruppenförmige

---

* Das Os inferius nicht mit einbezogen.

Fig. 4.

Fig. 5.

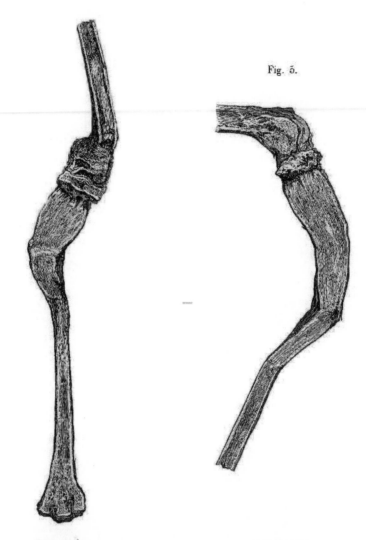

Linkes Bein.   Rechtes Bein.

Durchschnitt des Krankheitsprocesses.

Ardea cinerea (junges, noch nicht flügges Thier)

Unterschenkel-, Tarsus- und Metatarsusknochen erweicht und ulcerös.

Mimosengehölze vorfinden, übernachtet der Fischreiher in kleinen und
grösseren Gewässern, sei es unmittelbar in der Nähe des Ufers, sei
es auf den, namentlich in den Salzseen sich zahlreich vorfindenden,
die Fluth überragenden Felsblöcken.

Nochmals die Anlagen des grauen Fischreihers berührend, würden
wir, wenn wir uns das Maximum der Denkkraft eines Vogels mit 10,
das Gegentheil davon mit 0, und in ähnlicher Weise seine Tugenden
wie Untugenden, und seinen Nutzen und Schaden dem Menschen
gegenüber, eine jede dieser Eigenschaften mit 1 als »Minimum« und 10
als »Maximum« bezeichnen, mit Rücksicht auf unseren Vogel und seine
vorhergehenden wie folgenden Blutsverwandten, beiläufig jenes Ergebniss erzielen, welches die Tabelle auf nächster Seite veranschaulicht.

Ardea atricolis (Wagler) — Schwarzköpfiger Fischreiher.
Ardea melanocephala (Vig. et Child.) — Gray Hand-List. III Sp. 10100.
Smith. Zool. S.-Afr. Pl. 86.

Hie und da einzeln und in Pärchen in dem gesammten Südafrika,
doch nicht häufig angetroffen. Wir beobachteten die Thiere im Süden
und erlegten sie in den Betschuanaländern. Das ausgestellte Exemplar
stammt aus dem Panda-ma-Tenkathale. Häufiger, wie irgendwo anders,
finden sich diese Fischreiher in den Niederungen des Zambesi; im
Allgemeinen vermisste ich sie an den Teichen und fand sie nur an
fliessenden Gewässern, wo ihre Nahrung zumeist in Fischen und
Wasserkerbthieren bestand.   *H.*

Ardea purpurea (Linné) — Purpurreiher.
Gray Hand-List. III Sp. 10102.
Ardea caspia (Gmel.). — A. purpurascens (Brehm). — A. rubra (Shaw.).

Zerstreut, einzeln und in Pärchen über ganz Südafrika verbreitet. Zwei Männchen ausgestellt, welche ich in der Wintersaison
im Matebethale erlegte. Iris hellockergelb; Füsse ockergelb, die oberen
Flächen der Zehen und die vordere Metatarsusfläche schwarz. Zahlreich im Zambesithale und daselbst nur in Pärchen beobachtet; er
ist hier häufiger als der graue Reiher, während dieser vom 22. Grade
südlicher Breite nach Süden zu, vorwiegt. Der Purpurreiher erweist
sich noch scheuer als der gemeine Reiher; doch würde ich ihn, als
Gefangenen, dem letzteren vorziehen. Seine Nahrung besteht in Lurchen,
Eidechsen, Insecten, Tausendfüsslern und Würmern, doch beobachtete
ich ihn auch an Gräben und Feldrainen, den Mäusen auflauernd. *H.*

Name	Denk-vermögen	Charakteranlagen		Stellung dem Menschen gegenüber		Nota
		Tugenden	Un-tugenden	Nutzen	Schaden	Percentverhältniss von 1 (Minim.) zu 10 (Maxim.)
Tetrapteryx paradisea.* — Der Heuschreckenkranich	8	7	2	10	0	
Balearica regulorum.* — Der südafrikanische Pfauenkranich	5	4	6	6	0	Der Nutzen würde grösser sein, wenn sich das Thier im Süden etwas zahlreicher vorfinden möchte.
Ardea cinerea — Gemeiner Reiher	3	2	9	2	1	
Ardea atricollis — Schwarzhals, Fischreiher	3½	2	8	1	0	
Ardea purpurea — Purpurreiher	3½	2	7	4	0	
Ardea goliath — Riesenreiher	4	2	8	1	1	Zu sellen, sonst würde der Schaden bedeutend grösser.
Ardea alba — Weisser Reiher	4	—	—	1	0	
Ardea rufiventris — Kohlbrauner Reiher	—	—	—	1	0	Wohl zahlreiche Thiere erschaut, habe sie jedoch nicht längere Zeit hindurch ungestört beobachten können, und demzufolge einige der ersten drei Rubriken leer gelassen.
Ardea comata — Squakoreiher	—	3	—	1	0	
Ardea bubulcus — Kuhreiher	4	4	—	3	0	
Ardea Sturmii — Sturm's Zwergreiher	—	—	—	1	0	
Nycticorax griseus — Nachtreiher	—	—	—	3	0	
Scopus umbretta — Hammerkopf	7	8	2	5	0	

* Des Vergleiches halber erlaube ich mir die Kraniche und den Scopus dem südafrikanischen Reihern gegenüber zu stellen.

Ardea alba (L.) — Grosser Silberreiher.

Gray Hand-List. B. M. III Sp. 10108.

A. egrettoides S.-Afr. (Gm.).

Mehrmals diesen schönen Vogel erschaut. Am häufigsten fand ich ihn in Trupps bis zu zehn Stück in den bebinsten Wiesenweihern der Hochebenen zwischen dem Harts- und Molapoflusse. Diese Weiher sind mit hohen Binsen, zuweilen auch mit niedrigem Rohr überwucherte, unbedeutende Senken, welche das zurückgebliebene Wasser, das von den Hochebenen nicht in die Salzseen abfliessen kann, aufnehmen und so durch den Sommer Moräste bilden. Ob der Binsenbeschattung erhält sich das Wasser ziemlich rein und kühl und braucht Monate, bevor es allmälig in den Boden einsickert. Die Reiher nähren sich zumeist von Wassermollusken und Kerbthieren, doch auch von Lurchen und erwiesen sich als sehr scheu. Es kostete uns viele Mühe, bevor einer von uns den ersten Silberreiher gesichert hatte. *H.*

Ardea Goliath (Temm.) — Riesenreiher.

Gray Hand-List. B. M. III Sp. 10107.

Ardea Gigantodes (Licht.). — A. nobilis (Blyth.).

Ich beobachtete dieses Thier in wenigen Fällen in Pärchen, doch meist einzeln als einen seltenen Gast in den verschiedensten Gegenden Afrikas. Er scheint mir in den mehr unzugänglichen Sümpfen des Zambesi, wie in dem, einsame, fischreiche Weiher aufweisenden, Sibananiwalde zu nisten.

Das ausgestellte Exemplar stammt aus den Diamantenfeldern (Westgriqualand), wo es 1873 von einem Malayen an der sich nach Regengüssen füllenden Pan (grosse Lache in einer Senke) erlegt wurde.

Der Riesenreiher verzehrt Alles, was er nur zu bezwingen vermag und was ihm zufällig in den Weg kommt, doch machen Fische und Reptilien seine gewöhnlichste Nahrung aus. *H.*

Ardea rufiventris (Sundev.) — Kohlbrauner Reiher.

Ardea rufiventris (Sundev.) Ofvers V. V. 1850. 110. — *T. Ayres* and *J. H. Gurney* 1871. 269 T. 9 (Transvaal). — *Gray* Hand-List. B. M. III Sp. 1013. — Ardea semirufa (Schloegel) Mus. Pays le Ardeae 35 (Hob?).

Männchen und Weibchen, in den Binsen am Ufer des Pandama-Tenkaflusses, nahe der Handelsstation gleichen Namens (nördlicher

18

Theil des Ostbamangwatolandes) erlegt. Selten, nie südlicher gesehen, doch nach Norden zu, findet sich der Vogel etwas häufiger. Iris in Regenbogenfarben spielend. Vordere Schnabelhälfte schwärzlich, die hintere und beim Weibchen ausserdem noch zwei Drittel der unteren gelbgrünlich. Die Haut der Augenringe von gleicher Farbe; Füsse gelbbräunlich; Nägel braun. Nährt sich von Fischen, Wasserinsecten, Würmern und Süsswasser-Mollusken. Neben dem Ardea alba und bubulcus der schönste Reiher Südafrikas, obgleich wir ihn mit Rücksicht auf seinen Fundort und sein seltenes Vorkommen in dem nördlichsten Theile dieses Continenttheiles für einen Centralafrikaner ansehen sollten.   *H.*

Ardea comata (Pall.) — Squakoreiher.

Gray Hand-List. B. M. III Sp. 10134.

A. ralloides (Scop.). — A. senegalensis (Gmel.).

Ein Exemplar von Herrn *Walsh* erstanden, von ihm im Zambesithale erlegt. Ich beobachtete den Vogel vom 24. Grad südlicher Breite, vom Limpopoflusse an, nach Norden zu, an allen den grösseren Flüssen, so lange sie sich als »fliessend« erwiesen. Ich sah den Vogel wiederholt im Zambesithale, ebenso häufig wie den folgenden Kuhreiher, doch zumeist in Pärchen, weniger einzeln, wogegen A. bubulcus gesellschaftlich lebt. Ich fand A. comata und A. bubulcus unter allen Reihern und Dommeln als die am wenigsten scheuen. Schnabel ähnlich gefärbt, wie bei der jungen Ardea Sturmii, nur etwas lichter. Füsse gelbgrünlich. Die Vögel wählen sich mit Vorliebe das unmittelbare Ufer der Flüsse zu ihrem Aufenthaltsorte, doch ziehen sie daselbst bebinste und beschilfte Partien den sandigen Uferstellen vor. Am Limpopo sah ich sie einzeln an den niedrigsten der das Wasser überhängenden Aeste hocken, wo sie theils auf Fische, theils auf Insecten oder auf vorübergeschwemmte kleinere, thierische Abfälle lauerten. Wiederholt werfen sich an solchen Stellen die zahlreichen Krokodile, indem sie sich allmälig aus der Tiefe und von hinten zu nähern suchen, aus dem Wasser, um, sowie sie ihre obere Kinnlade mit der Oberfläche des feuchten Elementes auf ein gleiches Niveau gebracht, nach dem Vogel zu schnappen, wobei jedoch die riesigen Saurier keine nennenswerthen Erfolge zu erzielen scheinen.   *H.*

Ardea bubulcus (Sav.) — Kuhreiher.

Ardea ruficrista (Verr.). – Ardea Ibis (Hassel). — *Gray* Hand-List. B. M. III Sp. 10132.
Ardea bubulcus (Sav.) — *Hartl.* Vögel Madagascars 1877. 302.

Mehrere Weibchen von *Walsh* erstanden, sie stammen aus dem Zambesithale (Marutsereich). Daselbst sehr häufig zu beobachten; leben gesellschaftlich und haben einen bedeutend grösseren Verbreitungsbezirk, als A. comata. So beobachtete ich die Vögel wiederholt in der südlichen und westlichen Transvaal am Ufer der Flüsschen und Teiche, wo sie nach einer zahlreichen Kerbthierlese oder wenn aufgescheucht, auf den nächsten Baum flüchten und hier auf eine kurze Zeit oder stundenlang Stellung nehmen. Zum erstenmale erschaute ich einige Nestfamilien in dem Schoenriverthale, in der unmittelbaren Nähe von Klerksdorp. Bei unserer Annäherung — bis auf 100 Schritte — vereinigten sich die kleinen Gesellschaften zu einer einzigen, welche an zwanzig Thiere zählte und auf eine Weide flüchtete, welche das an jener Stelle eingeengte Flüsschen mit ihrem tief herabhängenden Gezweig überschattete. Die schlanken, schmucken, schneeweissen Vögel boten in jener Krone, mit den nahen Häuschen und den dahinter sich erhebenden Felsenhöhen als Staffage, ein anmuthiges Bild.

Die sonst den Reihern so eigene, dem Auge wohl unangenehme Steifheit* fehlte hier den zierlichen Geschöpfen. Ein mächtiger Südost, der durch das Thal strich, machte sich auch mit der Weidenkrone zu schaffen, und so hatten die schneeigen Reiher mehr ihrem Sitze, als uns ihre Aufmerksamkeit zu schenken; bald neigten sie sich hin und wieder, bald krümmten sie den schlanken Hals und mühten sich ab, mit gelüfteten Flügeln ihr Plätzchen am schwankenden Aste zu behaupten. Sie sassen zumeist auf den äussersten Enden der oberen Aeste, einige aber thronten an des Baumes breitem Wipfel.

Am Zambesi sah ich sie in Gesellschaften bis zu dreissig in den Schilfrohrsümpfen, doch auch an den Sandbänken. Auch landeinwärts konnte ich sie bemerken, sie sassen dann am Ufer seichter Tümpel, die auf den Ebenen durch die Ueberschwemmungen des mächtigen Stromes entstanden waren und zahlreiche Fische und Wassermollusken beherbergten. In der Transvaal und dem Oranjefreistaate nähren sie

---

* Welche man wahrnehmen kann, wenn der Reiher einem Gegenstande, der ihm fremd oder gefährlich erscheint, seine besondere Aufmerksamkeit widmet.

18*

sich zumeist von Insecten, kleinen Lurchen und Würmern, wodurch sich namentlich jene, welche die Nähe der Menschen nicht scheuen, nützlich erweisen. Schnabel gelb; Füsse ocker.   *H.*

Die beiden Vögel stimmen mit den von Frau *Ida Pfeiffer* aus Madagascar erhaltenen Exemplaren des Wiener Museums überein.

P.

Ardea Sturmii (Wagler) — Sturm's Zwergreiher.

Gray Hand-List. B. M. III Sp. 10145.

Zwei Exemplare aus dem Panda-ma-Tenkathale herrührend; daselbst am Ufer in den Binsendickichten angetroffen. Iris gelb. Die obere Schnabelpartie dunkelbraun bis schwärzlich, die untere gelbgrün, ein gleichgefärbter Hautstreifen von den Nasenlöchern zu den Augen ziehend. Die Füsse gelbgrün, gegen die Nägel dunkler, die untere Zehenfläche orangegelb. Nahrung ähnlich der von Nycticorax griseus. Ein jüngeres Exemplar zeigte: Oberschnabel bräunlichgelb, Unterschnabel grünlichgelb, Füsse bräunlichgelb.

Ein Exemplar von *Walsh* erstanden, der es in dem Gesümpfe des Zambesi bei Schescheke erjagte; wird wie Ardea comata und A. bubulcus häufig von den dunklen Bootsleuten am Zambesi mit dem Thobani erlegt. Die Leute lassen ihre kleinen Kähne leise längs des besuchten Ufers nach abwärts treiben, wobei sie in gebeugter Stellung den daumendicken, einen Meter langen Stock zum Wurfe bereit halten. So können sie sich den in dem Geschilf, dem dichten Ufergras und den schneidigen Binsen hockenden Vögeln nähern, die dann beim Auffliegen von einem sicheren Wurfe getroffen in die Fluth herabfallen, um sofort durch einen raschen Griff, bevor sie noch von den Krokodilen erschnappt werden, gesichert zu werden. Nahrung mit der der genannten beiden Arten übereinstimmend.   *H.*

Die Exemplare sind im mittleren* Gefieder; sie entsprechen gut der Beschreibung des jüngeren Vogels bei *Hartlaub* und *Finsch,* nach *Heuglin* (Vögel Ostafrikas 704) sowie auch dem Originalexemplare der Ardea posilla (Heuglin) in der kais. Sammlung (m. von den Schillukinseln November 1853), nur hat letzteres kürzere Tarsen.   *P.*

---

* Das Gewand von halberwachsenen Vögeln.

Nycticorax griscus (Linné) — Nachtreiher.

Ardea nycticorax (L.). — *Gray* Hand-List. B. M. III Sp. 10171.
Layard B. of S. A. p. 311. Nycticorax europaeus, Steph.

Iris gelb; die obere und das vordere Drittel der unteren Schnabelpartie bräunlichschwarz, die zwei hinteren Drittel der letzteren gelb-
lichgrün, ebenso die Haut um die Augen; die Füsse gelbbräunlich.
Nährt sich von Fischen, Lurchen, Wasserinsecten.

Beide Exemplare junge Vögel, von *Walsh* erstanden, der sie am
Ufer des Zambesi nahe an Schescheke erlegte. Findet sich auch hin
und wieder südlich vor, doch scheint er mir ausser dem Zambesi- und
Lake N'game-Gebiet mehr die Küstenstriche zu bewohnen; in den
centralen Hochplateaus ist er als selten zu bezeichnen. Der Vogel
lebt in den mässig hohen Binsen und dem Ufergras, im niedrigen
Geschilfe unmittelbar am Flusse und den auf den Ufern liegenden
Sumpfweihern. Zuweilen sah ich die Thiere an niedrigen, das Gewässer
überragenden Aesten sitzen. Am Flusse sassen sie meist einzeln,
an den Lachen und Weihern pärchenweise, oft his zu zehn und
nahe aneinander. *H.*

Scopus umbretta (Gmel.) — Hammerkopf.

Gray Hand-List. B. M. III Sp. 10181.
Ardea fusca (Forst). Hammerkop der holländischen Ansiedler.

Der Hammerkopf, durch viele Eigenthümlichkeiten unter den
Grallae ausgezeichnet, ist eine der gewöhnlichsten Erscheinungen der
südafrikanischen Vogelwelt. Welcher Südafrikaner kennt den stillen
»Denker« nicht, den braunbefiederten Gesellen, der, wie von tiefem
Kummer bedrückt, stets nur gebeugt und bedächtig die Ufer abzu-
schreiten pflegt? Nimmt der Colonist ein mehr denn gewöhnliches
Interesse an den Fremden wahr, das dieser den Bewohnern der Lüfte
entgegenbringt, so wird er sicherlich von dem »wonderliken« Neste des
Hammerkopfs, wohl des bedeutendsten Nestkünstlers unter den Sumpfvögeln, zu berichten wissen.

Von den südlichen Küsten bis nach Centralafrika ist dieser, zumeist paarweise lebende Vogel anzutreffen. Er findet sich in der Nähe
stehender wie fliessender Gewässer, an klaren oft nur wenige Meter
langen Quellbächen, ohne auch schlammige Moräste zu verschmähen. Ich
fand das Thier in allen südafrikanischen Landen, die ich bereiste. Zum

erstenmale sah ich es an den Meereslagunen bei Port Elizabeth, wie
auch später am Culminationspunkte meiner Wanderungen, im centralen
Zambesithale; vermisste es weder auf den Tiefebenen, noch im Hochlande, ebenso wenig wie auf baumlosen Steppen und in den schattig-
sten Partien feuchter Niederwälder; häufig auch war mir die Gelegenheit geboten, sein Nest zu sehen.

Als Denker und ein »stiller Denker« leistet der Hammerkopf
Erstaunliches. Stundenlang wird er an dem Ufer eines Gewässers,
unmittelbar am Wasser, auf- und abwaten, ohne einen Laut von sich
zu geben. Gebückt schreitet er auf und nieder, schüttelt zuweilen
sein beschopftes Haupt. Sucht er vielleicht nach dem Stein der Weisen
um ihn gleich den vielen Knochen und anderen Objecten in sein Nest
einzuflechten? Da gleitet ein Schatten über ihn, und schon ist ein

Scopus umbretta.

Genosse »eingefallen«. Im Nu hat der Erste den Gegenstand seines
Sinnens von sich geworfen, und es beginnt ein wilder Tanz, womit
sich Beide gegenseitig zu begrüssen scheinen. Wenige Minuten später
— sind beide Thiere wiederum ihrem Nachdenken verfallen.

Der Hammerkopf ist sehr vorsichtig, in menschenleeren Gegenden
sehr scheu, da, wo man ihn ungestört seine Nester bauen lässt, — ob
seiner Nützlichkeit geschieht dies wohl überall im civilisirten Südafrika —
das Gegentheil davon, ohne jedoch seine Vorsicht aufzugeben. Sieht er
sich durch längere Zeit beobachtet, so wird er misstrauisch, und fliegt
davon. Von seiner Vorsicht gibt der Nestbau des Vogels ein beredtes
Zeugniss ab. Gemüthlich und verträglich, — mitten unter Bachstelzen
geht er oft seiner Nahrung nach, — erweist er sich aber auch durch
die Vernichtung von zahllosen Land- und Wasserinsecten, wie auch

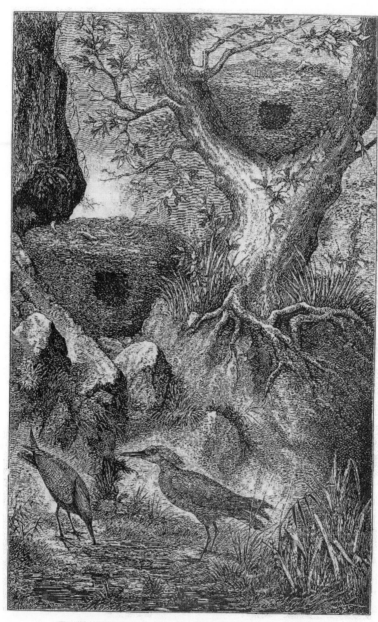

Der Hammerkopf (Scopus umbretta) und seine Nestbauten.

von Lurchen und an den Quellen und Gewässern, die ohnehin aus unreinem Wasser bestehen, von Würmern wie anderem Gethier als sehr nützlich.

Sein Flug ist in jeder Beziehung schön, leicht und geräuschlos zu nennen; er streift bald über den Boden dahin, bald steigt er empor und schwebt bis zu einer Höhe von 200 bis 300 Fuss über den Sümpfen. Während des Fluges wendet er sehr oft seinen Kopf zur Seite, was mir ihn auch gewöhnlich verrieth, wenn ich aus dem Fluge oder in Folge der bereits eingetretenen Dunkelheit nicht sofort klar werden konnte, was für einen Vogel ich erschaut hatte.

Er versucht sich zumeist gegen den Abend in seinen Flügen und durchmisst grössere Strecken, doch dann nur in solchen Fällen, wo durch monatelange Dürren »sein Gewässer« eingetrocknet war. In der Regel ist er stabil zu nennen und bewohnt jahrelang dieselbe Gegend und ein Nest. Die Anlage des letzteren zeigt nicht allein von seiner Vorsicht, sondern auch von seinem aussergewöhnlichen Denkvermögen. Ist es ihm möglich, so wählt er sich Orte, die wenigstens für die vierfüssigen Feinde unerreichbar sind, oft jedoch auch unzugängliche und ist dann in seiner Wahl so trefflich, dass vielleicht Mancher jeden Punkt an einer solchen Felsenwand für nicht schwer erklimmbar halten würde, während sich doch — wenn wir näher herantreten — ein Nest des Scopus an einer vollkommen unerreichbaren Stelle befindet. Dass er sich dabei auch des Menschen »Kunst« zu Nutze machen kann, beweist der nachstehende Vorfall. An einem schroffen Felsenabhange einer der Höhen, die den Kessel von Kuilfontein bilden, nistete an einer weniger schwer zugänglichen Stelle ein Paar der »Denker«. An Wassermangel leidend, entschloss sich der durch seinen Biedersinn und seine Kenntnisse im Straussenfarmen im Colesberger District (östliche Provinz der Capcolonie) wohl bekannte Grundbesitzer Herr *W. Murray*, nach Quellen zu graben. Den ersten Versuch machte er eine kurze Strecke westwärts von seinem Gehöfte und hieb in dem Felsenboden einen etwa fünf Meter tiefen, einen Meter breiten, einige sechzig Schritte langen Stollen ein. Er kam zu einer schwachen Quelle, die in ein Reservoir geleitet wurde.

Kurze Zeit, nachdem man diese Arbeit beendet, fand sich jenes Hammerkopfpärchen, das den neuen offenen Quelltümpel unterhalb dieser Felsenmulde besucht und sich dann wohl auch die letztere näher besehen hatte, als ein öfterer Gast an derselben ein und überraschte

eines Tages einen der Hirten, der sich zufällig in die Tiefe des Stollens
beugte, mit einem fertigen Nestbau. Dieser war an eine wohl zufällig
durch das Lossprengen eines Felsblockes hervorgerufene Erweiterung
nahe an dem oberen Rande errichtet, jedenfalls an einer Stelle, die viel
mehr Sicherheit als jener Baum an dem Bergabhange bot.

Der Vogel baut zwischen den Astgabeln meist solcher Bäume,
welche Abhänge und Flüsse überragen, oder zwischen steilen Felsen-
klüften sein 50 bis 90 Centimeter hohes, im oberen Umfange zwei
bis drei Meter haltendes und nach unten spitzig zulaufendes Nest, das
einem mit der Basis nach oben gekehrten Kegelstutze nicht unähnlich
ist. Das Ganze stellt einen soliden, oben gedeckten und eine Kammer
enthaltenden Bau dar; in die Kammer führt eine viereckige, 15 bis
25 Centimeter im Quadrat messende Oeffnung, die zuweilen auch
gangförmig (doch dem Bau nicht angebaut), nach, innen verlängert
erscheint. Der Bau, an dem und in dessen Wänden eine Menge von
Knochenstücken ersichtlich sind, ist in der Regel aus Reisig aufgeführt,
schwer, und mehr oder weniger mit Erde als Cement verdichtet.

Es können sich mehrere Nester an einem beschränkten Raume
vorfinden. Sind die erforderlichen Bedingungen vorhanden, ist der
Abhang steil und findet sich an seinem Fusse ein nimmerversiegender
morastiger Tümpel oder ein stets fliessendes Gewässer, so können
kleine Colonien von fünf, seltener zehn Pärchen (doch auch darüber)
an demselben »bauend« angetroffen werden. Ich glaube, dass kein
Nest weniger als 100 Kilo schwer ist.

Eine andere Charaktereigenthümlichkeit dieses Sumpfvogels ist
seine Haltung. Wenn nicht sein Schnabel und seine Watbeine auf
einen Vertreter der Grallae schliessen lassen würden, die Körperhaltung
würde an einen Schwimmvogel erinnern. Der Vogel ist in der That
unter den Sumpfvögeln durch seine horizontale Körperhaltung ausgezeichnet und man sieht ihn nie so aufrecht stehen, wie er gewöhnlich abgebildet ist und wie ihn leider auch der Artist meines Reise-
werkes* — sich während meiner Abwesenheit von Wien das Bild des
Vogels aus einer neuen Ornithologie statt der Vorlage, die ich ihm
sandte, zum Muster nehmend, — irrigerweise abgebildet hat.

Den vorhergehenden und den folgenden Geschlechtern gegenüber-
gestellt, erinnert das Skelet des Hammerkopfes, wenn auch in einer

---

* Sieben Jahre in Südafrika.

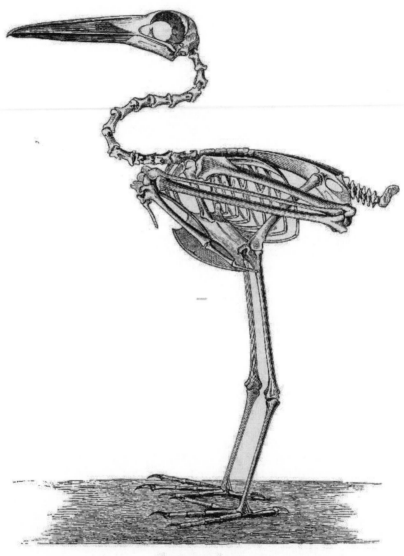

Scopus umbretta.

beschränkten Weise, an jenes des Balacniceps rex und des Nycticorax griseus, und zwar derart, dass gewisse Skelettheile unseres Vogels mit den entsprechenden des Balacniceps, andere mit jenen des Nycticorax etwas übereinstimmen. Als Gegensatz zu dem Letztgenannten erscheint das Hinterhaupt bei den Ersteren allmälig abfallend. Die äussere obere Schädelfläche ist beim Scopus tief gefurcht, mehr abgeflacht beim Balacniceps. Bei beiden tritt der processus lacrimalis anterior beinahe senkrecht an das Jochbein herab. Aeusserst interessant erscheint mir die knöcherne Schnabelbildung. Beide Vögel weisen eine Protuberanz an der Wurzel des Oberschnabels auf, selbe aus den Nasen- und Ethmonidalknochen gebildet. Während jedoch der Oberschnabel beim Scopus allmälig gegen die Spitze abfällt, finden wir ihn beim Balacniceps in seiner Längenmitte sattelförmig ausgeschweift und dem entsprechend, jedoch bei Beiden, die untere Oberschnabelfläche, sowie auch die entsprechende Partie des Unterschnabels in ihrer ganzen Stärke nach unten zu ausgebaucht. Das Verhältniss der Länge des Schädels zu jener des Körpers verhält sich beim Scopus wie $1:1$, beim Balacniceps wie $1:1·35$, beim Nycticorax wie $1:1·1$. Im Vergleich zu den Letzteren erscheint das Brustbein des Scopus auffallend kurz, seine Crista auffallend hoch; beim Scopus verhält sich ihre Höhe zur Brustbeinlänge wie $1:2·5$, beim Balacniceps wie $1:4$, beim Nycticorax wie $1:4$.

Die Furcula ist beim Erstgenannten breit, doch so kurz, dass sie die vordere Spitze der Brustbeincrista nicht erreicht. Die Incissura des Brustbeines ist tief und halbmondförmig. Die Rippen auffallend breit. Das Becken ist im Allgemeinen als gedrungen und breit zu betrachten, was eine durch beide Trochleen gelegte Achse deutlich bezeugt; so beträgt dieselbe bei dem kleineren Scopus 3·2 Centimeter, bei dem grösseren Nycticorax 2·7 Centimeter. Mit Rücksicht auf das Längenverhältniss des Oberschenkelknochens zum Schienbein und zum Zwischenfussknochen präsentirt sich dieselbe wie folgt:

Name	Femur		Tibia		Metatarsus
Scopus umbretta	1	:	2·2	:	1·3
Balacniceps rex	1·05	:	2·25	:	1·91
Nycticorax griseus	1	:	1·7	:	1·05

Dabei beobachten wir namentlich die Tibia und den Metatarsus-knochen, sowie auch die Zehenknochen beim Scopus schwächer wie beim Nycticorax, dafür aber seine Flügelknochen gedrungener und stärker gebaut, was uns auch mit Hinblick auf den Bau seines sternums das hervorragende Flugvermögen des Hammerkopfes erklärt. Die Längen-verhältnisse der Arm-(Flügel-)knochen zu einander präsentirten sich wie folgt:

Name	Brachium	Ulna u. radius	Metacarpus
Scopus umbretta	1·18 :	1·34 :	1·05
Balaeniceps rex	1·11 :	1·33 :	1 05
Nycticorax griseus	1·36 :	1·88 :	1·05

Ausser Parasiten zählt das Thier einige der Felina, namentlich die Wildkatze, den Thari und den Caracal, zu seinen Feinden; auch suchen zuweilen Paviane seine Nester ab, um sich der Eier zu bemächtigen. Diese gibt Layard als drei bis fünf an der Zahl an, weiss von Farbe und von einem Längendurchmesser von 1″ 9‴ und einem grössten Breitedurchmesser von 1″ 4‴. Ich werde es mir angelegen sein lassen, von der nächsten Expedition aus — ein Felsen- und ein Baumnest des Vogels nach Europa einzusenden.   *H.*

Ciconiidae — Störche.

Ciconia alba (Bris.) — Gemeiner Storch.

Gray Hand-List. B. M. III Sp. 10184.

Nur einigemale während meines siebenjährigen Aufenthaltes in Südafrika in kleinen Trupps (bis zehn Thiere in einem derselben) zur Sommerzeit beobachtet. Vermag nichts über ein etwaiges südafrikanisches Nisten des Vogels zu berichten; mir schien er stets nur migrirend den Süden aufzusuchen.

Auch der gemeine Storch erweist sich als nützlich, indem er den Heuschreckenschwärmen folgend, viele der schädlichen Insecten vernichtet. Den Colonisten würde es erwünscht sein, den Vogel in grösserer Häufigkeit auf südafrikanischem Boden zu sehen. Auf seinen Wanderungen hält der Vogel überall an, sowie ihn nur der Hunger zu einer Rast nöthigt: so beobachtete ich die Thiere auf einem unternommenen Ausfluge nach Delportshope (Vereinigung des Harts- und Vaalrivers), in einem ziemlich dichten Niedergebüsch, wo sie zerstreut die kleinen Lichten nach Insecten und dem grossen Julus absuchten.   *H.*

Ciconia nigra (Linné) — Schwarzer Storch.
Gray Hand-List. B. M. III Sp. 10186.   .
C. nigra (Bechst.). Pl. Enl. 399. — Melanopelargus niger.(Bonap.) Consp., Av. 11. p. 105.

Einmal im Ostbamangwatolande an dem grossen Salzsee Soa in einer kleinen Gesellschaft von fünf Stück und ein zweitesmal in der unmittelbaren Nähe der Stadt Linokana (acht Stück) beobachtet. Findet sich hie und da im gesammten Südafrika und ist häufiger wie Ciconia alba. Seine Lebensweise stimmt mit jener des Purpurreihers so ziemlich überein, und es muss der Vogel auch als einer der nützlichsten der südafrikanischen Störche angesehen werden; dadurch, dass wir ihn weniger oft in unmittelbarer Nähe der Gewässer vorfinden, als wie den Ardea purpurea, erhellt auch sein grösserer Nutzen, da auf den Steppen und in Thälern vorwiegend Insecten und darunter wiederum namentlich Termiten und Heuschrecken seine Nahrung ausmachen.

Das ausgestellte Exemplar ist ein junger Vogel und war ein Mitglied jener Nestfamilie, mit der ich am Soasalzsee zusammentraf.

H.

Leptoptilos crumeniferus (Cuv.) — Marabu-Storch.
Gray Hand-List. B. M. III Sp. 10194.
Ciconia Argala (Temm.), Pl. Col. 201. — C. vetula (Sund.).

Ich beobachtete den Marabu in dem Zambesithale, wo er in kleineren und grösseren Gesellschaften unmittelbar an dem Strome und seinen Lagunen, sowie auch viele Meilen landeinwärts zu finden ist. Er nährt sich daselbst zumeist von Fischen, Reptilien und Aas. Die günstigste Zeit bilden für ihn die der menschlichen Gesundheit am meisten schädlichen Monate, in denen das Wasser des Zambesi zu sinken beginnt und in den überflutheten Partien zahlreiche Fische, Krabben und Mollusken zurücklässt. Wir können ihn vielleicht nur mit Rücksicht auf seine Besuche am Süd-Zambesiufer und jene im Tschobethale einen Südafrikaner nennen und ihn als einen solchen für den stärksten der südafrikanischen Sumpfvögel betrachten. Ich fand diese Kraft und Widerstandsfähigkeit des Vogels durch einen Vorfall, der sich auf der Schescheke-Wildebene abspielte, hinreichend erprobt. Ich war mit einem meiner Diener auf Antilopenjagd ausgegangen. Da traf ich eine englische Meile weit von der Stadt eine Marabugesellschaft Siesta haltend. Da ich schon seit lange diesen Aasvogel unter den Grallae für meine Sammlung erwerben wollte, nahm ich eines der Thiere aufs Korn und streckte es mit einer Shniderkugel zu Boden. Wir eilten hinzu. Das Thier lag mit ausgestreckten Flügeln auf der Erde. Es näher beschauend, fand ich, dass ihm die Kugel beide Thoraxhälften perforirt hatte; wir waren eben im Begriffe, den Vogel vollends zu tödten, als dieser plötzlich aufsprang, und ehe ich noch mit dem Gewehrkolben zuschlagen konnte, aufflog und auch schon über dem Strome schwebte, bevor ich noch einen zweiten Schuss abfeuern konnte. Hatte ich auch wiederholt die mir selbst räthselhafte Beobachtung gemacht, dass meine Kugel ein Thier viel eher im Laufe oder Fluge als im Stehen und Hocken treffe. so verspürte ich doch diesmal keine weitere Sehnsucht, dem Vogel eine zweite Kugel nachzusenden, da es ohnehin, in Anbetracht der zahlreichen Krokodile, durch einen etwaigen Fall ins Wasser, für mich verloren gegangen wäre.   *H.*

Mycteria senegalensis (Shaw.) — Sattelstorch.

Gray Hand-List. B. M. III Sp. 10193.

Ciconia senegalensis (Vieill.). — C. ephippiorhyncha (Tem.) Pl. Col. Ruepp. Atlas T. 3.

Iris ockergelb; der Schnabel carmin, mit einem schwarzen Rand, eine stechendgelbe Hautfalte an der Schnabelwurzel; Füsse carminroth; Zehen rosaroth.

Es war am Morgen des 30. Juni während meines Aufenthaltes unweit der Mündung des Natalflusses in den Soasalzsee, als ich, eben mit dem Aufzeichnen meiner Notizen beschäftigt, von Meriko, meinem Bamangwatodiener, auf ein Paar unweit und über dem Flusse kreisende grosse, storchartige Vögel aufmerksam gemacht wurde. Ich ergriff sofort mein Schrotgewehr, schlich mich in eine Regenmulde

zum Flusse hinab und es gelang mir, eines der Thiere, die sich eben
aus den Steinfugen einer Salzlache kleine Fische herausholten, zu erlegen. Der erlegte Vogel war eben das ausgestellte männliche Exemplar, vollkommen erwachsen.

Ich sah den Vogel nie südlicher im centralen Südafrika, um so häufiger sucht er die wärmeren Landstriche des Ostens und Westens auf, wo
ihm die stellenweise ausgedehnten Marschländer hinreichende Nahrung
und sichere Brutplätze bieten. Er scheint an dem See N'Game nicht
selten und am Zambesi häufig zu sein. So beobachtete ich ihn zu
wiederholtenmalen im Zambesi- und Tschobethale, zumeist in seichtem
Wasser und an den Stromschnellen, wo ich auch einen ähnlich geformten, doch braunweiss gefärbten Vogel bemerkte, ohne ihn erlegen
zu können, und deshalb nicht mit Sicherheit angeben kann, ob es
ein noch nicht vollkommen erwachsener Sattelstorch in seinem Jugend-
gewande oder eine Varietät des Sattelstorches gewesen ist. Unter den
südafrikanischen Störchen eine prächtige Erscheinung, schien mir
der letztere für die schöne Scenerie, welche dem Reisenden oberhalb
Impalera an den brausenden mit tropischer Vegetation umrahmten,
und durch zahlreiche kleine, felsige, wie auch hohe, sandige Inseln
getheilten Stromschnellen geboten wird, ein so recht passendes Schau-
stück zu sein.

Die Nahrung der M. senegalensis besteht zumeist in Fischen,
Lurchen, Insecten und Würmern, doch verschmäht er auch Vierfüssler
und Schlangen nicht. *H.*

Anastomus lamelligerus (Temm.) — Klaffschnabel.

Gray Hand-List. B. M. III Sp. 10198.

Hiator lamelligerus (Bonap.) Consp. 11, p. 109.

Nicht südlicher als im Zambesithale beobachtet. Das ausgestellte
Thier, ein Männchen, von *Walsh* erkauft. In den Sümpfen (welche hie
und da begraste Stellen zeigen), nahe an der Vereinigungsstelle des
Tschobe und Zambesi nistet er in sehr grosser Anzahl, so dass in Jahren,
wo die Brut besonders zahlreich ist, die Jungen von den Bewohnern
der nahen Masupiastädte gesammelt und als Abgabe nach der Stadt
Schescheke zum Marutsekönige in Kähnen gebracht werden. An
den Sandbänken sahen wir die Vögel oft 20 bis 50 nebeneinander in

19

Reih' und Glied stehen, um in dem seichten Wasser, doch der Krokodile halber mit grösster Vorsicht, zu fischen. Der Vogel ist unstreitig
eine der häufigsten Erscheinungen am centralen Zambesi, nicht besonders scheu und nährt sich zum grössten Theile von Fischen,
Wassermollusken und Insecten.   *H.*

Plataleidae — Löffelreiher.

Platalea tenuirostris (Temm.) — Dünnschnabliger Löffelreiher.

Gray Hand-List. B. M. III Sp. 10201.

Plat. nudiforons, Cuv. (Burch.). — P. chlororhynchos (Drap.).

Häufig in dem N'Gamesee-Gebiete, den sumpfigen Partien der
Zuflüsse dieses Sees und der Salzseen, wo wir ihn oft in sehr grossen
Gesellschaften vorfanden (centraler Theil des West- und des Ost-
bamangwatolandes). Ich beobachtete den Vogel nie südlicher, obgleich
ihn Andere in den Sümpfen an der Ostküste, weiter südlich, zu finden
vorgaben. Das ausgestellte Weibchen stammt aus einer Salzlache vom
Ufer des Tsitani-Salzsees. Je nach dem Wassergehalte der verschiedenen Zuflüsse des N'Gamesees migrirt der dünnschnablige Löffel-
reiher periodenweise von West nach Ost und umgekehrt, welche
Reisen etwa je einen bis drei Breitegrade in sich begreifen. Ich fand
den Vogel wachsam, doch nicht sehr scheu; seine Nahrung stimmt mit
der des vorhergehenden Vogels so ziemlich überein.   *H.*

Tantalidae — Ibise.

Tantalus Ibis (Linné) — Nimmersatt.

Gray Hand-List. B. M. III Sp. 10209. — Tantalus rhodinopterus (Wagl.).

Das eine der ausgestellten Exemplare ist ein junger Vogel und
wurde in dem bereits bei der südafrikanischen Sumpfeule erwähnten
Weiher auf Houmansvley am 12. November 1876 erlegt. Ausserdem
habe ich den Kopf eines erwachsenen Thieres mitgebracht, das auf
Brackfontein (Fouriersfarm) in der westlichen Transvaal erlegt wurde.
Beide Thiere, wie auch weitere, zumeist einzeln, doch auch in Pärchen

und kleinen Nestfamilien im centralen Südafrika an Teichen und Flüssen beobachtet.

Iris grau, mit einem Stich ins Gelbe; Schnabel dunkelocker, eine Haut des Vorder- und Seitengesichtes dunkelockergelb, mit einem Stich ins Orangefarbene; Füsse schmutzigocker, nach unten zu dunkler, zuerst ins Grünliche übergehend, dann mattschwarz.

Die Thiere erscheinen von dem $21.^0$ südl. Br. nach Norden zu häufiger und dann meist in Pärchen in den Schilfrohr- und Binsendickichten des N'Gamesees, sowie des Zambesi und der meisten Zuflüsse dieser beiden Wassergebiete, welche morastige Ufer aufzuweisen haben.

Erwachsene Vögel sind in der Regel sehr scheu, und meine wiederholten Versuche, ihrer z. B. am Limpopo habhaft zu werden, lohnten sich auch nicht in einem einzigen Falle. Gewöhnlich an der Spitze der höchsten Uferbäume hockend, erfreuen sich die Nimmersatts eines so guten Standortes, dass sie auch jedwede Annäherung wahrnahmen und sich durch eine rechtzeitige Flucht aufs jenseitige Transvaalufer retten konnten.

Da wir den Nimmersatt als einen seltenen Gast im civilisirten Südafrika betrachten können, er sich daselbst auch nur zumeist an den beinahe durchwegs fischlosen Teichen und Regenwasser-Reservoirs vorfindet, und da es noch in den einsameren Gegenden, wo er so manchen Fisch erschnappt, von diesen beflossten Wasserbewohnern nur wimmelt, so dass das Erhaschen derselben den Eingebornen keinen Abbruch bereitet, so können wir den Vogel für Südafrika nicht allein für vollkommen unschädlich, sondern vielmehr durch das Verzehren von Reptilien und Insecten sogar als nützlich bezeichnen. Wegen seiner Vorliebe für Lurche wurde ihm von den holländischen Farmern und Jägern der Name »der Paaderfanger« beigelegt.

H.

Ibis falcinellus (Linné) — Dunkler Sichler.

Gray Hand-List. B. M. III Sp. 10214.

Tantalus igneus, T. viridis (Gmel.). — Falcinellus igneus (Bechst.)

Ein Weibchen. Von *Walsh* erstanden, der den in Südafrika ziemlich seltenen Vogel am Zambesi bei Schescheke erlegte. An den Sandbänken des Flusses beobachteten wir den dunklen Sichler in Pärchen und Gesellschaften, wie er im Wasser watend zumeist zwischen den

19*

Binsen und Graswurzeln nach Mollusken und Kerbthieren suchte, auch kleine Fische erhaschte und aus ihrem Loche so manche Flusskrabbe hervorholte.   *H.*

Geronticus aethiopicus (Lath.) — Geheiligter Ibis.

Gray Hand-List. B. M. III Sp. 10221.

Numenius Ibis (Cuv.). Vol. 3, p. 359. — Ibis religiosa (Savig.).

Der geheiligte Ibis ist in dem eigentlichen Südafrika ziemlich selten, man findet ihn nur stellenweise und dann in grösseren Gesellschaften; er scheint grössere Wanderungen zu unternehmen und wird vom 22.^{0} südl. Br., namentlich am See N'Game, seinen Zuflüssen, und denen des Zambesi häufiger angetroffen.

Ich fand ihn in der Transvaal zu verschiedenen Jahreszeiten * und an verschiedenen Localitäten vor. Ich lernte ihn als einen äusserst scheuen Vogel kennen, der sich auf seinem Fluge da gern niederlässt, wo er schon einen Haufen anderer Vögel, an Würmern, Fischen und Lurchen weidend, vorfindet.   *H.*

Scolopacidae — Schnepfen.

Actitis hypoleucos (Linné) — Flussuferläufer.

Tringoides hypoleuca (L.). — *Gray* Hand-List. B. M. III Sp. 10279.

Zwei Weibchen. Am Ufer des Zambesi bei der Stadt Schescheke im Marutsereiche im Jänner 1876 erlegt. In kleinen Gesellschaften die Sandbänke auf- und ablaufend, um hier Insecten, Asseln und Mollusken aufzupicken. Schnabel und Füsse schwarzbraun.   *H.*

Philomachus pugnax (Linné) — Kampfläufer.

Gray Hand-List. B. M. III. Sp.

Machetes pugnax (Cuv.). — Layard Biri of. S.-Afr. p. 329.

Mehrere Thiere beiderlei Geschlechtes ausgestellt, so ein männliches Exemplar, von *Dr. B.* erkauft; dieses zeigte die Iris braun:

* Vide »Sieben Jahre in Südafrika«, I. Bd., p. 232.

Schnabel schwarz; Füsse fleischfarben; Nägel schwarz. In seinem Magen fand man Insecten, Grassamen und Sorghumkörner.

Ein erwachsenes Männchen und Weibchen, sowie ein junges Männchen, von mir im Matebethale im Juli 1876 erlegt.

Ein im September erlegtes Männchen zeigte folgende Abweichungen: Iris grau; Füsse ockergelb.

Ich beobachtete die Species von der südlichen Meeresküste bis an den Zambesi, in Pärchen und in kleinen Gesellschaften zu drei oder vier, seltener zu sechs bei einander. Ich fand im Allgemeinen bei erwachsenen Exemplaren die Regenbogenhaut braun, den Schnabel schwärzlich bis schwarz, die Füsse ockergelb, hell, sowie dunkel mit einem Stich ins Grünliche und die Nägel schwarz. Die Vögel scheinen mir äusserst scheu und vorsichtig zu sein; sie fischen oft bis an die Unterschenkel im Wasser watend. Ihr Pfeifen ist weit hörbar; sie lassen es namentlich beim Einfallen hören und streichen nicht allein niedrig längs der Ufer dahin, sondern durchmessen auch äusserst rasch weite, zwischen zwei Flüssen gelegene Landstrecken. Sie gehören zu den periodischen Bewohnern der Salzseeufer, doch fand ich nie mehr als eine Gesellschaft an solch' einem Gewässer vor; um so seltener habe ich sie an künstlichen Gewässern angetroffen.

Im Allgemeinen ersah ich den Kampfhahn in Südafrika während der Sommersaison und in einer beschränkten Anzahl auch im Winter, doch erinnere ich mich nicht, mehr als wie ein einziges Männchen im Hochzeitsgewand erschaut zu haben. Es war im Jahre 1872, als ich auf der Fahrt nach Fauresmith an der Saltpansdrift des Fischrivers verweilte. An einer der zahlreichen kleinen Lachen, welche das zum Theil eingetrocknete Flussbett aufwies, traf ich einen Kampfhahn, der sich durch eine rostrothe, ins Feuerfarbene spielende Hals-Brustkrause bemerkbar machte.   *H.*

Gallinago nigripennis (Bonap.) — Grosse Heerschnepfe.

Finsch et *Hartlaub*. Vögel Ostafr. 769.
Gallinago macrodactyla (Bonap.). — *Gray* Hand-List. B. M. III Sp. 10330.

Weibchen mit nahezu gereiftem Eierstock im Juli in den Sümpfen des Matebethales, unmittelbar an der Baharutsestadt Linokana (Westtransvaal) erbeutet. Iris violettbraun; Schnabel braun, mit einem Stich ins röthlich Violette; Füsse schmutzig grasgrün; Nägel schwarz.

Nährt sich im Sommer meist von Insecten, im Winter von kleinen Wasserthieren.

Wenn wir uns an einem Abend im Frühsommer längs der schilfreichen Matebe- oder sonstiger zahlreicher Transvaal-Flusssümpfe ergehen, wird unsere Aufmerksamkeit von einem eigenthümlichen Geräusche auf Stunden hin gefesselt. Es gleicht dem Sausen eines plötzlich beginnenden und ebenso plötzlich aufhörenden, gegen sein Ende an Stärke abnehmenden Windstosses, durch dessen Gesammtdauer ein lautes Schwirren wahrgenommen werden kann. Emporblickend staunen wir nicht wenig, in den Urhebern dieses Geräusches Schnepfen zu erkennen, welche emporgeflogen aus der Höhe plötzlich herabstürzen, allmälig ihren Fall mildern, um sich dann mittelst einer Schwenkung wiederum emporzuheben. Es ist unser Vogel, den ich auch in Westgriqualand, dem Oranjefreistaat und den südlichen Betschuanaländern vorfand, und der auch nach Ost, Süd und West gegen die Küsten zu anzutreffen ist. Wir können die Schnepfe sehr häufig brütend vorfinden, und wo sie vorkommt, da trifft man sie in grosser Anzahl an.   *H.*

Rhynchaea capensis (Linné) — Buntschnepfe.

Gray Hand-List. B. M, III Sp. 10356.

Scolopax capensis (L.). — Sc. bengalensis (Gmel.).

Zwei Männchen, von *Dr. Bradshaw*, eines an dem Tamafophaweiher, das andere am Panda-ma-Tenkaflüsschen, beide im nördlichen Theile von Ostbamangwato erlegt. Iris und Schnabel braun; Füsse schwarzbraun, ebenso die Nägel. Nährt sich meist von Würmern, Insecten, zumeist Maden.

Ein Weibchen, am Ufer des Panda-ma-Tenkaflüsschens von mir erlegt. Iris braun; vordere Schnabeltheile bräunlich fleischfarben; die Wurzel dunkler; Füsse bläulichgrau. Sommerkleid. Der Vogel weniger scheu wie Gallinago nigripennis.

Ich traf das Thier auch südlicher an. So im Jänner an Regenlachen bei der Stadt Schoschong; es scheint hier jedoch nur etwa zwei Monate lang Aufenthalt zu nehmen, da die Ufer der Flüsschen im Franz Josephsthal nur selten länger als acht bis neun Wochen einen sumpfigen Charakter zur Schau tragen.

Im Allgemeinen nicht selten, wenn auch nicht so häufig, wie die vorhergehende Art und auch weniger gedrängt vorkommend. Ausser in einigen Localitäten, wie an den Sümpfen unversiegbarer Flüsse, wie des Moiriver, Zambesi etc., wo sie die meisten Monate oder das ganze Jahr hindurch anzutreffen ist, erscheint sie uns als ein unstäter Vogel, der von Sumpf zu Sumpf wandert und sich nur da, wo es »Fleischtöpfe« gibt, gefällt; so zeigen sich und brüten diese Schnepfen auch in manchen Gegenden, die zufällig von einem feuchten Jahre beglückt auf einige Monate lang einen sumpfigen Charakter zur Schau tragen, um vielleicht schon in dem nächsten Jahre tief in den Boden hinein förmlich ausgedorrt zu erscheinen.   *H.*

Rallidae — Rallen.

Rallus coerulescens (Gmel.) — Graue Wasserralle.

Aromus coerulescens (Gm.). — *Gray* Hand-List. B. M. III Sp. 10409.

Cuv., Vol. 3. p. 402. — *Shaw.* Vol. 12, p. 211.

Am Ufer des Panda-ma-Tenkaflüsschens im Albertslande (nördlicher Theil von Ostbamangwato) in Pärchen, doch nicht südlicher im centralen Südafrika, vorgefunden. Ein Männchen, im Sommerkleide erbeutet. Iris braun; Schnabel, Füsse und Nägel dunkelbraun. Nährt sich von Wasserinsecten, Schnecken und Würmern.   *H.*

Gallinulidae — Wasserhühner.

Fulica cristata (Gmel.) — Kammblässhuhn.

Gray Hand-List. B. M. III Sp. 10521. — *Gmel.* Pl. Enl. 707.

An stehenden, bebinsten Gewässern, oft in unmittelbarer Nähe menschlicher Wohnungen angetroffen, wo sie auch meist in Gesellschaft von zwei Arten Wildenten brüten und namentlich von den holländischen Colonisten sehr geschont werden. Im Allgemeinen unter den Scolopacidae, Palamedeidae und Rallidae der häufigste Vogel für Südafrika. Ich beobachtete ihn auch an den Salzseen und erlebte an dem Calvertsalzsee folgenden interessanten Fall: Wir lagen an dem spitzig zulaufenden Nordostende des Sees. Das niedrig bebinste Ende bildete eine Bucht und diente Kammblässhühnern, Tauchern und Wild enten zur Zufluchtsstätte. Unter diese Plebejer liess sich häufig — mitten in die Binsen — ein Pärchen der Rohrweihen (Circus ranivorus) nieder, ohne sich jedoch weiter um die Schwimmvögel zu bekümmern, was man auch in einem gleichen Masse von Seite der letzteren mit Rücksicht auf die Räuber ersehen konnte. Endlich überzeugte ich mich, dass die Raubvögel eifrig brüteten. Näherte ich mich ihrem Neste, so flogen sie schreiend auf und schwebten über mir, ängstlich mein Thun beobachtend. Das Nest war etwa 30 Meter vom Uferrande entfernt und bestand aus einem 15 Centimeter starken, 60 Centimeter breiten Binsenpolster, der sich als eine an den nächststehenden Binsenbüschen befestigte Insel erwies. Die beiden Eier, die der Vogel bebrütete, waren weiss, von Haushühnereigrösse, schienen mir sehr hartschalig zu sein und mit Rücksicht auf Raubvogeleier eine abweichende Form zu besitzen. Ich trachtete vor Allem, wie ich es bei grösseren Vögeln zu thun pflege, in den Besitz der Räuber zu kommen. Nach dem ersten Schusse, der den Vogel »flügeln« sollte, entfernte sich der männliche Raubvogel, um am Nachmittage mit seiner Genossin, die kurze Zeit nach unserer Ankunft von dem See abgesegelt war, zurückzukehren. Sofort setzte er seine Bebrütung fort, doch liess er mich nicht mehr herankommen. d. h. er flog auf, sowie ich nur in das Wasser getreten war. So holte ich denn die beiden weissen Eier vom Neste und fand, dass sie beinahe vollkommen reife — Blässhühner enthielten. Es schien mir, wie wenn die Blässhühner durch unseren nahen Lagerplatz von dem Neste verscheucht, die Eier im Stiche gelassen hätten, und diese von den Habichten zur weiteren Obsorge übernommen worden wären.

Da ich die Blässhühner auch in Regenlachen vorfand, welche nur eine kurze Zeit hindurch im Jahre Wasser aufweisen, so schienen sie mir, wenn belästigt, oder sonst aus anderen Gründen, weite Strecken zu durchwandern.   *H.*

Parridae — Blätterhühner.

Parra africana (Gmel.) — Afrikanisches Blätterhuhn.

Finsch und *Hartl.* Vög. Ostafr. 781.

Parra africana (Lath.) — *Gray* Hand-List. B. M. III Sp. 10535.

Zwei Weibchen aus dem Panda-ma-Tenkathale herstammend, von Dr. *Bradshaw* erstanden; zumeist in Albertsland einzeln und in

Pärchen angetroffen (im Zambesisystem); von mir nicht südlicher gefunden worden, doch sonst hie und da gegen die nördlicheren Küsten des südlichen Afrika häufig von Andern beobachtet. Iris braun; Schnabel, eine Vorhaut an der Stirne, Füsse und Nägel hellschieferfarben. Nährt sich von Wasserinsecten und Samen der Wasserpflanzen. Die ausgestellten Exemplare haben ihr Sommerkleid angelegt. *II.*

Beide Exemplare von bedeutender Grösse, jedoch die von *Finsch* und *Hartlaub* a. a. O. angegebenen Dimensionen nicht oder nur wenig überschreitend.

Das Eine: Flügel 6" 5''' (17 Cm.); Schnabel mit Stirnplatte 2" 3''' (6 Cm.); Lauf 2½" (6½ Cm.); Mittelzehe ohne Klaue 2" 3''' (6 Cm.). Das Andere: Flügel 6" 2''' (16 Cm.); Schnabel mit Stirnplatte 6 Cm.; Lauf 6½ Cm.; Mittelzehe ohne Klaue 6 Cm. *P.*

Parra capensis (A. Smith) — Cap'sches Blätterhuhn.

Gray Hand-List. B. M. III Sp. 10536.

Weibchen. Im Februar am Panda-ma-Tenkaflüsschen im Albertslande (nördlicher Theil von Ostbamangwato) erlegt.

Aehnliches haben wir, wie bei Rallus coerulescens, von dem Aufenthalte dieses Vogels zu berichten. Iris und Schnabel braun; Füsse grau, mit einem Stich ins Grüne. Nahrung: Insecten und Samen der Wasserpflanzen. *H.*

*   *   *

Die grosse Ordnung der Grallae weist in Südafrika sehr zahlreiche Vertreter auf, und doch sind darunter der Arten nicht viele (ausser den ersten und den letzten Geschlechtern der Ordnung angehörend), welche als eigentliche Südafrikaner angesehen werden können. Als solche sind die Familie der Trappen und die Unterfamilie der Kraniche besonderer Beachtung würdig.

Mehr wie in jeder anderen Ordnung finden sich Vögel in derselben, die den drei alten Welttheilen angehören, andere sind Centralafrikaner und suchen jährlich oder in bestimmten Jahren den Süden auf, oder sie sind bis auf die Zeit ihres Brutgeschäftes, das jedoch von manchen auch auf der Reise besorgt wird, auf einer steten Wanderung zwischen Nord-, Central- und Südafrika* begriffen. Auf diese

---

* Ost- und Westafrika entsprechend mit inbegriffen.

Wanderungen üben die klimatischen Verhältnisse einen nicht unbedeutenden Einfluss aus. Diese Verhältnisse berücksichtigend, müssen wir,
wie schon erwähnt, die niederen Küstenstriche in mehrfacher Beziehung
von den, um so Vieles ausgedehnteren, sich im Innern des Landes erhebenden Hochplateauländern scheiden. Die Beschaffenheit des Sommers
in den letzteren ist es nun, welche jene Wanderungen so sehr beein-
flusst. Regnete es da viel, und zeigen die begrasten Hochebenen und der
schüttere Niederwald ein ununterbrochenes Grün, hat die Vegetation
mehr wie gewöhnlich gewuchert, so zeigt sich die Insectenwelt wie
die Familien der Lurche und jene der Süsswasser- und Landmollusken
in ihrer Vermehrung sehr productiv. Dagegen können wir in einem
trockenen Sommer eine von der Sonne kahlgebrannte Grasebene mit
Ausnahme ihrer Termiten als insectenarm bezeichnen, und wenn wir
ausserdem nicht an einzelnen Stellen den Boden durchwühlen oder ihn
aufgraben, so sehen wir auch nichts von etwaigen Lurchen und Wassermollusken. Besuchen wir jedoch dieselbe Stelle (wie oben erwähnt)
während eines feuchten Sommers, so wird uns ein ganz anderes, ein
überraschend' Bild geboten. Da wimmelt es nur von Insecten, Lurchen
und den genannten Weichthieren. Ueberall, im Walde sowohl, wie auf
den baumlosen Ebenen, die zum grossen Theile keinen Abfluss zum
Meere aufzuweisen haben, entstehen zahlreiche, stellenweise ausgedehnte Regenlachen, mehr oder weniger mit Binsen und Gras überwachsen, welche je nach der Bodenbeschaffenheit von einmonatlicher
oder mehrjähriger Wasserdauer, tausende von Lurchen und eine
Unzahl von Mollusken und Wasserinsecten beherbergen. An solchen
Orten finden sich dann theils zum vorübergehenden Aufenthalte,
theils des Brutgeschäftes halber, doch auch um ständigen Aufenthalt zu nehmen, zahlreiche der Sumpfvögel ein. Doch es pflegt
auch die Familie der Trappen, und darunter namentlich die grösseren Arten, welche weniger für den sumpfigen Charakter einer Gegend eingenommen sind, die Gegend zu wechseln. Sie gehen dann Hand
in Hand mit den grossen Wildheerden, welche die freien Hochebenen
bevölkern und welche ebenfalls, dem Grasstande entsprechend, die
Gegend zu wechseln pflegen.

Dem Menschen und insbesondere den in Südafrika dem Landbau
obliegenden Weissen gegenüber, erweist sich die grosse Ordnung der
Grallae nicht minder nützlich, als wie jene der Accipitres. Wohl sonst
ein grosser Gegensatz, eine ganz gewaltige Kluft zwischen den auf

den höchsten Felsenzinnen schlummernden Aasgeiern und diesen zumeist an oder in den tiefsten Senken, den Morästen, Salzseen und Teichen übernachtenden Sumpfvögeln! Und doch formt sie das Auge des Colonisten in ein harmonisch' Bild, findet diese durch ihre Formen wohl so weit von einander abstehenden Vogelgruppen einander ebenbürtig und gleich. Nicht wissenschaftliche Forschung ist es, welche hier die einfache Menschennatur zu solch' einem Urtheil leitet, der praktische Nutzen vielmehr, dass die meisten der Einen, wie viele der Anderen dem Menschen von grossem Nutzen sind.

Die zahlreicheren von Beiden sind unstreitig die Grallae und im Allgemeinen auch die wichtigsten Insectenvertilger unter den Vögeln Südafrikas. Und diese Insectenvertilger haben es ausserdem auch gerade auf die schädlichsten unter den Kerbthieren, die Heuschrecken und Termiten, und in den letzten Jahren auch auf einige Mottenarten, deren Raupenmillionen wandernd aufgetreten waren, abgesehen. Manche dieser nützlichen Vögel lassen sich sogar in der Nähe der Brutstellen solcher Insecten nieder, um zu nisten, während andere wochenlang den schwärmenden Kerbthieren folgen, um an denselben zu zehren. Wenn nicht jährlich Tausende und Tausende der Sumpfvögel ein solches Vernichtungswerk in Südafrika verwirklichen möchten, würden die Colonisten wie die Eingebornen nur zu bald die bösen Folgen zu fühlen haben.

Eine allgemeine Verwunderung würde vielleicht ein solches und nur annähernd, geschätztes Bedarfsquantum hervorrufen. Bei den meisten Grallae finden wir zu jeder Tageszeit den Magen mit Insecten vollgepfropft. Weil sich jedoch die südafrikanischen Sumpfvögel eben durch ihre Wanderungen, sowie die stabil einen Ort bewohnenden durch eine auffallende Lebhaftigkeit in einer sozusagen ununterbrochenen Bewegung erhalten, ist auch ihr Nahrungsverbrauch im Verhältnisse zu ihrer Körpergrösse ein abnorm grosser. Um so grösser daher der Nutzen, der dem Menschen aus ihrer Insectenvertilgung geboten wird.*

Ein weiterer Nutzen, insbesonders für jene Colonisten, die ihren Wasserbedarf den Regentümpeln, Teichen und sumpfigen Weihern

---

* Nehmen wir an, dass einer der kleineren Sumpfvögel, wie die Chettusia coronata täglich wenigstens 100 Termiten bedarf, und dass in dem gesammten Südafrika wenigstens 100.000 Chettusiae leben, so können wir den etwaigen Bedarf der Thiere nur für ein Jahr auf 3.650.000.000 Termiten angeben.

zu entnehmen haben, entspringt aus dem Vorhandensein des letzten der Grallaegeschlechter, indem diese in Gemeinschaft mit Wildenten die genannten Gewässer von zahllosen, sie verunreinigenden, lebenden oder abgestorbenen thierisehen Organismen befreien und zumeist als stabile Bewohner durch ihre Nahrungslese im Sommer und im Winter als Wasserpurificatoren wirken.

Heftige Regengüsse schwemmen zuweilen zahllose Mäuse, Reptilien, Insecten, Tausendfüssler u. dergl. Thiere in eine Senke, aus der das Wasser rasch verdunstet oder in die es versiegt, und da strömen zahlreiche, sei es in der Umgebung wohnende, sei es vorüberziehende Sumpfvögel von der Grösse des kleinen Regenpfeifers bis zu der des Nimmersatts herbei, um ihr Mahl zu halten und nolens volens dem anwohnenden Farmer in sanitärer wie ökonomischer Beziehung zu nützen.

Die grossen Trappen, Kraniche und die grössten der Reiher verzehren im Jahre, wenn nicht gerade ein jeder den vierten Theil dessen, was ein Secretär an Schlangen zu sich nimmt, so doch insgesammt und im Grossen und Ganzen zahlreiche Giftschlangen, Ratten und Mäuse. Die mittelgrossen Arten arbeiten gleich den Leguanen fleissig an der Vernichtung der bekannten südafrikanischen Flusskrabben, welche mit ihren Löchern die Ufer förmlich unterminiren und namentlich den meisten der Colonisten, welche ihre Felder bewässern müssen, an den Wasserleitungen nicht unbedeutenden Schaden anrichten.

Ausser diesem vielseitigen, nicht zu überschätzenden indirecten Nutzen, der dem Menschen durch die Grallae in Südafrika erwächst, äussert sich derselbe auch insoferne in einer directen Weise, als manche der Thiere, die Trappen in erster Linie, als das bedeutendste Federwild Südafrikas angesehen werden müssen.

Was nun den Schaden anbetrifft, so ist dieser im Allgemeinen ein geringer zu nennen, indem noch auf viele Jahre hin der durch die Reiher und andere Vögel an den Fischen der natürlichen Gewässer verursachte Verlust für den Menschen nicht im geringsten fühlbar sein wird. Auch manche der Eingebornenstämme scheinen sich für die Schonung der Sumpfvögel, nach jener der Strausse noch am erheblichsten zu interessiren. So machen sich die an der Tschobe-Zambesivereinigung wohnenden Masupias das Nisten des Klaffschnabels in den dortigen ausgedehnten Sümpfen in der bereits erwähnten

Weise zu Nutze. Die östlichen der Bamangwato bringen dem Platalea tenuirostris eine gewisse Verehrung entgegen. So hatten sich die heimkehrenden und Schoschong angreifenden Schaaren Khames zu ihrem Kampfe mit den Federn des Vogels geschmückt. Die Matabelekrieger suchten bis in die letzten Jahre in den Besitz der langen Flügelfedern des Tetrapteryx paradisea zu kommen, um ihr Vorderhaupt mit je einer dieser Schmuckfedern zu zieren. Wiederholt bot ihr König eine schöne weisse Straussfeder für eine solche Kranichfeder als Tausch an; da jedoch in dieser Weise einer der nützlichsten Vögel Südafrikas nur zu arg geschädigt wurde, und viele der Thiere dabei ums Leben kamen, so können wir gegenwärtig den Modenwechsel unter den Matabele, der zum grössten Theile das Tragen der genannten Federn sistirt hat, nur billigen. Die Matabele verfertigen sich auch, ähnlich wie aus den Schwungfedern der Perlhühner, Kopfverzierungen aus den Schwingen- und Schwanzfedern einiger der Trappenarten.

In Anbetracht des Geschilderten müssen wir eine allgemeine Schonung und den Schutz der südafrikanischen Grallae befürworten. Jene von uns, welche vielleicht mit Südafrika in eine nähere Berührung kommen, müssen diese Meinung auch zu verwirklichen suchen. »Direct« als Einzelne können wir wohl nur geringe Erfolge erreichen, dagegen um so mehr durch eine persönliche Unterweisung, sowie mittelst kurzer Abhandlungen in den südafrikanischen englischen und holländischen Blättern veröffentlicht, und auch dadurch, dass wir die Aufmerksamkeit der dunklen Herrscher und Missionäre auf diesen Gegenstand lenken — diesem Vorsatze »indirect« nützen. Ausser dass man hie und da ein Exemplar für ein europäisches Museum erlegt, sollten die meisten Arten nicht getödtet, ja vollkommen aus der Liste des südafrikanischen Wildes gestrichen werden.

Bei der Schonung aber haben wir vor Allem die Feinde der südafrikanischen Grallae ins Auge zu fassen. Die Hagelschläge können wir wohl nicht abwehren und die Vögel gegen sie nicht schützen, um so ausgiebiger jedoch gegen die hunde- und mittelgrossen katzenartigen Raubthiere, welche noch so sehr zahlreich jene Gegenden bewohnen. Und ungeachtet dessen, dass sich viele der Sumpfvögel auf die bereits bei einigen der Arten erwähnte Weise durch einen stätigen oder wenigstens einen nächtlichen Aufenthalt im Wasser gegen ihre Feinde zu wehren suchen, müssen wir dem Raubgethier doch noch mit der Waffe und mit Strychnin beizukommen und ausserdem die Brutstätten der gesellschaftlich lebenden Grallae gegen dasselbe zu schützen trachten.

Wenn wir zum Schlusse nur noch (wie wir es bei den übrigen Ordnungen gethan) der Form, des Gefieders und des Nestbaues der südafrikanischen gedenken und dabei nur das Nennenswertheste hervorheben, so sehen wir, dass die Kraniche auch in dieser Hinsicht obenanstehen. Dem Einen derselben gebührt auch der Vorzug, Besitzer eines anerkennenswerthen Denkvermögens zu sein, während der Scopus als Baumeister die meisten Kenntnisse aufzuweisen hat und auch als Denker als einer der Ersten der Ordnung genannt werden muss. Als Nestkünstler folgt ihm dann wiederum ein Kranich; und so können wir hiebei mit Befriedigung die Wahrnehmung machen, dass in dieser Ordnung die von der Natur in einer gewissen Hinsicht bevorzugtesten Vögel auch in weiterer Beziehung als die Gebildeteren der Gruppe angesehen werden können.   *H.*

Kuhreiher bei Klerksdorp.

VIII.

Anseres — Gänse.

Phoenicopteridae — Flamingos.

Phoenicopterus erythraeus (Verr.) — Verreaux' Flamingo.

Gray Hand-List. B. M. III Sp. 10545.

Ein junger Vogel auf seinem wahrscheinlichen Zuge von Osten her nach den südlichen, zwischen dem Molapo und Hartsriver gelegenen Salzseen begriffen, im Gesümpfe des Matebethales (Weichbild der Stadt Linokana) im September 1876 erbeutet. Iris dunkelbraun; Schnabel hell schieferblau; Füsse und Nägel schwarz. Der Vogel war durch den Anblick einer Schaar Gänse angelockt worden, und hatte sich unter dieselben niedergelassen. Verreaux' Flamingo hat einen weiten Verbreitungsbezirk im südlichen Afrika; er findet sich längs der Küsten, auch hie und da im Innenlande vor, doch am häufigsten ist er im Gebiete des N'Gamesees und seiner Zuflüsse anzutreffen. Ausgewachsene Vögel mit schönem, rosenrothen Gefieder beobachtete ich zu verschiedenen Jahreszeiten an den obgenannten Salzseen und stets in grossen Gesellschaften bis an die 70 Stück. Ich fand jedoch keine Nester vor; doch ist es möglich, dass sie an einigen Salzseen, die ich zufällig auf meiner Wanderung nicht berührt habe, nisten. Allein wahrscheinlicher ist es, dass sie in den wärmeren Küstenterritorien brüten. Die an manchen dieser Stellen wohnenden holländischen Jäger wussten mir keine stichhaltige Auskunft über etwaige Brutplätze zu geben, sie meinten nur, dass sie sich oft darnach umgesehen hätten, ohne aber je etwas gefunden zu haben. Wiederholt konnten wir Thiere erschauen, welche ihrem Gefieder nach von verschiedenen Altersperioden zeugten.

Wurden die Vögel nicht gestört — sie erwiesen sich jedoch im Allgemeinen als sehr scheu — so blieben sie Tage und Nächte lang den feuchten Wasserpartien getreu; nur dass sie sich für die Nacht der Sicherheit halber in die tieferen Partien (30 M. vom Ufer ab), mehr nach einwärts zurückzogen. Bei der Nahrungslese fanden sie sich in den Salzseen unmittelbar am Ufer ein, um hier im Grase, den Binsen

20

oder in den nicht seltenen, die Ufer bedeckenden Süsswassermorästen
nach Mollusken, Insecten und Würmern zu forschen, sowie auch das
von den Ebenen Herabgeschwemmte auf etwaige weitere Leckerbissen
abzusuchen. Sowohl durch ihre Grösse, als durch ihre Gestalt und ihr
schönes Gefieder dem Reisenden schon von Weitem in die Augen fal-
lend, enttäuschten sie den Ankömmling immer wieder durch ihre allzugrosse Scheu. Da die meisten Salzseen in Senken liegen, und die Ufer
ausser Binsen und hohem Gras nur selten Gebüsche aufweisen, vermag man sich am Tage nur mit grosser Mühe den schwimmenden
und watenden Bewohnern des Gewässers zu nähern, und so war
uns auch dieser Versuch, die Flamingos zu beschleichen, nie gelungen.
Von der überaus zahlreichen Heerde hielt wohl stets eine grössere
Anzahl mit ihren langen Hälsen eine getreue Wacht, zeigte die Annäherung eines jeden Wesens mit lautem Gegacker an, und bevor
man sich dessen versah, schwebte auch schon die ganze Gesellschaft in
den Lüften. Hätten sie sich wenigstens, wie die meisten Sumpfvögel,
die Sporngänse und viele der Enten, Tags über von den Gewässern
entfernt, so hätte man ihnen doch in einer ähnlichen Weise wie
diesen durch ein Auflauern in der Dämmerung erfolgreich beikommen
können, so aber wurde dies durch ihr Gebaren zur vollen Unmöglichkeit.

Während sich andere Vögel, wenn aufgescheucht, sei es auf die
begraste Ebene, sei es auf das gegenüber liegende Ufer oder in die
Mitte des Sees flüchteten, so dass wir ihnen nach einer oder mehreren
Stunden, zuweilen auch einige Tage darauf, beikommen konnten, entfernten sich die Flamingos, nachdem sie eine kürzere oder längere
Zeit hindurch ausser Schussweite über dem See gekreist hatten, um ohne
Ausnahme dem Gewässer und seinem Ufer für die Dauer des Aufenthaltes
ihres Ruhestörers fern zu bleiben. Nach dem, was ich bereits von den
Flamingos wusste, bevor ich noch Südafrika aufgesucht hatte, hielt
ich diese Riesenvögel für äusserst phlegmatische und beschränkte Geschöpfe. Nach dem Wenigen jedoch zu urtheilen, was ich an den Thieren
— wenn sie sich unbeobachtet wähnten — ersehen konnte, glaube
ich, dass sie, wenn auch nicht die rührigsten ihrer Ordnung, so doch
als äusserst beweglich, ja sogar munter und mit Rücksicht auf ihre Scheu,
doch noch mehr auf ihre Vorsicht und die Proben ihres Flugver-
mögens als kluge Thiere angesehen werden können. Die nur zur Nachtzeit
und während der Siesta müssig dastehenden Vögel zeigen sich sonst

den Tag über sehr rührig; sie sind in einer beständigen Bewegung, sie schreiten auf und nieder; Einzelne statten sich Besuche ab oder folgen dem Ufer, und dabei wird erstaunlich viel mündlich verhandelt. Aus den lauten und gedämpften, den raschen und gedehnten Sprechweisen schallt uns stets ein Gackerton entgegen, der vielleicht zumeist an die heisere Stimme einer Riesengans erinnern würde. Auch während der Nacht lassen die Thiere ihre Stimme häufig hören.

Auf ihren Wanderungen scheinen zuweilen einzelne Thiere aus der Gesellschaft ausgestossen zu werden, oder vielleicht in Folge ihrer Ermüdung und weil sie nicht streng eines der unter diesen Vögeln besonders berücksichtigten Gesetze, das »Einhalten in Reih' und Glied« befolgen können, sich einzeln auf die Erde zu senken, wofür die nicht selten an den vielen Teichen, Regenlachen etc. in der nördlichen Capcolonie, Westgriqualand, dem Oranjefreistaate und der Transvaal angetroffenen Flamingos zu sprechen scheinen. Als ein »besonderliker« Gast fallen dann solche Nachzügler der Schussfertigkeit der Farmer zum Opfer, und die dunklen Diener an dem Gehöfte tragen noch für lange hin die schönen rothen Federn als Schmuck im wolligen Haar und am Hut. Nicht selten hat jedoch der Mynheer den die schönsten Federn aufweisenden Flügel abgeschnitten und in der Voraussetzung, einen werthvollen Fund gemacht zu haben, diese seine Trophäe mit den Producten seines Landes in die nächste Stadt auf den Frühmarkt gebracht.

Je weniger es mir gegönnt war, die Verreaux'schen Flamingos am Boden und im Wasser zu beobachten, desto mehr Gelegenheit wurde mir geboten, ihre bewunderungswerthen Flüge zu betrachten.

Es gewährt in der That einen schönen Anblick, die Thiere in grosser Zahl auffliegen und hoch in den Lüften kreisen zu sehen. Gleich einer Schlachtordnung bildet der Flug oft gesuchte, regelmässige Figuren, welche immer wieder andere Formen annehmen, indem das langsam und bedächtig dahinziehende Heer in einer plötzlichen oder allmäligen Schwenkung von der eingeschlagenen Richtung abweicht, was auch bei dem Kreisen hoch über den Salzseen sehr oft beobachtet werden kann. Die Vögel scheinen dabei sehr oft eine Flugbahn zu beschreiben, welche so ziemlich in gleichem, verkleinertem, doch auch zuweilen ein wenig vergrössertem Massstabe der Form des Sees, über dem sie schweben, entspricht und zumeist in erneuerten Wendungen nach einwärts beruht, wobei die Thiere die ursprüngliche Form beizube-

20*

312

halten suchen oder selbe vollständig ändern, um jedoch blitzschnell oder in wenigen Momenten, neue, streng ausgesprochene Figuren zu bilden. Es scheint mir, dass, ähnlich dem Rufe, den die Wachen dieser in den Gewässern schlafenden Vögel so oft während der Nacht ausstossen, auch von Zeit zu Zeit während des Fluges eben der Schwenkungen halber, Commandorufe abgegeben werden. Es ist sonst nicht leicht erklärlich, wie eine Schaar von 40-70 so wuchtiger und in Folge ihres (im Allgemeinen unproportionirt erscheinenden) Körperbaues unbeholfen erscheinender Gesellen in einer so ausgezeichneten Weise allen Regeln einer plötzlichen oder allmäligen Schwenkung, ohne »aus Reih' und Glied zu treten«, nachkommen könnte. Wir sehen z. B. eine Doppellinie in Keilform ⋀ über uns dahinrauschen, da wendet sich plötzlich der Führer nach rechts. So plötzlich wie seine Körperwendung geschah, so plötzlich halten die letzten Vögel des rechten Flügels mit ausgestreckten Flügeln schwebend in dem Fluge inne, während die vorderen zwei Drittel dieser Reihe (jene zwischen dem Führer und den schwebend zurückgebliebenen allerletzten dieser Reihe) nach rechts und ein wenig nach vorne abschwenken, und zwar so, dass die Geschwindigkeit dieser Bewegung mit der Nähe zu dem Führer in einem geraden Verhältnisse zunimmt. Je näher dem Führer, desto rascher der Flug und grösser die Bahn des betreffenden Vogels, so dass der unmittelbare Nachfolger des Führers nach diesem die längste und rascheste Schwenkung auszuführen hat. Etwas Aehnliches geht bis auf das letzte Dritttheil auch mit der linken Reihe vor sich. Die Geschwindigkeit der Bewegung nimmt bei denen, die dem Führer folgen, gegen das Ende der ganzen

Reihe ab, so zwar, dass die letzten mit Ausnahme einer unbedeutenden Schwenkung nach rechts in ihrem Fluge vollkommen stille zu halten scheinen. Doch macht das letzte Drittel eine grössere Vorstoss-Bewegung nach vorne als das correspondirende der rechten Reihe und mässigt seinen raschen Flug erst dann, wenn es die gleiche Entfernung — wie vor dem Beginne der neu eingeschlagenen Richtung — von dem letzten Drittel der rechten Reihe trennt.

In einem anderen Falle sahen wir wieder eine Keilform in ein Dreieck ⋀ übergehen. Dies geschieht in der Weise, dass sich die letzten Vögel von jeder Reihe (stets eine gerade Zahl, 6 bis 12) nach

innen gegen einander bewegen und, während die übrigen ihre Flugbahn — doch in einem verlangsamten Tempo — einzuhalten suchen, die
Basis des Dreieckes bilden. Ich hatte Gelegenheit zu beobachten, wie
sich auch eine Keilform in eine lange Reihe umwandelte. Der eine
Flügel hielt mit Ausnahme einer allmäligen, geraden Schwenkung
nach rechts oder links schwebend in seinem Zuge inne, während
dem die zweite Reihe mit dem Leiter an der Spitze die Führung
übernahm; zweifach so rasch, als wie gewöhnlich, wurden die Flügel gehoben und gesenkt, und die ganze Reihe machte einen raschen Vorstoss,
wobei sich die vordersten etwas wenig nach auswärts und die letzten
der Reihe nach einwärts neigten, so dass sich die schiefe Triangelseite

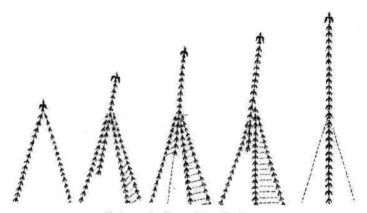

Flugtouren der Verraux'schen Flamingos.

nach und nach in eine gerade Linie umwandelte, der sich dann die
oberwähnte zweite Triangelseite, die inzwischen ebenfalls in eine Gerade übergegangen war, anschloss und so eine gerade Reihe entstand
(vide die Zeichn.). Ausser den genannten Formen sah ich die Thiere
zwei nebeneinander parallele Züge bilden, auch unvollständige Parallelo-
gramme, ⌐⌐| d. h. solche, welche der einen kurzen Seite, ausserdem
unvollständige Trapeze, d. h. solche, welche öfters der längeren der
parallelen Seiten entbehrten /.....\. Im Allgemeinen ist der Flug
dieser Vögel in jeder Beziehung der Beachtung werth, und ich
hoffe auf meiner nächsten Reise dem Verr. Flamingo noch weitere,
ja besondere Aufmerksamkeit widmen zu können.   H.

Anatidae — Entvögel.

Plectropterus gambensis (Linné). — Sporngans.

Gray Hand-List. B. M.. III Sp. 10553.

Cygnus gambensis (Ruepp.). — Anser spinosa (Bonn.).

In Südafrika hie und da einzeln und in Pärchen auf der Wanderung sowohl, wie brütend angetroffen, ausserdem in Gesellschaften, meist bis zu 10 Stück, doch auch in Rudeln bis zu 30 Stück gesehen. Am häufigsten beobachtete ich die Thiere zwischen dem Oranjeriver (Süden) und dem Syrorume und nördlichen Limpopobogen (Norden), und zwar hier wiederum am zahlreichsten an jenen Salzseen, welche zum Theile bebinst und seltener von Menschen besucht sind, und deren Ufer Süsswasserlachen aufweisen. Ich beobachtete wie an den Kranichen, dass sie, so wie die Brut flügge geworden ist, nur die Nacht an den Salzseen zubringen, bei Tag aber sich in der Nähe jener vielen kleinen, meist bebinsten, die Ufer des Hartsflusses bedeckenden Lachen und in den angrenzenden Wildebenen aufhalten.

Als einen zweiten Verbreitungsbezirk können wir das Bassin des N'Gamesees und die Tschobe-Zambesithäler betrachten. Hier ist das Thier noch häufiger wie im Süden.

Die westafrikanische Sporngans ist ein äusserst vorsichtiger, wenn auch weniger scheuer Vogel als wie die Nilgans. In der Regel beobachtete ich selbst an den grösseren Salzseen nur einzelne Nestfamilien, welche sich später wiederum theilten, und dann in Pärchen die nah oder fern ab von diesen Gewässern liegenden Schilfweiher oder Regenlachen aufsuchten, um hier bis zu ihrer beinahe vollständigen Austrocknung zu verharren. Die Thiere sind ausserdem neugieriger und um Vieles gutmüthiger wie der streitsüchtige Chenalopex. Am Zambesi bildeten sie sehr oft unser Mahl, doch mussten sie mit Kugeln an den Sandbänken erlegt werden, da sich sonst die Verwundeten in die undurchdringlichen Schilfrohrdickichte oder in den Strom flüchteten, um hier den Krokodilen, dort den zahlreichen Fischottern zur Beute zu werden. Ein Pärchen hielt ich über ein Jahr in Gefangenschaft und war mit den Thieren wohl zufrieden. Sie wurden rasch zahm, waren im Allgemeinen äusserst ruhig und fungirten nur zumeist als Zuschauer; sie nahmen das gewöhnliche Hühnerfutter und mit Vorliebe rohes Fleisch zu sich; ihre Stimme war ein mässig lautes, heiseres Gackern, zuweilen einem Zischen nicht unähnlich.

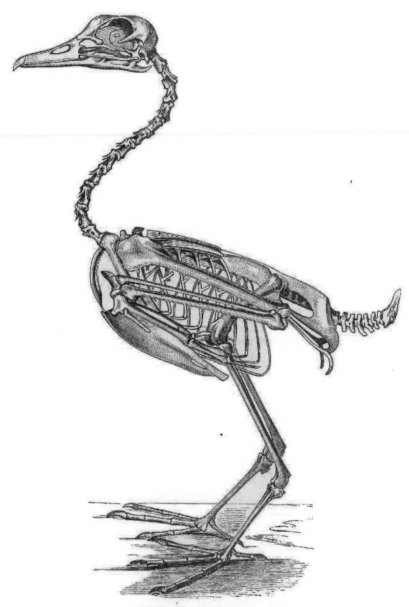

Plectropterus gambensis.

Im freien Zustande machen Fische, Lurche, Insecten, Würmer, Mollusken, Samen und frisches Gras die Hauptnahrung der Sporngans aus.

Ich erlaube mir eine Skelettskizze des Plectropterus gambensis diesen biologisch-geographischen Daten beizugeben; um den Forscher jedoch durch eine detaillirte Beschreibung nicht zu ermüden, lasse ich untenstehend eine Vergleichsstudie folgen, welche eben durch Vergleich die nennenswerthen Partien des Skelettes des Plectropterus gambensis kennzeichnen soll.

Wenn wir den Bau des Skelettes der nebenan durch ihre Schädel vertretenen sechs Wildgansarten (ausgewachsener Exemplare) mit einander vergleichen, so müssen wir jenem der Bernicla canadensis, was Grösse und massige Formen anbetrifft, den Vorrang zuerkennen. Es folgt Plectropterus gambensis und nach diesem Cereopsis Novae Hollandiae. Mit Rücksicht auf die Schädelbildung tritt der Plectropterus noch am nächsten an die Bernicla canadensis heran und beansprucht im Hinblick auf die Frontalregion neben jener der Cereopsis die meiste Aufmerksamkeit des Anatomen. Der Grössenverhältnisse des Schädels halber erlaube ich mir folgende Tabelle beizufügen:

	Höhe des Schädels in der Senkrechten, gemessen an der Wurzel des Processus orbitalis posterior	Länge des Schädels von der Oberschnabelspitze zu einer Horizontalen bis an die Crista des Hinterhauptbeines (die Crista mit inbegriffen)	Breite des Schädels an der Wurzel des Processus orbitalis posterior	Breite des Schädels an dem Gelenke des Jugular- und Quadratknochens	Breite der Stirne an der Wurzel des Oberschnabels	Grösste Oberschnabelbreite
	Centimeter					
Plectropterus gambensis	4·8	13·6	3·7	4·0	2·1	2·8
Bernicla canadensis	4·9	14·2	4·0	4·3	2·6	2·9
Cereopsis Novae Hollandiae . .	3·8	9·9	3·0	3·7	2·0	2·3
Anser cinereus .	4·9	13·0	3·8	4·2	2·5	2·9
Chenalopex aegyptiacus	3·9	11·6	3·4	3·6	1·8	2·3
Bernicla brenta .	3·0	9·3	3·1	3·3	1·7	1·9

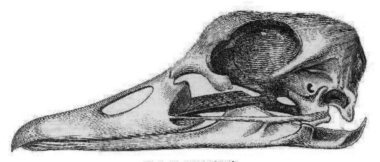

Plectropterus gambensis.

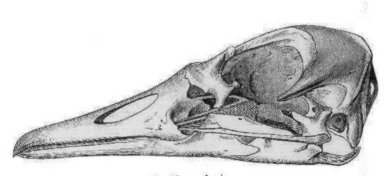

Bernicla canadensis.

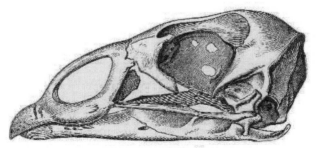

Cercopsis Novae Hollandiae.
(Vier Fünftel der natürlichen Grösse.)

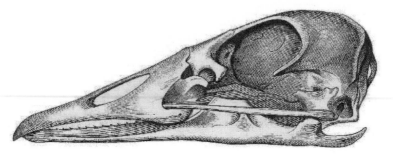

Anser cinereus.

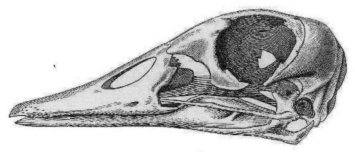

Chenalopex aegyptiacus.

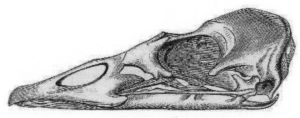

Bernicla brenta.
(Vier Fünftel der natürlichen Grösse.)

Die hintere Schädelpartie ist bei Bernicla canad. die niedrigste die mittlere Crista abgeflacht, doch etwas weniger wie bei der Bern. brenta; am meisten hervortretend ist diese Leiste beim Plectropterus und zugleich in ihrer Längsmittellinie deutlich gefurcht. Die Cristae laterales (Lineae semicirculares occipitales) am schärfsten bei Cereopsis hervortretend, dann beim Chenalopex, am flachsten erscheinen sie bei Anser cinereus, dann bei Bernicla brenta. Die Schädeldecke (Aussenfläche) erscheint am tiefsten gefurcht beim Chenalopex und Bern. canadensis, erhaben ist sie beim Plectropterus, während sie bei Cereopsis eine seicht gefurchte Crista trägt. Stirn-Protuberanzen* präsentiren sich bei allen sechs Arten, wenn auch mit Rücksicht auf den Stirntheil und ihre Entwicklung bei jeder der sechs Arten in verschiedener Form und Grösse. Als eigentlicher Stirnhöcker ist diese Knochenform beim Plectropterus gambensis am bedeutendsten, beim Chenalopex kaum wahrnehmbar. Bei der Cereopsis ist eine solche mit einer Protuberanz des grössten hinteren Oberschnabeltheiles (drei Viertel) gepaart, sie begreift den grössten Theil des Ober- und Mittelkiefers den Ethmoidal- und Nasenknochen, sowie die oberen Partien der Ossa lacrimalium und die vordere Hälfte des Stirnbeines in sich; bei Bernicla canadensis erhebt sich die Protuberanz plötzlich an der Schnabelwurzel von den Lacrimal- und Frontalknochen gebildet. Als ein in seinem Umfange auf die Stirnmitte beschränkter Höcker präsentirt sich diese Knochen-Protuberanz beim Plectropterus gambensis. Ihr Querdurchmesser fällt mit einer Linie zusammen, die wir uns durch die beiden hinteren Thränenbein-Fortsätze gelegt denken. Diese Processi posteriores ossum lacrimalium treten bei Bernicla brenta am schärfsten und zwar flügelförmig nach oben und aufwärts gekrümmt hervor; am geringsten sind sie bei Plectropterus angedeutet. Die vorderen Thränenbein-Fortsätze sind beim Chenalopex die längsten, ebenfalls flügelförmig, auch bei Cereopsis sind sie lang, doch schmäler; beim Plectropterus kürzer; bei den übrigen drei Arten erscheinen sie kurz, hammerförmig, bei Anser cinereus am kürzesten.

Wie schon erwähnt, erscheint bei Cereopsis, ähnlich wie bei Plectropterus der Stirnhöcker, so hier der Oberschnabel** der beachtens-

---

* Knöcherne, natürliche Auswüchse.
** Mit Rücksicht auf die beigegebenen Skizzen, und dass der Plectropterus den Gegenstand dieser Abhandlung bildet, muss ich mich einer ausführlicheren Beschreibung des Cereopsis-Oberschnabels enthalten.

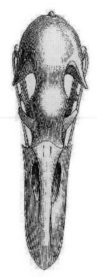

Plectropterus gambensis.

Berniela canadensis.

Cereopsis Novae Hollandiae

Anser cinereus.

Chenalopex aegyptiacus.

(Hälfte der natürlichen Grösse.)

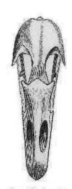

Berniela brenta.

werthesle Theil des Schädels. Während der Oberschnabel beim Plectropterus zu zwei Dritttheilen seiner hinteren Partie nahezu die gleiche Breite hat, zeigt er sich bei den übrigen Arten an der Wurzel am breitesten. Der Oberkiefer erscheint als besonders stark entwickelt bei Anser cincreus und Bernicla canadensis; bei der letzteren ist der Unterkiefer am stärksten gebaut; seine hinteren senkrechten Blätter am höchsten beim Anser cinereus, dann bei Bernicla canadensis.

Mit Rücksicht auf die Wirbel finden wir folgendes Verhältniss vor:

| | Halswirbel | Brustwirbel | Lendenwirbel | Kreuzheinwirbel | | Schwanz-wirbel | Anheftungsstelle der letzten falschen Rippe |
				ohne deutliche Querfortsätze	mit deutlichen Querfortsätzen		
Plectropterus gambensis .	17	7	4	—	10	7	Am ersten Lendenwirbel
Bernicla canadensis . . .	20	8	4	—	12	8	An den unter den Trochleen hervorragenden, von den Becken gebildeten Processi
Cereopsis Novac Hollandiae .	19	7	4	2	7	8	Am zweiten Lendenwirbel angeheftet
Anser cinereus	18	7	3	3	10	7	Am ersten Lendenwirbel
Chenalopex aegyptiacus .	16	6	5	2	8	7	Am ersten Lendenwirbel
Bernicla brenta	20	7	4	4	8	8	Am ersten Lendenwirbel

Die Muskelansätze der Halsrippen sind im Verhältnisse am längsten beim Plectropterus, jedoch dünn, bei Bernicla canadensis sehr stark. Die hintere Spina erscheint am bedeutendsten bei dem letztgenannten Vogel und bei Anser cinereus, das Gegentheil davon finden wir beim Plectropterus. Die flachsten Rippen, gleichmässig breit, finden sich bei Cereopsis, ein Gleiches gilt, mit Rücksicht auf die Processi uncinati (Rippen-Fortsätze), beim Anser cinereus.

Bei allen den sechs Arten erreicht nicht die Furcula die Spitze
der Brustbeincrista; verhältnissmässig ist sie am längsten bei Bernicla canadensis, dann folgt Plectropterus, Anser cinereus, Cereopsis,
Bernicla brenta und Chenalopex; jene der erstgenannten Art ist
massiv gebaut. Ihre grösste Krümmung nach »Vorne« findet sich bei
Bernicla canadensis, dann bei Bernicla brenta, die geringste beim
Plectropterus. Ihre seitliche Krümmung (die Weite des Furculabogens)
ist die grösste beim Anser cinereus, dann bei Cereopsis, die geringste
beim Plectropterus. Das Os coracoideum ist bei Cereopsis auffallend breit,
bei Bernicla canadensis äusserst massiv und gedrungen gebaut, am
längsten beim Plectropterus und Chenalopex. Das breite und mit einer
hohen Crista versehene Brustbein fesselt am meisten bei Cereopsis
durch seine grösste, gleichmässige Breite, bei bernicla canadensis
durch seine langen, weitabstehenden Fortsätze.* Bei Plectropterus und
beim Chenalopex finden wir Brustbeinfenster, bei den übrigen Arten
Incissuren** vor. Die vorderen Hüftbeinblätter erscheinen auffallend
schmal beim Plectropterus, dann beim Cereopsis und breit abgeflacht
bei Bernicla brenta; das Mittelbecken zeigt sich bei Cereopsis sehr breit,
worauf Bernicla canadensis folgt. Am schmalsten erweist es sich
beim Plectropterus. Das Hinterbecken erscheint breit bei Bernicla
canadensis, dann bei Anser cinereus, am schmalsten bei Plectropterus, bei welchem auch die Schambeinenden am nächsten an einander
rücken, während sie bei Bernicla canadensis am weitesten von
einander abstehen.

Das Verhältniss der Länge des Brustbeines zu jener des Beckens
erscheint wie folgt:

Plectropterus gambensis	Bernicla ca-nadensis	Cereopsis N vae Hollan-diae	Anser cinereus	Chenalopex aegyptiacus	Bernicla brenta
Brustbein : Becken					
1 : 1	1 : 1·14	1 : 1·05	1 : 1·18	1 : 1·08	1 : 1·08

Von den Knochen des Flügels sind die der Hand der Cereopsis
besonders stark gebaut und das Os carpi radialis beim Plectropterus

---

* Theilweise die Incissura des Brustbeines bildend.
** Ausschnitte.

durch einen starken Sporn, 1 bis 1·8 Cm. lang, mit 3 Cm. im Umfange ausgezeichnet.   *H.*

Die Ausgestellten sind junge Vögel; Kopf, Hals und Rücken braun, letzterer allmälig in Bronzegrün übergehend. Am Kopfe des einen Exemplares ist die Stirne bis an die Augen nackt und granulirt, am zweiten reicht die Befiederung bis zur Schnabelwurzel. Der Hals ist bei beiden ganz befiedert.

Die kaiserliche Sammlung hat von Herrn *Ecklon* ein Pärchen einer Sporngans angekauft, welches die Bezeichnung Anser gariepensis Ecklon trug. Später wurden diese Vögel als junge Individuen von Plectropterus gambensis erkannt, und ich habe, diese Meinung theilend, eine kurze Beschreibung dieser beiden Vögel an *Dr. v. Heuglin* gesendet, der dieselbe (Vögel NO.-Afrikas II. 1277) veröffentlicht hat. Gegenwärtig scheint mir jedoch, dass die erwähnten Exemplare zu Plectropterus niger Sclater Broc. Zool. Soc. 1877, 47 (t. 7 et 1879, 5) gehören dürften. Allerdings reicht an Mr. *Sclater*'s Abbildung die weisse Farbe des Unterleibes weniger hoch hinauf und unsere Vögel zeigen Weiss am Flügelbug, aber im Uebrigen ist sehr viel Uebereinstimmung vorhanden. Kopf und Hals sind dunkelbraun, hinter dem Auge ist ein weisser Fleck; auch am Kopf und der Kehle sind einzelne, kaum sichtbare weisse Federn. Beim Männchen reicht die kahle Stelle des Kopfes, ganz wie an Mr. *Sclater*'s Abbildung, bis hinter die Augen, ein Höcker ist kaum angedeutet, die nackte Haut granulirt. An jeder Seite des Halses zeigt das Männchen eine unregelmässige nackte Stelle, von der ich aber vermuthen möchte, dass sie durch Gewalt entstanden sei. Beim Weibchen reicht die Befiederung bis zur Schnabelwurzel. Flügel M. 19½", Tarse 4", Flügel F. 15¼", Tarse 3" 7‴.

Ob die von Dr. *Holub*'s Reise herrührenden Exemplare wirklich zu Pl. gambensis oder vielleicht zu Pl. niger gehören, lässt sich bei ihrer Jugend nicht wohl entscheiden.   *P.*

Sarkidiornis africana (Eyt.) — Afrikanische Schwarzrückengans.

Gray Hand-List. B. M. III Sp. 10556. — Sarkidiornis melanota, p. Schl.

Vier Gänseriche und eine Gans ausgestellt. Diese interessante Gans wird im Matabele-, Makalakalande und dem Zambesistromgebiete angetroffen. Ob der im Folgenden zu erwähnenden Wanderungen

21

des Vogels und wegen der Gefahren, die am Zambesi, wo die
Thiere noch am häufigsten zu finden sind, mit einer möglichst
geräuschlosen Durchforschung der Schilfdickichte verbunden sind, haben
sich bis jetzt Beobachtungen an diesem interessanten Vogel, was speciell
Südafrika anbetrifft, noch als äusserst ungenügend erwiesen. So wäre
es festzustellen, ob das Männchen jene Nasen-Schnabelhöcker nur zur
Brutzeit trage oder ununterbrochen mit demselben beschwert sei.
Die behöckerten Exemplare, welche mir zugesendet wurden, und von
denen ich einige schon vor der Ausstellung verschenkte, waren einmal
nur Gänseriche und zu verschiedenen Jahreszeiten erlegt, während die
weiblichen Thiere sich durchwegs als höckerlos erwiesen. (Sämmtliche Thiere durch Kauf erworben.) Wie ich selbst beobachten konnte
und von Anderen vernahm, scheinen sich die Vögel auch im Gebiete
des See N'Game, doch nicht südlicher als in den eben genannten
Partien vorzufinden. Ihr plötzliches Erscheinen an den Wasserlöchern,
die man in dem trocken scheinenden Bett eines Sandrivers gegraben,
zeigt hinlänglich, dass sie mit Ausnahme der Brutzeiten in den
südlich vom Zambesi gelegenen nördlichen Landstrichen Südafrikas
ein stetiges Wanderleben führen.   *H.*

Chenalopex aegyptiacus (Linné) — Nilgans.

Gray Hand-List. B. M. III Sp. 10642.

Sarkidiornis aegyptiaca. *Gray* Hand-List. B. M. III Sp. 10557.

Shaw., Vol. 12; Anas Montana (Lath.).

Berggans der holländischen und Mountain-goose der englischen
Ansiedler. Mehrere Gänseriche und Gänse ausgestellt, im Ganzen
während der sieben Jahre etwa ein Dutzend erbeutet. Durch ihren
Aufenthalt nahezu in ganz Afrika, vorzüglich jedoch durch ihre
Verbreitung im Nilthale und durch das Wohlgedeihen des Thieres in
der Gefangenschaft, ist die Nilgans zu einem der bekanntesten afrikanischen Vögel geworden. Ungeachtet dessen erlaube ich mir, eben weil
mir öfters Gelegenheit geboten wurde das Thier im Freien sowohl,
wie in der Gefangenschaft zu beobachten, etwas länger bei demselben
zu verweilen. Die Nilgans ist zumeist in Pärchen, doch auch in Nestfamilien und nur in wenigen Localitäten in grösserer Anzahl anzutreffen.

Trotzdem ist sie in allen Gegenden Südafrikas ein ständiger Bewohner oder ein wohlbekannter Gast. Man findet sie ebenso an Teichen,

Sumpfweihern und Flüssen, wie an den Lagunen und Salzseen, doch
zuweilen auch meilenweit von solchen seichten Gewässern in der Nähe
einer kleinen Quelle oder eines kleinen Bächleins. Sie ist ebenso im
Nieder- wie im Hochland zu Hause. Ich fand das Thier an gebüsch-
und baumlosen Ebenen (nördliche Capcolonie, Oranjefreistaat, südliche
und westliche Transvaal und die Hartsriver-Molapoebenen), auf denen
die Thiere weiden und die Nächte in den Salzseen, Teichen etc. zubringen. Auch in den grossen Morästen einiger der Transvaalflüsse
und denen des Zambesi war es zu finden, und wiederholt beobachtete ich
das Thier in engen sowohl, wie auch in breiten Flussthälern (Fisch-,
Oranje-, Vaal-, Mooder-. Harts-, Limpopo-, Marico-, Notuany-, Schascha-,
Natariver etc.). Die Nilgans fehlte ausserdem weder dem Niederwalde
des sandigen Lachenplateaus, noch vermisste ich sie in den südlichen
Mimosengebüschen und an den, mit einer tropischen Vegetation prang-
enden, zumeist dichtbebuschten Terrassenabhängen des Hochlandes
gegen die Küsten zu, wobei ich den Vogel zumeist in Localitäten,
wo man am wenigsten einen Schwimmvogel vermuthet hätte, vorfand.
Da von einem eingetrockneten Stamme, dort vom Wipfel eines dichten
Busches, macht plötzlich den Wanderer ein bekanntes Geschnatter auf
die Nilgans aufmerksam. Sie fühlt sich auf Bäumen, auf der Erde und
im Wasser gleichwohl daheim und nimmt mit Rücksicht auf ihr Flugvermögen eine bevorzugte Stelle unter den Gansarten ein.

Sie fliegt rasch, und sagen wir auch angehend schön, zumeist
20 bis 30 Meter hoch, doch auch, wenn über den Gewässern dahin-
rauschend, äusserst niedrig, kaum $\frac{1}{2}$ bis $1\frac{1}{2}$ Meter über dem Spiegel der
letzteren. Auf der Erde wie am Baume ergeht sich die Nilgans in
längeren Sprachstudien; während des zuletzt genannten Fluges, — sie
liebt es, namentlich am Abend, flussabwärts zu fliegen, — sowie auch
während der Nacht lässt der Vogel nur einigemale, doch rasch nacheinander und lauter wie gewöhnlich, seine Stimme hören. Von den
südafrikanischen Gänsen ähnelt die Stimme zumeist dem Organ unserer
Hausgans.

Der Chenalopex aegyptiacus ist ohne Zweifel eines der streitsüchtigsten Geschöpfe, welche die Natur aufzuweisen hat. Unverträglich anderen und schwächeren Vierfüsslern und Vögeln gegenüber,
bekriegt er, gleich dem südafrikanischen Sperling, selbst jene seines
eigenen Geschlechtes, welche sich zufällig als Fremde an demselben
Wassertümpel einzufinden wagen, oder die wir als neuen Zuwachs

21

unseren Gefangenen beigesellt haben. Ja, die Nilgans schont selbst die Mitglieder ihrer eigenen Familie bei der Heimkehr nicht, wenn sich diese mehrere Tage von der gemeinschaftlichen Wohnstätte entfernt gehalten hatten. Ob ihrer Munterkeit, vor Allem jedoch ob ihrer staunenswerthen Wachsamkeit, hielt ich von 1876 bis 1879 mehrere der Thiere in Gefangenschaft.

Ich trachtete, mich über ihre Untugenden hinwegzusetzen, wobei mich ihre Unverträglichkeit insofern am meisten afficirte, als ich beinahe für ein jedes Pärchen, ja sogar für manche der Einzelthiere, je eine Umfriedung errichten musste. That ich dies nicht, so war sicherlich der schwächere Theil vor der Tagesneige blutig gebissen und zerzaust worden.

Unter allen denen, welche ich damals verpflegte und die ich sonst als Gefangene beobachtete, — sie werden nicht selten in Gehöften angetroffen, — zeichnete sich nur ein einziges Thier durch Verträglichkeit aus, es war ein weibliches Thier mit einem stark verkrüppelten Bein.

Ausser der Wachsamkeit kann ich dem Thiere nur eine einzige Tugend nachrühmen, es ist die Liebe zu dem Ort, an dem es ihm wohl ergeht; welche Dankbarkeit uns namentlich an den Gefangenen auffallen muss. An einzelnen Gehöften, selbst in Städten, ja sogar in dem Gewoge und dem Zeltwalde der Diamantenfelder, sah ich die Thiere aus- und einfliegen, während man in denselben Hofräumen, wo den Thieren Futter vorgestreut wurde, den mitlebenden Pfauenkranichen, Sporngänsen und Wildenten sei es die Flügel stutzen, sei es die Thiere in einer anderen Weise am Fliegen hindern musste. Es geschah zuweilen, dass die aus- und einfliegenden Thiere in einem anderen Hofraume für kurze Zeit Gefallen fanden und dann nach einem ein- oder mehrtägigen Aufenthalte von selbst oder durch das Geschrei einer vorüberfliegenden Genossin aufgemuntert, in ihren eigentlichen Wohnort zurückkehrten. Manche der Thiere gewöhnten sich auch an ihre Pfleger und gaben selbst in der Gefangenschaft ihren freilebenden Genossen nichts in der Wachsamkeit nach. An kleineren Gewässern, in welchen Stelzen-Vögel (Kraniche etc.) nicht einzukehren pflegten, benachrichtigten gewöhnlich die gleich den Fischreihern, auf hervorragenden Gesteinen schlummernden Nilgänse die übrigen befiederten Bewohner von einer etwaigen nahenden Gefahr. An meinen Gefangenen nahm ich wahr, dass sie mehr am Tage als in der Nacht schliefen und während der

Nilgans sammt Nest.

letzteren durch lautes Geschnatter jedwedes geringfügige Geräusch
anzuzeigen pflegten. Wie schon erwähnt, theilten sie sich, — ohne es
zu wollen, — mit Prinz, dem Löwen, und den Schakalen in dieser Arbeit,
die im Häuschen schlummernden Pfleger wachzurufen. Am wenigsten
machten sich noch die Schakale bemerkbar, sie brummten nur; der
Löwe erhob sich polternd und zeigte uns durch wiederholte Sprünge
an, dass sich irgend etwas Verdächtiges unserer Yard* genaht habe
oder in dieselbe eingetreten sei; um so mehr aber lärmten die Nilgänse: sie verriethen ebenso gut den am Pförtchen rüttelnden Kranken
wie die herumvagirenden Köter, welche sich entweder durch die
Zaundauben durchgezwängt hatten oder über dieselben gesprungen
waren, um nach den von verschiedenen Thieren übrig gelassenen
Fleischresten zu fahnden. In allen solchen Fällen erwiesen sich die
Nilgänse als äusserst nützlich, und ich nahm sie auch später auf meine
Heimreise bis zur Meeresküste mit, wo ich sie einem Freunde für
seinen Garten verehrte. Sie hatten ihre Schuldigkeit gethan, und für
Europa waren sie ja ohnehin keine Seltenheit mehr.

Mit Rücksicht auf die Untugenden der Thiere muss ich ausser
den schon erwähnten noch ihrer Fressgier und Unreinlichkeit gedenken. Sie nahmen alles Essbare zu sich, gaben jedoch klein ge-
schnittenem, rohem Fleische den Vorzug. Ihre Höfchen mussten viel öfter
als die der übrigen Vögel (der Sporngänse, des Pelikans u. A.) gereinigt
werden, und ihre Futternäpfe waren schon kurze Zeit nach ihrer
Füllung mit Sand und Erde verunreinigt, so dass mich im Allgemeinen
die Pflege der Nilgänse viel mehr Mühe kostete, als die der meisten
übrigen Vögel, welche ich zu jener Zeit in Obsorge übernommen hatte.
Während meines Aufenthaltes in Grahamstown, als ich vielen der
Vögel und auch einigen Vierfüsslern einen gemeinschaftlichen Hofraum
gönnte, hielten sie sich zumeist abgesondert, suchten jedoch bei der
Fütterung ihren Genossen, selbst den Kranichen, die vorgeworfenen
Körner und Bissen streitig zu machen; dabei fielen sie regelmässig
über die schwächeren Thiere, am heftigsten jedoch übereinander her.

Die Nilgänse brüten in der Regel in Einzelpärchen auf Felsen, doch
zumeist auf Bäumen, wo sie ein kunstloses, tellerförmiges Reisignest
errichten. Ausser, wenn man mit den Thieren zufällig zusammentrifft,
werden dieselben sonst nicht gejagt.   *H.*

* Hofraum.

Nettapus auritus (Bodd.) — Zwerggans.

Gray Hand-List. B. M. III Sp. 10593.

Zwei durch Kauf erworbene Männchen und ein Weibchen, die am Zambesi erlegt wurden, ausgestellt. Ich beobachtete und schoss die Thiere an den Weihern des Sibananiwaldes; traf sie meist in kleinen Gesellschaften in tiefem und seichtem Wasser. Gleich Sarkidiornis africana bewohnen sie das nördliche wärmere Südafrika. Ausserdem finden sie sich in den wärmeren Partien der Ostküste und reichen so südlich bis Natal. Obgleich nicht sehr scheu, verstehen sich diese niedlichsten der Gänse auf ein so vortreffliches Tauchen, dass sie nur zu oft dem tödtlichen Schrot entrinnen. Der Beobachter wird jedoch seine Freude an den munteren Geschöpfen haben, die, wenn auch noch so klein, sich doch so muthig und munter auf dem Wasser zu erheben, mit den Flügeln zu schlagen, und sich in die Brust zu werfen verstehen.   *H.*

Dendrocygna fulva (Linné) — Röthliche Baumente.

Gray Hand-List. B. M. III Sp. 10616.
Baird B. N. A. pl. 63. I., D. virgata (Max). D. sinuata (Licht.).

Von *Walsh* an den Zambesisümpfen (bei Schescheke) im Jänner 1876 erbeutet. (Leider mir sonst nichts von *Walsh* über den Vogel übermittelt worden.) Stimme ähnlich wie bei Querquedula erythrorhyncha. Ich beobachtete den Vogel nur im Vorüberfahren aus dem Kahne an einigen wenigen Stellen im Zambesithale, ohne ihn je südlicher gesehen zu haben.   *H.*

Dendrocygna viduata (Linné) — Witwen-Baumente.

Gray Hand-List. B. M. III Sp. 10613.
Dendrocygna personata (Stev. und Würt.). — D. viduata (Hartl.). — D. viduata (Eyton Pl. Enl. 808).

Ein Pärchen ausgestellt; von *Walsh* an den Zambesisümpfen (bei Schescheke) erbeutet. Ich beobachtete das Thier während der zweiten und dritten Reise zugleich mit Querquedula erythrorhyncha an den Ufer-Lachen des Limpopo. Sechs Männchen und sieben Weibchen im Laufe der sieben Jahre erlegt.

Ist häufiger als Dendrocygna fulva und hat auch einen bedeutend grösseren Verbreitungsbezirk nach dem Süden hin.   *H.*

Casarca rutila (Pall.) — Bergente.

Gray Hand-List. B. M. III Sp.

Pall. Hist. D'Egypt. Ois. T. 10, p. 1. Anas casarca (Linné.).

Tadorna rutila (Tem.). — Anas cana (Gmel.).

Die Berg-Endt der holländischen Farmer.

In manchen Districten Südafrikas wie in der Ostprovinz der Capcolonie, im Oranjefreistaate etc. ob ihrer Häufigkeit als gemein zu betrachten. Ich traf das Thier zumeist in einem halbgezähmten Zustande an Farmgehöften, wo die Thiere schon zeitlich im Frühling (September) mit einer 3 bis 4 Wochen alten Brut die Teiche und Gesümpfe durchfurchten. Was mir besonders auffiel, war der Umstand, dass die weissliche Zeichnung am Kopfe und Halse bei manchem der Thiere vollständig fehlte, bei anderen nur die Wangen oder den Kopf allein betraf und im Allgemeinen sich in allen möglichen Nuancen von gelb und bräunlichweiss bis schneeweiss präsentirte. Das Thier schien mir vorsichtig, doch nicht scheu und holte sich seine Nahrung theils im Gesümpfe, theils klaubte es hie und da etwas auf, was den übrigen Hausthieren an Körnerfrucht oder frischem Grünfutter vorgeworfen wurde.

Da die Casarca als eine ansehnliche Ente und in ihrem schönen braunen Gewande dem einsamen Farmgehöfte und seinem nothwendigen »Damme« als ein munteres Geschöpf wohl ansteht, wird sie auch überall gern gesehen und vor dem Jagdeifer eines Vorüberreisenden geschützt.

Als Hausthier eignet sie sich besser als die Nilgans und die übrigen Wildenten Südafrikas und lässt auch mit Rücksicht auf ihre Eigenschaften die erstgenannte bedeutend hinter sich zurück. Wir können sie den Colonisten nur anempfehlen und wollen hoffen, sie auf der nächsten Reise noch häufiger als wie zuvor anzutreffen.   *H.*

Anas xantorhyncha (Forst.) — Gelbschnabelente.

Gray Hand-List. B. M. III Sp. 10639.

Anas flavirostris. (Smith, Zool. of S.-Afrika. p. 196). Geelbek der holländischen Farmer.

Zwei Enteriche ausgestellt. Der eine stammt aus dem Hartsriverthale, wo ich ihn unweit Taung erlegte, den zweiten erbeutete ich im Januar 1876 im Zambesithale bei Schescheke. Ueber ganz Südafrika einzeln und in kleinen Trupps an fliessenden und stehenden Gewässern angetroffen. Oberschnabel gelb, mit schwarzen Flecken.

Wie Querquedula erythrorhyncha bewohnt das Thier die vielen dichtumbinsten Weiher an den Farmen zwischen dem Oranjeflusse und dem Limpopobogen, wo sie mit Fulica cristata ein gern geduldeter Vogel ist. Ausserdem ist sie häufig an den Salzseen und an den umschilften Flüssen. Nach *Layard* werden die Vögel in der südlichen Capcolonie erheblich gejagt, während ich im Osten und Norden die meisten der holländischen Farmer der nordöstlichen Capcolonie und des Oranjefreistaates, deren »Damme« (Wasser-Reservoirs, Teiche) die Vögel bewohnten, äusserst schonend mit denselben umgehen sah. Selbst in der Wildniss fand ich die Thiere nicht besonders scheu und konnte, wie am Vaalflusse, in einigen zwanzig Minuten und ohne viel Mühe mit den Erbeuteten ein Mahl für eine zahlreiche Gesellschaft besorgen, indem ich mir aus einer über dem Flusse hin- und herfliegenden Schaar mit je einem Schusse einen Vogel herabholte. — Wenn mit Rücksicht auf das Brutgeschäft mit den Chenalopex und Plectropterus in 'Vergleich gezogen, so finden wir, dass diese, wie die beiden folgenden Arten, beschilfte, umbinste und beschattete Flüsschen den Teichen und Salzseen, denen wieder jene Gänse huldigen, den Vorzug geben. Ausgedehnte Moräste sind beiden für Brutzwecke willkommen. *H.*

Anas sparsa (M. Smith) — Smith's Ente.

Gray Hand-List. B. M. III Sp. 10642.
Smith, Zool. S.-Afrika. Pl. 97. — Anas guttata (Licht.).

Das ausgestellte Exemplar im Hartsriverthale im Jahre 1872 erlegt; ziemlich häufig in Südafrika, meist in beschilften, fliessenden, weniger häufig in stehenden Gewässern und in der Regel in kleinen Gesellschaften angetroffen. Scheuer wie die vorige und die folgende Species. *H.*

Querquedula erythrorhyncha (Gmel.) — Rothschnäblige Krikente.

Gray Hand-List. B. M. III Sp. 10668.
Smith. I. S. A. Z. pl. 104. — Querquedula pyrrhorhyncha (Forst.).

Das ausgestellte Exemplar auf der Zambesireise am Limpopo erbeutet. Gemein in Südafrika. Schnabel vorherrschend rosenroth. Lebt in Gesellschaften bis zu zwanzig Stück zumeist in Sümpfen, sowie bebinsten, zahlreiche Wasserweichthiere und Wasserkrebschen aufweisenden Tümpeln und Regenlachen. Die Erlegte bewohnte einen solchen Sumpfweiher am Ufer des Limpopo, ohne dass ich sie im Flusse angetroffen hätte. Solche Sumpfweiher sind wohl Eigenthümlichkeiten der Ufer mancher südafrikanischen Flüsse; so fand ich sie am Limpopo und allen seinen Nebenflüssen, welche ich auf meinen Reisen berührte. Wir sehen an den betreffenden, sei es vollkommen, sei es auf ein Minimum ausgetrockneten, doch auch an stets strömenden Flüssen, (die ersteren dann einem trockenen, schlecht gepflegten Riesengraben nicht unähnlich), 6 bis 12 Fuss und darüber, über dem Bette des Flusses jene oft hundert Schritte breiten und ebenso, doch auch bis einige hundert Meter langen, seichten und kahlen, doch auch dicht überbinsten Lachen und Sumpfweiher. In der Regel trocknen diese nicht ein, und wenn man auch aus dem Umstande, dass sie zahlreiche Fische beherbergen, annehmen kann, dass sie nur durch Ueberschwemmungen aus dem Flusse bevölkert wurden. so müssen wir doch annehmen, dass diese Gewässer eigentlich von Quellen erhalten werden. Wenn bebinst und eben nicht zu nahe an den Dörfern der Eingebornen gelegen, sind solche Orte in den Betschuanaländern des centralen Südafrika die Lieblingsstellen und Brutplätze der rothschnäbligen Krikente. Das Geschrei des Vogels ist ein rasch sich wiederholendes Pfeifen von mittelmässiger Stärke.   *H.*

Podicipidae — Lappentaucher.

Podiceps minor (Linné) — Zwergsteissfuss.

Gray Hand-List. B. M. III Sp. 10763.

Podiceps hebrudicus (Gmel.). — P. minutus. (Pall.). — P. fluviatilis (Degl.).

Ein Weibchen ausgestellt. Iris, Schnabel, Füsse und Nägel schmutzig grasgrün; Zunge kurz; der Horntheil die Hälfte der ganzen Länge bildend. Erlegt in dem einsam liegenden, kleinen und bebinsten Yoruahweiher, Ostbamangwatoland. Findet sich durch das ganze centrale Südafrika, zumeist an stehenden Gewässern, Regenlachen, die das ganze Jahr oder die meiste Zeit im Jahre wasserhaltig bleiben, sowie an Sumpfweihern und in Lagunen. Wo wir das Thier vorfinden, ist es in kleineren und grösseren Gesellschaften zu beobachten und erweist sich als sehr scheu; unbeobachtet findet sich der Vogel am Ufer ein, um sich zu sonnen oder eine Abwechslung in seiner täglichen Kost, die in Wasserinsecten, Asseln, Süsswassermollusken, kleinen Fischen und Kaulquappen besteht, zu suchen. Ob seinem vollendeten Tauchvermögen ist dem Thiere schwer beizukommen.　　*H.*

Laridae — Möven.

Larus poliocephalus (Swains.) — Grauköpfige Möve.

Larus poliocephalus (Sw.) *Gray* Hand-List. B. M. III Sp. 10969.

Zwei Exemplare ausgestellt. Am Zambesi im Marutsereiche erlegt, wo sie sich mit Hydrochelidon leucopareia und einem Scheerenschnabel in grosser Anzahl aufhalten und an den Sandbänken und den seichtesten Untiefen anzutreffen sind. Leider ist mir von *Walsh*, von dem ich die beiden Exemplare für vier Pfund Elfenbein erstand, nichts Näheres über das Geschlecht, die Färbung des Schnabels, der Regenbogenhaut und der Füsse berichtet worden. Ich selbst erlegte keines der Thiere. Ich erinnere mich nur, dass sie rothschnäbelig und rothbefusst sind und dass ich sie Fischchen, Schnecken, Kerbthiere u. s. w. verzehren sah. Der Häufigkeit nach waren sie die zweiten in der Reihe, als die häufigsten zeigten sich die Scheerenschnäbler, in der Minderzahl blieb Hydrochelidon.　　*H.*

Hydrochelidon leucopareia (Natterer) — Bartseeschwalbe.

Hydrochelidon Delalandii (Bp.). — *Gray* Hand-List. B. M. III S. 11076.

Hydroch. hybrida. p.. Schl.

Im Panda-ma-Tenkathale erlegt; findet sich am centralen Zambesi wie an seinen Zuflüssen, sowohl jenen, welche die Hochebenen, wie denen, die das hügelige Alberts- und das Barotseland durchströmen. Das ausgestellte Exemplar ist ein Männchen und wurde von *Dr. Bradshaw* im November erlegt. Iris braun; Schnabel schwarz, Füsse dunkelroth; Nägel schwarz. Nahrung: Insecten, Mollusken und Würmer, die sie in den Uferpartien wie im Wasser aufliest. Meist in Pärchen angetroffen.　　*H.*

Aus Afrika besitzt das kaiserliche Museum zwei von *Zelebor* in Aegypten in der Umgegend des Sees Menzaleh gesammelte Exemplare und ein drittes (wohl ein junges Männchen) von Dr. *v. Heuglin* aus Embabeh am Nil, 1. October 1851.   **P.**

Rhynchops flavirostris (Vieill.) — Orient-Scheerenschnabel.

Gray Hand-List. B. M. III Sp. 11094.

Rhynchops orientalis (Ruepp.). — R. albirostris (Licht.).

In bedeutenden Mengen im Zambesithale, einzeln und in Pärchen. doch zumeist in Gesellschaften vorgefunden. Verbringt seine meiste Zeit auf den Sandbänken oder im Fluge zu. Jene, die uns zur Beute wurden, holten wir aus dem Fluge herab, da uns die Thiere nur zu oft umkreisten, und wir ihnen weniger leicht auf dem Sande beikommen konnten.   *H.*

Plotidae — Schlangenhalsvögel.

Plotus Levaillantii (Licht.) — Lev. Schlangenhalsvogel.

Gray Hand-List. B. M. III S. 11101.

Plotus rufus (Licht.). — P. congensis (Leach.).

Die Ausgestellten sind ein Männchen und Weibchen aus dem Zambesithale. Sie sind seltener als Graculus capensis. Mit Vorliebe wählen sich diese Thiere, die ich einzeln und in Pärchen zumeist in den wärmeren Partien Südafrikas vorfand, blattlose, den Fluss überragende Baumzweige oder schief über denselben sich erhebende Baumstämme zu ihrer Umschau aus. Unter den Schwimmvögeln Südafrikas bieten sie durch ihre Lebendigkeit sowie das Missverhältniss ihrer Körperformen, und ihre Schwimmleistungen dem Beschauer so viel Anziehendes, dass man sie stets mit Interesse betrachten muss. Ihre Bewegungen auf solchen Baumstämmen, — ja diese Bewegungen mit dem schmalen Kopfe und spitz'en Schnabel, (eine äusserst gefährliche Waffe), mit dem langen Halse und dem gedrungenen, auf sehr niederen Beinen ruhenden Körper sind so eigener Natur, dass man bei ihrer Betrachtung unwillkürlich an einen der langbehalsten Jura-Saurier der mesozoischen Periode erinnert wird, an Thiere, die eine ähnliche Missproportion der Formen auf gewiesen hatten. Dazu das eigenthümliche steife Gefieder an der oberen und das flaumhaarige auf der unteren Körperseite. Der Gestalt entsprechend trägt das Schwimmen und Tauchen des Vogels nicht minder Interessantes an sich.

Seht, — dort unten in der Lagune schwimmt ein Object; treten wir näher, um es kennen zu lernen; mir dünkt es ein schmaler Schlangenkopf zu sein; nun, es lieben ja, bekanntermassen, südafrikanische Schlangen klare Fluthen, um nach Ratten, Fischen und Lurchen zu jagen, es wird wohl eine Baumschlange sein! — Doch nein, es ist doch keine Schlange, vielmehr der bräunliche Kopf eines scharfbeschnäbelten Vogels, an einem dünnen Halse sitzend. Taucht denn das Thier? Doch nein, es schwimmt ja ruhig weiter, nur mit den eben genannten Theilen den Wasserspiegel überragend, — ein eigenthümlicher Anblick! Jetzt verschwand es, und wir sehen deutlich in der klaren Fluth, wie es gleich einem Pfeile zum jenseitigen Ufer hinüber schiesst, hinein in die Binsen drängt, vielleicht um einem Krokodil aus dem Wege zu gehen. Da ist es schon wieder, es hat sich erhoben und schwimmt wie alle übrigen Natatores auf dem Wasser; doch seht, was geht da vor mit seinem Halse? Der Hals scheint um die Hälfte kürzer geworden zu sein, doch bedeutend breiter und flach, und wie der Vogel mit ihm hin- und herschlägt! Das Thier fliegt auf und flattert auf den nächsten Maschungulubaum. Dieselben Bewegungen mit dem Halse; derselbe wird ja wiederum länger, am Kopfe schnürt er sich ein, nimmt stetig an Länge zu und wird rasch nach dem Leibe zu dünner. — Der Vogel hatte im Verhältnisse zu dem dünn erscheinenden Halse einen sehr breiten Fisch verschlungen, eben das Object, das ihn zu seiner Taucherprobe in der Lagune veranlasste, und hatte eben seine Beute, die sich noch in dem engen Halsschlauche zu wehren schien, hinab-gewürgt. In der That nehmen diese Schlangenhalsvögel zuweilen Fische von 6 bis 10 Cm. Breite zu sich, wobei sie eben ihren Hals beim Schlucken derselben in einem gleichen Masse zu verkürzen wie aus-zudehnen vermögen.

Als ich von dieser Halscontractur meinem hochgeehrten Freunde, dem Herrn Mitverfasser, berichtete, machte er mich auf eine Eigen-thümlichkeit der Halswirbelsäule dieses Thieres aufmerksam, welche, wie ich später ersah, auch bereits von einigen Forschern, am ge-diegensten wohl von dem englischen Anatomen *Alfred Gurrod*, M. A., F. R. S. in London, an einer amerikanischen Art (Plotus anhinga), beschrieben und von seinen Freunden veröffentlicht wurde. Ich erlaube mir, im Folgenden eine Betrachtung der interessanten Halswirbelpartie eines Plotus Levaillanti wiederzugeben und selbe durch eine Skelet-zeichnung des Thieres, sowie mehrere Detailzeichnungen zu erörtern.

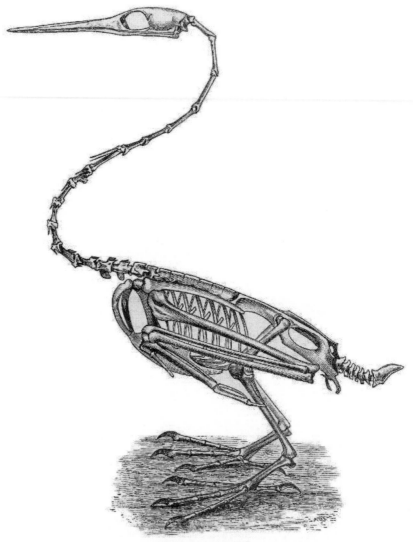

Plotus Levaillantii.

Der Plotus Levaillanti besitzt 19 Halswirbel, 6 Brustwirbel, 4 Lenden- und 7 Kreuzbeinwirbel (letztere sämmtlich mit deutlichen, Querfortsätzen versehen) sowie 7 Schwanzwirbel.

Von den Halswirbeln des Vogels machen der achte und der neunte auf das meiste Interesse Anspruch; der achte bildet mit dem siebenten und neunten solch' bewegliche Gelenke, dass er mit dem ersteren einen rechten, mit dem letzteren einen stumpfen Winkel zu formen vermag.

Hat das Thier einen grösseren Fisch geschluckt, so zieht es den Hals zusammen und knickt seine Halswirbelsäule ein, wobei die letztere drei ausgesprochene Partien, zwei Längsstücke und ein Querstück bildet. Die ersteren bestehen aus einer oberen und unteren Partie. Die obere begreift die ersten sieben Halswirbel in sich, von denen namentlich der dritte, vierte, fünfte und sechste durch ihre Länge auffallen und von denen der dritte und vierte als die längsten erscheinen. Bei der Halserweiterung (Verkürzung) präsentirt diese Wirbelsäulepartie eine halbe S-förmige Krümmung mit der Wölbung nach hinten; letztere tritt am vierten, fünften, sechsten und siebenten dieser Knochen am stärksten hervor. Das hintere, recte untere Längsstück der Halswirbelpartie besteht aus eilf Wirbeln, welche eine unvollständige (eine halbe) S-förmige Krümmung — doch mit der Wölbung nach vorne — zeigen; letztere tritt am eilften, zwölften und dreizehnten Wirbel am stärksten zu Tage. Als Bindeglied zwischen diesen beiden langen Halswirbelsäulepartien fungirt der achte Wirbel als das Querstück und nimmt im Momente der obgenannten Halserweiterung eine nahezu oder vollkommen horizontale Lage an. Als besondere Eigenthümlichkeiten können durch die Ermöglichung einer Rückwärtsbewegung die Gelenkflächen vom siebenten bis zum zwölften Wirbel angesehen werden. Ferner sehen wir die Muskelfortsätze der Halsrippen an dem achten, neunten und zehnten bedeutend lang, diese Verlängerungen vom achten Wirbel nach abwärts zu, abnehmend. An dem achten machen dieselben vier Fünftel der gesammten Wirbellänge aus. Das obere Gelenk am achten Wirbel ist ein hinteres, das untere (mit dem neunten Wirbel) ein vorderes zu nennen.

Der neunte Halswirbel trägt in dem unteren Dritttheil seiner Rückenfläche ein Paar nach aussen, rückwärts und oben gewendeter 9 Mm. langer und (in ihrem grössten Durchmesser) 3·5 Mm. breiter flügelförmiger Fortsätze, welche sich nach *Gurrod* auch in eine knöcherne Brücke umgestalten können, sonst jedoch, wie auch in dem vorliegenden

22

Falle, mittelst eines Bandes mit einander verbunden sind. Dieser Halbring (Plotusring) dient zur Zeit der Einknickung der Halswirbelsäule den hinteren unteren Querfortsätzen des achten Wirbels zur Stütze.

Bei der Untersuchung der Halsmuskeln sehen wir, den Gurrod'schen Beobachtungen gemäss, den Longus colli anterior und Longus colli posterior ausnahmsweise stark entwickelt. Der Longus colli posterior verdient eine besondere Berücksichtigung, wenn er auch bei dem afrikanischen Plotus Levaillantii weniger massig entwickelt zu sein scheint, als wie beim amerikanischen Plotus anhinga. Er läuft als ein Muskelstrang bis zum achten Wirbel empor. An den Pectoral- und untersten Halswirbeln beginnend, gibt er an jeden der unteren Halswirbel je ein Bündel ab und verwandelt sich am achten in eine zumeist in ihrer unteren Partie verknöcherte Sehne, welche vom vierten, fünften und sechsten Halswirbel kleine und dünne Muskelbündelchen aufnimmt und sich an dem Epistropheus (zweiten Halswirbel) anheftet.

Wohl noch einen interessanteren Befund bietet dem Anatom die Untersuchung des Longus colli anterior. Wir sehen beiderseitig einen dreifachen Muskelstrang; der äussere und mittlere sind unbedeutend; sie entspringen am dritten Brustwirbel und endigen mit kurzen Sehnen an den Querfortsätzen, der äussere an denen des siebzehnten, der mittlere an denen des sechzehnten Halswirbels. Der innere Muskelstrang besteht in einer gedrungenen, triangelförmigen, kurzen Muskelmasse, welche beiderseitig in eine lange, dünne, zweifach sich theilende Sehne übergeht. Diese mächtige Muskelmasse entspringt an den vorderen Flächen zweier Brust- (des zweiten und des ersten) und denen der untersten sechs Halswirbel. Die jedwaige Sehne sendet je einen Strang zu den Muskelfortsätzen der Rippen des zehnten und neunten Wirbels, sowie zu der verlängerten nach abwärts gerichteten Spina des achten Halswirbels. Ausserdem finden wir je einen unbedeutenden Muskelstrang von dem fünfzehnten und sechzehnten Halswirbel ausgehend, der sich nach einer Länge von zwei Centimeter in eine lange Sehne verwandelt, welche Sehne den Muskelfortsatz der Halsrippe des eilften Wirbels aufsucht.

Was die Fähigkeiten dieser Plotusart anbetrifft, so glaube ich, sie nur um ein weniges über jene des gewöhnlichen Fischreihers stellen zu müssen.

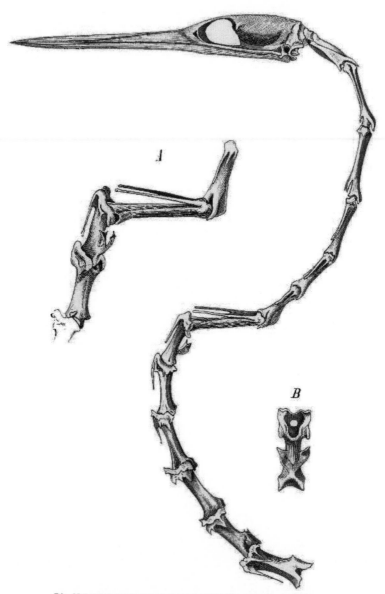

Die Halswirbelsäule des Plotus Levaillantii eingeknickt.

A der 7te, 8te, 9te u. 10te Halswirbel, Seitenansicht.   B. der 9te Halswirbel, hintere Fläche.

22*

Ich hielt einen der Vögel, den einzigen, den ich im Caplande beobachtete, in Gefangenschaft. Derselbe war von Schwarzen bei Cradock (Capcolonie) in einem übersättigten Zustande am Fischriver eingefangen worden. So böswillig und dreist er sich in den ersten Tagen zeigte, so apathisch und stumpfsinnig erwies er sich später. Er zeigte sich sehr gefrässig und ging schon kurze Zeit nach seiner Gefangennehmung zu Grunde. Nach dem mir Ueberlieferten findet sich der Lev. Schlangenhalsvogel auch hie und da in der Capcolonie, in Caffraria und Natal, ist jedoch in den Hochplateauländern ziemlich selten und wiederum nur gegen die Mündungen der bedeutendsten Flüsse häufiger anzutreffen. Er nistet überall, wo er nicht belästigt wird und hinreichende Fische und Lurche zur Verfügung hat. Mein Gefangener schien mit rohem Fleisch vollkommen zufrieden zu sein.

H.

Pelecanidae — Pelikane.

Graculus africanus (Gmel.) — Afrikanischer Kormoran.

Carbo longicaudus (Swainson). — Halieus africanus (Bonap.).

Hartl. und *Finsch.* Vög. Ost-Afr. 847 (C.). — *Gray* Hand-List. B. M. III Sp. 11143.

Auf der ersten Reise in Wonderfontein (centrale Transvaal) erlegt. Leider nähere Notizen verloren. Ich beobachtete das Thier nie wieder auf meinen folgenden Reisen und glaube, dass diese Species der Ostküste Afrikas, dem Zambesithal und dem N'Game-Bassin angehört und von da nach Westen, d. h. dem Innern des Landes, streicht. In Wonderfontein fand ich nur das einzige Exemplar vor. Es fischte in dem Gesümpfe, doch mit Vorliebe in den klaren Fluthen des Moirivers. Hatte es seinen hungrigen Gefühlen volle Befriedigung verschafft, so flog es auf einen hohen Weidenbaum, der die Wagenremise einer der Wonderfonteiner Höhle zunächst anliegenden Farm überragte, um hier sein schwarzes, glänzendes Gewand zu trocknen, zu ordnen und — Siesta zu halten. Das schmucke Thier zeigte sich gar nicht scheu und war schon seit mehreren Monaten bei dem Boer zu Gaste. Leider fiel es meinem Eifer zum Opfer und prangt gegenwärtig, trefflich ausgestopft, in einem unserer Museen; doch noch bis zu dem Momente, wo ich diese Zeilen schreibe, ist mir das Gebahren jenes Farmers unerklärlich. Er war es, der mich auf den Vogel aufmerksam machte, ihn für schussfrei erklärte, während sonst die holländischen Colonisten ihren befiederten Gästen gegenüber sehr schonend aufzutreten pflegen.   *H.*

Graeulus capensis (Gray) — Cap'scher Kormoran.

Gray Hand-List. B. M. III Sp, 11123.

Phalacrocorax capensis (Byr.). — Pelecanus capensis (Sparr.). — Pelec. gracula (Lath.).

In mehreren Varietäten an der südafrikanischen Küste sowie am Zambesi zu finden. Die vorliegende Art stammt vom Zambesi, wo sie in der Vogelwelt eine der gewöhnlichen, doch meist nur den Stromschnellen eigenthümlichen Erscheinungen bildet. Hier wählt sich der Vogel die das Wasser überragenden Felsblöcke zu seinem Standorte, um zu zweien bis fünfen nebeneinander hockend, plötzlich nach Fischen in die Fluth zu tauchen, sich dabei vom Flusse eine Strecke weit (10 bis 20 Meter), doch stets innerhalb der Stromschnellen, nach abwärts treiben zu lassen und dann emporfliegend, von Neuem seinen bequemen, früheren Standpunkt aufzusuchen. Diese Schwimmversuche legt er oft tauchend zurück. Kaum haben sich die Thiere wieder niedergelassen, so breiten sie ihre Flügel aus, um sich dieselben von der Sonne oder dem durch das Thal streichenden Winde trocknen zu lassen und bald darauf neuerdings von ihren Fischereirechten an jenen Stellen Gebrauch zu machen. Sie sind wohl gute, doch nicht so vortreffliche Taucher, wie die Schlangenhalsvögel; während diese selbst die Tiefen aufsuchen und hier, den Nachstellungen der Krokodile entschlüpfend, erfolgreich zu fischen vermögen, wagen sich die Cap'schen Kormorane selten in die stille und tiefe Fluth der von Krokodilen bewohnten Ströme, suchen vielmehr Untiefen und davon insbesondere die erwähnten Stromschnellen auf, welche, wie wohl hinreichend bekannt, von Krokodilen gemieden sind.

Sie sind weder am Zambesi noch an der Küste scheu zu nennen. Jene am Meeresufer liessen meinen Hund oft so nahe herankommen, dass er sie beim Auffliegen erschnappte. Sie fliegen rasch, allein nicht schön. Ob sie oft durch den Wellenschlag an die Klippen geworfen oder sonst auf irgend welche Weise in der Brandung verwundet werden, kann ich nicht genau angeben, allein ich traf auf meinen Gängen am Ufer der Tafel- und Algoabucht zahlreiche kranke Thiere an, zuweilen auch todte, die von den Wogen ausgeworfen worden waren.

                                                                        H.

Pelecanus mitratus (Licht.) — Gehäubter Pelikan.

Gray Hand-List. B. M. III Sp. 11153.

Pelecanus minor (Ruepp) — P. megalophus (Heugl.). — P. pygmaeus (Brehm) —
P. cristatus (Len.).

Einzeln und in grösseren Gesellschaften in der Capcolonie und im Oranjefreistaate angetroffen; soll auch Natal besuchen. Von einigen meiner Bekannten auch am Zambesi beobachtet. Wiederholt pflegen die Thiere von den Küsten nach landeinwärts und aus dem Zambesithale nach dem Süden zu wandern. Im Allgemeinen sind jedoch diese Wanderungen nicht sehr beträchtlich und werden nur von einzelnen oder einigen wenigen Individuen weiterhin nach dem Innern oder dem Süden fortgesetzt. Vollgefressen verlassen dann die Vögel ihre fischreichen Aufenthaltsorte, um eine Forschungsreise in die Hochebenen anzutreten. Da es sich jedoch bekanntermassen für die Vögel etwas unbequem reist, wenn sie sich so sehr vollgegessen haben, dass ihnen ein Gericht nicht allein den Brodsack und die Speiseröhre, sondern auch den Schnabel füllt, fällt es auch unseren Pelikanen etwas schwer, in dieser Ueberfüllung ihre Reise fortzusetzen und so pflegen sie sich schon aus dem Fluge herab einiger der Fische zu entledigen oder sie kehren in einem Gebüsche ein, indem sie sich auf seinem flachen von dichtem grünen Gezweig gebildeten, natürlichen Dache niederlassen, um sofort einen Theil oder wenn möglich auch den gesammten Reiseproviant von sich zu geben. So ereignen sich jene Wunder, dass hier ein ehrbarer Mynheer, dort — oder auch nach diesem auf selbem Orte — ein vom bösen Geschick irregeführter Forschungsreisender an solch' eine entladungsreiche Stelle kommt und da — zum Verblüffen — Bäume und blühende Büsche mit Fischen überhangen sieht. Doch nein, es ist nicht möglich, denkt der Eine wie der Andere; wohl nur eine Augenblickstäuschung, die mich Früchte für Fische erschauen lässt! Doch an was das Auge nicht glaubt, muss das Organ, das da die Gerüche beherrscht, anerkennen. Der starke Nord-West, der von dem Hochplateau herabstreichend, uns schon im Thale begrüsste und nun mit eben jenem Gezweig und unseren Locken zaust, hat uns, »mio caro«, mit einem Odeur umwoben, der »We beg pardon, we might be mistaken«,[1] — der uns ein wenig, doch nur unbedeutend — jetzt jedoch vielleicht auch etwas stark an — — faulende Fische mahnt! Faulende Fische? Nicht möglich! Und wir treten näher; volle Wahrheit und

---

[1] Wir bitten um Verzeihung, wir mögen uns irren.

kein Trug; da hängen statt Birnen und Schotten Fische auf den
Bäumen und Büschen. Und während nun ein aufs Wort genommener
Ichtyolog zuerst ventiliren würde, ob Fluss- oder Seefische, ob
Knochenianer oder Knorpelianer u. s. w., tritt an den gelassenen
phlegmatischen Boer, wie an den heissblütigen, ruhelosen Reisenden die
ausserordentlich wichtige Frage heran: wie kamen diese Fische aus der
Meerestiefe da hinauf— zwischen die Blätter, auf Kronen und Wipfel?

Sein graues Haupt schüttelnd, wankt der Mynheer heim! Am
Morgen war er zufällig auf die eigenthümliche Stelle gestossen, hatte
sie eine volle Stunde angestaunt, und Mittag war schon vorüber, als
er endlich die heimische Schwelle überschritt. Innen aber thront, — den
unvermisslichen Holzschemel unter ihren Füssen, — die ehrbare *Juf-*
vrouw[1]) (sprich: Tschefrau). Am frühen Morgen begann sie den duftenden
Mokka zu schlürfen, ihres Gemals harrend; und um den Heimkehrenden
nicht den Abgestandenen trinken zu lassen, hatte die Gute stetig das
Feuerchen unter der Mokkamaschine unterhalten und inzwischen
Schale nach Schale selbst geleert; *Nartje* (sprich: Nartsche) aber,
die bevorzugte der dunklen Dienerinnen, füllte das wuchtige Blechgefäss
von Neuem und schüttete den superfeinen Cichorienbaren ein, und
Jufvrouw, die Besorgte, nippte wiederum an der Schale, ob dieser
auch ebenso gut wie der vorige wäre. Er aber, der Erwartete, kam
noch immer nicht, und *Jufvrouw* trank von neuem, und hatte so vom
Morgen bis zum Abend drei volle Kaffeemaschinen geleert.

Endlich nahte der Schlimme; doch warum so finster? Haben ihn
vielleicht die Schwarzen wiederum geärgert? Sie wankt ihm entgegen und
freundlich reicht sie ihm die Rechte. Doch er, im tiefen Denken versunken, beharrt in seinem trüben Sinnen, schweigend lässt er sich nieder
— nachdenklich das sorgenvolle Haupt wiegend. Rathlos steht neben
ihm die treue Pflegerin. Endlich, ja endlich öffnet er den erfahrenen
Mund. *Vrouw-ke,*[2]) *me vrouw-ke, wat* habe ich heute gesehen, *vrouw-ke,*
das seien *maar wonderlijke Dinge.*[3]) *Jufvrouw* fasst Entsetzen; sie sucht
ihre Stirn in Falten zu legen — doch wohlgerundet ist die herrliche
Gestalt, strotzend die Wangen, das ganze Gesicht, dass die arme
Stirnhaut auch nicht ein Fältchen zu legen vermag. — Was hat er
gesehen? — Sie seufzt und *Nartje*, die geschäftige Hottentottenmaid.
springt zu Hilfe, sie wähnte, die *Jufvrouw* hätte geniest. — »*Vrouw-ke*«,

---

[1]) Ehefrau, wir bedienen uns der in Südafrika unter den Holländern üblichen
Aussprache. — [2]) Frau. — [3]) Doch wunderbare Sachen.

bricht es endlich aus des Mannes beklommener Brust, »nu setz' Dich
her, lass nur den Kaffee *staan*, kannst nachher Dich laben und höre.
Dort oben auf dem Vaalkranz[1]), wo die *Blauwbosch'e* und *Wagen-
houtboome* stehen, dort *op dezelve Boome*[2]) habe ich, *Vrouw* — erschreck'
maar nicht — habe ich Fische gesehen.« Entsetzt sieht ihn die
Jufvrouw an. »Ist er verrückt? «

Mynheer und *Jufvrouw* sitzen noch lange bei einander, bis sich
die Sonne zum Untergange neigt; ohne Unterlass trinken sie den
duftenden Mokka und sprechen ohne abzubrechen von den *wonderlijken*
Fischen, die dort oben am Vaalkranze auf den Bäumen hängen.

Gegen Abend schleicht sich schüchtern Hendrik, der Hottentotte,
ein und lässt bescheiden den schmutzigen, zerrissenen Filzhut zahllosemal
durch die noch schmutzigeren Hände gleiten, bevor ihn der *Mynheer*
erschaut und nach seinem Begehr fragt. — »Ja siehst Du, *Oom,*«[3]) meint
endlich der zaghafte Sohn der »guten Hoffnung« (but not any good hopes
to be put upon him),[4]) an diesem Tage ist mir etwas *wonderlijkeit*
passirt. — Da habe ich an dem dortigen Berge, am Vaalkranz, einen
Mann getroffen. De *Kerel* (sprich: Kerl)[5]) ist ein *Vreemdeling,*[6]) er ist kein
Engelschman,[7]) er spricht beinahe *dezelve taal*[8]), wie Du. Nun, dieser Mann,
der sammelte auf der Erde allerhand *Klippe, wit* und *zwart*[9]), fasste
mit den Händen *allerlei giftig Goed* (sprich: chiftak chut)[10]) und steckte
es in seinen Zak[11]); kaum jedoch dass er meiner ansichtig wurde, so
stürzte er auch schon auf mich los; nun dachte ich mir. das kann gut
werden, *det Kerel* ist sicherlich *mal*[12]), und so lief ich davon, er aber
hinter mir d'rein; da falle ich an dem schlechten Abhange über einen
gestürzten Aloëbaum, er fiel auch; und als er auf mir lag, da packte
er mich; ich schrie, er aber brachte ein Sixpence aus seinem *Zak* und
bot es mir an, wenn ich schwiege. Ich schwieg; da riss er mich auf
und zerrte mich auf den Vaalkranz hinauf. Kennst ja, Herr, die Stelle
unter dem *Wagenhouthoome,*[13]) ich denk', ich hätte Dich vom Thale aus, am
Morgen dort oben gesehen? Dorthin schleppte er mich und eben unter

---

[1]) Ein schroff abfallender Felsenabhang. — [2]) Auf den nämlichen Bäumen.
— [3]) Oom = Ohm, die gewöhnliche Ansprache dem Gebieter, wie dem Fremden
und auch dem Gastfreund gegenüber. — [4]) An ihm jedoch sind alle guten Hoff-
nungen verloren. — [5]) Mensch, Mann, Kerl. — [6]) Fremdling. — [7]) Engländer. —
[8]) Dieselbe Sprache. — [9]) Weisse und schwarze Steine. — [10]) Giftig scheinende Thiere
und Schlangen, Spinnen etc. — [11]) Tasche. — [12]) Verrückt. — [13]) Wagenholzbaum,
ein Baum, dessen Rinde von den Lohgärbern benützt wird.

diese Bäume. O *Mynheer* und *goed Jufvrouw almachtig*¹) (sprich: allamachti),
da roch's!« Und der Hottentott nieste, um zu zeigen, dass ihm noch
immer der üble Geruch sein verschwindend kleines Geruchsorgan
reize. »Denn da auf den *Wagenhoutboomen* hingen und lagen todte
Fische, und die waren es, die so rochen.« *Mynheer* sah bei diesen
Worten die theuere *Jufvrouw* an; sie verstanden sich! Er schob einen
frischen Tabakbissen in den kleinen Mund, sie aber eine duftende
Mokkaschale unter ihr Näschen. Bis in's Innerste fühlten sich beide
erschüttert! *Hendrik* aber fuhr fort: »Und da fragt nun *det Sixpence-*
Mann,²) wie *det Fische* da hingekommen wären? Da konnte ich nicht
anders als *somerso*³) zu lachen, nein, für so *domm* habe ich den Mann
doch nicht gehalten. D'rauf kroch er auf einen der Bäume, ich aber
lief davon, denn *ne* bei dem *Kerl* wollt' ich nicht länger verbleiben;
er roch zwar nach *Branntwein*,«⁴) — der Hottentotte seufzte da hörbar
auf und schielte bedächtig nach der Mauernische hin, wo gewöhnlich
Mynheers Perzik-Brandewijn (sprich: Perschke-Brandwen)-Flasche⁵) zu
stehen pflegte, — »allein denk nur der *Mynheer*, er trank ihn nicht;
— *det giftig goed, Slange, cheikes*⁶) und *spinnekope* ⁷) hatte er in seine Brannt-
weinflasche hineingethan!«

»*Slange, cheikes und Spinnekope?*« riefen *Mynheer* und *Jufvrouw* mit
einem Munde und sprangen entsetzt auf. Nur die den Händen der ehr-
baren Hausfrau entfallene und auf dem Steinboden wehmüthig klirrende
Mokkatasse unterbrach für die nächsten Secunden die plötzlich ein-
getretene Stille. Mit einem tief herausgeholten »*Mal moes het Kerel*⁸) sein,«
— erleichterten sich endlich beide ihre bestürzten Gefühle und »*mal*«
gab der Hottentott an der Thüre als Echo zurück.

»*Goeden dag, Mynheer!*«⁹) Sie erlauben, dass ich mich niederlasse,«
ein eintretender Fremdling spricht. »*Hei, de Slange-Kerel,*¹⁰) de *Slange-*
Kerel,« entfuhr es dem *Mynheer*, der *Jufvrouw* und dem Hottentotten
zu gleicher Zeit. Verwundert blickt sie der Fremde an; es war eben
jener herumwandernde, ruhelose Reisende; seine Rocktasche überragte eine grosse mit Schlangen, Spinnen, Eidechsen etc. gefüllte Spiritus-
flasche. — »Ha, das ist ja der dumme Hottentotte, der mir entlief.

---

¹) Ausdruck der höchsten Verwunderung: »allmächtig«. — ²) Der Sixpence-
mensch. — ³) Nur so. — ⁴) Bekanntlich liebt die Hottentottenfamilie den Branntwein über Alles. — ⁵) Pfirsichbranntwein. — ⁶) Eidechse. — ⁷) Spinnen. — ⁸) Verrückt muss der Mensch sein. — ⁹) Guten Tag Mynheer. — ¹⁰) Ho, der Schlangen-
mensch.

Nun sollst Du mir nicht entlaufen; nun sprich wie kommen die Fische dort auf den Berg und auf die Bäume hinauf?« Der Hottentotte ächzt unter dem Drucke der Faust *Sir, Sir — please, — good Sir, — please, ich zijn ampèr dood. Sir lat staan,*[1]) ich sag, *please* lass nur los.« Die Faust lässt nach und *Hendrik* flüchtet vorerst in die gegenüberliegende Ecke hinter *Jufvrouws* üppige Gestalt, um so gesichert, von hier aus seine Erklärung abzugeben. Die »Fische« haben jedoch auch *Mynheer* und *Jufvrouw* wieder zur Besinnung gebracht und sie selbst die giftigen Schlangen vergessen gemacht. »Fische,« riefen beide zugleich, »ja, *det Fisch, Hendrik!«* *Mynheer* sucht nach einem Bissen, bietet dem Fremden einen Stuhl an, während *Jufvrouw,* die Scherben mit ihrem Füsschen bei Seite schiebend, dem Ankömmlinge und nebstbei auch sich einstweilen einen Mokka einschenkt. *»Ja det Fische,«*[2]) beginnen endlich die vielversprechenden, doch noch immer zitternden Lippen, — »Sir, *Mynheer, ja det* Fische haben die *Grootbeckgänse*[3]) dahingebracht, sie flogen hinüber gegen den *Nu Gariep*[4]), hatten sich jedoch an den *Vleys*[5]) vollgefressen, und da hielten sie eine kleine Rast auf jenen Büschen, am *Vaalkranz* und schütteten die sie beschwerenden, vielen, ja vielen Fische aus ihren Mägen; dann aber flogen sie wieder heim zur *Vley* und nicht weiter gegen den Gariep, denn der Weg ist lang.«

So hatte *Hendrik,* der braune Hottentottenjüngling, das Räthsel gelöst, mit wenigen Worten drei schmachtende Seelen aus dem Fegefeuer einer grossen Ungewissheit gerettet. Dem *Mynheer* und der *Jufvrouw* war ein *wonderlijk Ding* erklärt; der Reisende aber war um eine hochwichtige ichthyologische Entdeckung, »dass es auch in Süd-Afrika Fische gebe, die wie in Ostindien auf Bäume kriechen«, ärmer geworden.

Ich hielt einen der Pelikane durch anderthalb Jahre in Gefangenschaft. Wie viele seiner Art, hatte auch dieses auf seinem Fluge von Süden her die östlichen, hügeligen Landschaften des Caplandes überflogen und sich, erschöpft und müde geworden, an einem Weiher im Oranjefreistaate niedergelassen. So war er von den Boers aufgefunden, auf den Markt zu Kimberley gebracht und hier veräussert worden. Er wechselte mehrmals seinen Besitzer, bis ich ihn erwarb; sein letzter Herr

---

[1]) Herr, Herr, bitte guter Herr, bitte, ich bin beinahe todt; Herr lass' mich fahren. Die Hottentotten, die bald mit Engländern, bald mit Holländern zu verkehren haben, und die beiden Sprachen etwas, doch nicht viel davon aufpicken, bedienen sich oft beider Sprachen bei einer Anrede. — [2]) Ja die Fische. — [3]) Pelikan (grossgeschnabelte Gans). — [4]) Orangeriver. — [5]) Behinster Weiher.

klagte zu sehr über die abnorme Appetitlust des Thieres und dass es eben nur das beste Beef, sonst keine andere Nahrung annehmen wolle, dies wäre auch der gewichtige Grund, warum er es veräussern müsse.

Ich kann nicht umhin, den gehäubten Pelikan, wohl den schmuckesten seines Geschlechtes, ob seinen Anlagen zu den begabtesten der Vögel zu zählen und erlaube mir als Beweis dafür, einige Episoden aus dem Leben des eben erwähnten, nach Europa überbrachten und späterhin dem Regentpark zu London geschenkten Exemplares anzuführen.

Zu mir gebracht, fühlte sich der Vogel auch sofort von dem Wechsel seiner Wohnstätte betroffen. Er, der gefrässige Geselle, bezwang seinen Hunger, drückte sich in eine Ecke seines Höfchens und verharrte hier durch volle zwei Tage in aller Stille, ohne jedwede Nahrung zu sich zu nehmen; kaum dass er sich einige Male erhob, um aus dem in die Erde eingemauerten Kübel zu trinken. Weder Fische noch Fleisch vermochten seinen Appetit rege zu machen. Meine Annäherung lohnte er gleich am ersten Tage mit einem tüchtigen Schnabelhiebe, der meine rechte Wange hochgeschwollen machte. Erst am dritten Tage las er bedächtig ein Fleischstück auf, badete es und ward von da an, ein traulicher Genosse, der durch seine Schlauheit und die darob zu Tage tretenden Streiche so sehr ergötzte, dass ich mich von allen den Vögeln, die ich hielt, zumeist nach ihm zurücksehne. Er nahm täglich etwa einen Kilo Beef zu sich, fing es mit dem Schnabel auf und schluckte es sofort oder trug die Nahrung in seinen Wasserbehälter, um sie dabei mehrmals aus dem Schnabel gleiten zu lassen und dann nach ihr wie nach einem entschlüpfenden Fische wiederholt zu haschen. Er gewöhnte sich so sehr an das Fleisch, dass er bei mir während der übrigen Zeit seiner Gefangenschaft nicht einen einzigen Fisch zu sich nahm; doch glaube ich, dass er sich seitdem im Regentpark zu London wiederum an Fische gewöhnt hat. Mit Vorliebe warf er das Fleischstück über wie unter dem Wasserspiegel in der vorderen Schnabelhälfte hin und her, um es sich wohl zurechtzulegen, d. h. in die zum Schlucken bequeme Lage zu bringen. Als er gegen das Ende meines afrikanischen Aufenthaltes mit anderen Vögeln und Vierfüsslern in einem Höfchen (in Grahamstown) lebte, hatte ich meine liebe Noth, seinen Angriffen auf die Fleischnahrung der übrigen befiederten Genossen zu wehren. Mit Ausnahme des Steppenadlers und des Secretärs getraute sich keines der Thiere ihm

Widerstand zu leisten, und er verstand es, den grossen Aasgeier ebenso rasch in die Flucht zu jagen, wie den Kranichen zuvorzukommen.

Anscheinend vollkommen theilnahmslos steht er da, mit eingezogenem Kopfe, nur seine Augen zwinkern nach allen Seiten hin und zeigen, wie stets rege seine Beobachtungskraft sei; ich warf eben einer der egyptischen Gänse ein Fleischstückchen zu, — rasch — rascher als dass wir es verhindern konnten, war der anscheinend plumpe Pelikan vorgesprungen, hatte sich mit einem doppelten Flügelschlag weiter gegen den Fleischbrocken herangearbeitet, und schon gleitet der Riesenschnabel mit seiner linken Kante den Boden entlang, um den winzigen Bissen zu fassen.

Er nahm niemals eine mit Sand oder in anderer Weise verunreinigte Nahrung zu sich, sie wurde entweder am Grase oder im Wasser gereinigt und dann erst hinabgewürgt. Erwies sie sich jedoch auf ihrer schlüpfrigen Bahn noch als etwas »rauh« oder »kratzend«, oder senkte sie sich etwas widerstrebend hinab in ihr unfreiwilliges Grab, so ward sie sofort noch einmal oder zu wiederholtenmalen herausgeschüttelt, von Neuem gereinigt und besser zurechtgelegt, nach abwärts befördert.

Neben Spot, dem Hunde, war Lulu der treueste Thürwächter. Stunden- und stundenlang sass er vor der, in das Höfchen zu Grahamstown führenden Küchenthüre und harrte, bis sie aufgethan, ihm Einlass gewähren würde. Fand er sich dann ein, so sah er sich sofort nach dem Fleische um. Wehe, wenn dann der dunkle Koch den Mittagsbedarf nicht hoch genug aufgehangen oder doch nicht bei Seite gelegt hatte! Lulu hatte kein Erbarmen und verschonte selbst den auf dem Roste liegenden, halbgesottenen Muttonchops nicht; wiederholt stahl er die halbgeschmorten Schafsrippchen, um mit ihnen zu entfliehen, sie hierauf sofort im Höfchen von sich zu geben und nachdem sie etwas abgekühlt und gebadet waren, in aller Gemüthsruhe zu verspeisen. Einigemale hatte er Fleischstücke bis zu einem Kilo verschlungen; war ich zufällig Zeuge davon oder vielleicht von dem Koch, der sich dem Vogel gegenüber etwas furchtsam zeigte, um Beistand gerufen worden und sofort zur Stelle, so wurde der rechte Hemdärmel aufgeschlagen, und, indem der Koch den Vogel zur Erde drückte, die Hand in die Schlundröhre des Räubers eingeführt und das gestohlene Gut emporgefördert, welche Procedur auch zu Lulu's grossem Missbehagen stets gelang. Der bestrafte Räuber aber schüttelte sich, warf mir einen bitter-

bösen Blick zu und watschelte ab. Fand sich kein Fleisch in der Küche
vor, so wurden alle möglichen Objecte theils »befühlt«, theils in den
Schnabel gefasst und herumgetragen. Wurde er in solch' einem Momente
durch lauten Zuruf zur Flucht gezwungen, so flüchtete er nach aussen
und liess einige Schritte weit ab, das Messer, den Rührlöffel etc. fallen.
Liess man ihn gewähren, so gab er mit wiederholtem Flügelschlag und
einem heiseren Brüllton seine vollste Befriedigung zu erkennen. Hatte
er jedoch unbeobachtet das in der Küche gestohlene Fleischstück bei
Seite gebracht, so wurde das Fleisch in dem Höfchen hinuntergewürgt,
und Freund Lulu erschien gleich darauf, ebenso demüthig wie zuvor
heranwatschelnd, blickte vorsichtig um sich, blieb eine Weile auf der
Thürschwelle stehen und trat dann ein, um einen neuen Diebstahl in's
Werk zu setzen. Die ungewohnte Fressgier des Secretärs brachte mich
eines Tages zu der Ueberzeugung, dass das Thier sehr hungrig sein
müsse. Ins Haus zurückgekehrt, blickte ich zufällig noch einmal durch
das Küchenfenster zurück ins Höfchen und war dabei nicht wenig
überrascht, zu erschauen, wie der Pelikan mit seinem langen Schnabel
dem auf einige Tage eingekerkerten Schlangenadler die Fleischstücke
aus dem Käfig zu ziehen verstand und selbe auch sofort verzehrte. Die
in den folgenden Tagen angestellten Versuche zeigten, dass sich Lulu
zur Zeit der Fütterung seiner übrigen Genossen (nachdem er selbst
schon betheilt worden war) äusserst ruhig verhielt und nur, uns mit
den Augen nachblinzelnd, unser Scheiden abzuwarten schien. Kaum
hatten wir jedoch die Küchenthüre ins Schloss geworfen, so war Lulu
auch schon aufgesprungen, gegen den oder jenen der grösseren Käfige
herangerannt und suchte die den Vögeln und Vierfüsslern vorgelegte
Nahrung aus deren Behältern hervorzuholen.

In dieser Hinsicht war er, was Schlauheit und Dreistigkeit betrifft,
allen anderen Vögeln und auch den Schakalen weit überlegen. Die
Art und Weise seiner Zutraulichkeit bewies ausserdem deutlich genug,
dass er die ihn umgebenden Personen leicht von den Fremden zu
unterscheiden vermochte.

Kinder und Hunde und die ihn zufällig angreifenden Pfauenkraniche suchte er durch ein plötzliches Aufreissen seines Rachens und
ein zu gleicher Zeit ausgestossenes heiseres Geschrei zu schrecken;
Fremde, die vor ihm Gnade gefunden, Hunde, die sich von ihm ein-
schüchtern liessen, wurden geneckt. Hier zupfte er an der Kleidschleppe
einer jungen Dame, so dass diese erschrocken zurückfuhr, dort wiederum

einen Herrn am Rocke; mit Vorliebe zog er heraushängende Sack-
tücher aus den Taschen und betastete mit dem Hakenfortsatze seines
Schnabels die Finger einer, den Angriff nicht ahnenden, herabhängenden Hand; bei den Hunden wurden die Ohren und der Schweif gründ-
ich untersucht, doch nur selten dabei etwas unzart behandelt.

Spot, mein wachsamer Hund, der sich sonst von Niemandem
etwas gefallen liess, ertrug die sich oft täglich wiederholenden Betastungen
des Vogels mit der grössten Geduld.

Nach des Löwen Tode war Lulu der erklärte Liebling meiner
Besucher.

Zu seinen guten Eigenschaften gehörte auch die Friedfertigkeit,
womit er den mannigfachen Genossen des Hofraumes begegnete. Ausser,
dass er sie hie und da, doch stets in einer äusserst unschuldigen Weise
neckte, enthielt er sich aller sonstigen Quälereien und war so dem
streitsüchtigen Chenalopex und den heimtückischen Pfauenkranichen
das Vorbild eines leutseligen, gemüthlichen und friedlichen Gesellen.

Erzürnt oder in die Flucht geschlagen, wie auch, wenn er gefangen
das gestohlene Fleischstück von sich geben musste, suchte er sich
aufzublasen und sträubte die hinteren, steifen Hals- und Nackenfedern
empor.

Auf meiner Reise durch die Capcolonie liess ich ihn überall, wo
ich mich einige Tage aufhielt, frei herumgehen. Er flog ab und zu,
kam jedoch immer wieder zurück und liess sich von mir, sowie dem
Mischling Andreas und der kleinen, schwarzen Bella leicht wieder fangen.

Als ich einige Monate nach seiner Verschenkung wiederum London
und den Regentpark besuchte und an Lulu, der mit drei anderen Pelikan-
Arten einen Hof bewohnte, vorüberging, rief ich ihn einigemal mit »Lulu«
an. Das Thier erhob den Kopf, ging einige Schritte vor, ohne jedoch
bis an das Gitter heranzukommen.

Es hatte, wie ich an demselben Tage erfuhr, durch seine Isolirung
dem Menschen gegenüber (hier trat der Mensch nur bei der Fütterung
unmittelbar an ihn heran) viele seiner Gewohnheiten wieder eingebüsst
und zeigte sich bei weitem weniger zahm, als in den dahingegangenen
afrikanischen Tagen.   H.

                              *
                          *   *

Von drei Seiten vom Meere umspült, und einige der bedeutendsten Flüsse der Welt aufweisend, von denen wiederum einige ausgedehnte Marschländer gebildet haben, bietet Südafrika für die Anseres

zahlreiche Brutstätten und nahrungsreiche Aufenthaltsorte. Selbst jene weiten Hochlandstrecken, welche, von der dürren Wintersaison heimgesucht, in der Regel monatelang von keinem Regentropfen benetzt werden, entbehren solcher, den Schwimmvögeln zuthunlichen Localitäten nicht. Sie bergen, und das gerade in ihrer Mittellinie von Süd nach Nord, eine Unzahl von Salzseen, von denen die bei weitem grösste Zahl die meiste Zeit im Jahre hindurch wasserhaltig ist und zahlreiche kleine Süsswasserquellen in ihrer unmittelbaren Nähe aufzuweisen haben; dazu kommt noch, dass es auf den Steppen, in denen diese Salzseen liegen. von Kriech- und Kerbthieren wimmelt.

In Afrika sind so ziemlich alle Unterfamilien vertreten, darunter namentlich zahlreich, einige der interessantesten Formen wie: die Phoenicopterinae, Plectropterinae, Anatinae. Procellarinae, Diomedeinae. Plotinae und Pelecaninae. Mit Hinsicht auf die Anseres anderer Welttheile sind die baumnistenden Gänse und Enten, die Zwerggänse und der Plotus besonderer Erwähnung werth.

Für den Menschen erweisen sich zumeist jene nützlich, welche seine unmittelbare Nähe bewohnen. die natürlichen und künstlichen Weiher an den Farmen rein zu halten suchen und nicht wenig viele der öde und trostlos erscheinenden, menschlichen Wohnstätten beleben. Dann folgen die Vertreter der Procellaridae, welche zu Tausenden die Croix-Islands in der Algoabai bewohnen und gesetzlich geschützt sind. Ein dritter Nutzen erwächst endlich dem Menschen durch die Anatidae* als Wildpret.

Obgleich manche der Arten. namentlich die an der See lebenden, bei ihren Besuchen landeinwärts und unter den übrigen namentlich die Plotinae sehr gefrässig sind und zumeist nur von Fischen leben. so ist doch bis jetzt durch sie ein merklicher Schaden noch nicht beobachtet worden. Im Allgemeinen nehmen die südafrikanischen Schwimmvögel eine bedeutend geringere Rolle ein, als wie jene Europas, Nordamerikas und Australiens. Manche der Arten, vor allen die Plectropteri erheischen weitere und eingehende Studien, namentlich junge Thiere mit Bezug auf die bei ihnen so auffallende Färbung ihres Gewandes.

H.

---

* Der Sport auf Wildgänse und Enten wird noch nach dem, was ich an der Küste, insbesondere jedoch in der südwestlichen Capcolonie wahrnehmen konnte, am eifrigsten betrieben.

Aus dem Zambesithale.

Cap'sche Kormorane an den Makumba-Stromschnellen.

23

Nachtrag

zu

Struthio camelus (Linné) — Gemeiner Strauss.

Weitere aus Südafrika während der Correctur der letzten Seiten über den Handel mit den Federn des zahmen Strausses eingelaufene Nachrichten melden:

»Laut dem Berichte von John Daverin & Co. wurde der October-Markt für Europa mit dem 19. in London eröffnet. Es wurden im Ganzen 400 Kisten im Werthe von 82.000 Pfund Sterling (etwa 963.000 fl.) angeboten und davon 350 Kisten mit 71.000 Pfund Sterling (etwa 834.250 fl.) angenommen. Besonders gesucht und sogar um 10% gehoben, erschienen: »weisse Federn der besten Qualität mit geschlitztem Kiel«, sowie »lange weisse Federn«; »lange schwarze« behaupten ihre frühere Stellung; im Allgemeinen hatten vollkommen und bestentwickelte Federn (lang und mit breiter weicher Fahne) den Vorzug, womit den südafrikanischen Straussenzüchtern ein weiser Wink ertheilt wurde, junge Vögel weniger oft zu rupfen und den erwachsenen Thieren mit Rücksicht auf eine ergiebigere Schonung und Reinhaltung ihres Gefieders, grösseren Spielraum (ausgedehntere Gehege) zu gönnen. Jenes zufriedenstellende Geschäft vom 19. October d. J. hatte zur Folge, dass auf dem bedeutendsten der südafrikanischen Straussfedern-Märkte, jenem zu Port Elizabeth, in einigen wenigen, öffentlichen Auctionen Straussfedern im Werthe von über 111.500 fl. verkauft wurden. Und weitere Nachfragen lassen darauf schliessen, dass sich das Geschäft wohl auf längere Zeit hin, in dieser festen Stellung behaupten werde.«

Des Vergleiches halber, welche Preise für Straussfedern von einer ziemlich gleichen Qualität einerseits in Port Elizabeth und anderseits in London gezahlt wurden, füge ich folgende Tabelle bei:

23*

London

Nach den Berichten des Herrn Dun. & Co. am 27. September 1881. Die Federn in »Lots« zu 1 Pfd. Gewicht.

London	Preise in Pfund Sterling	
	von	bis
Weisse, volle Fahne, ausgesucht, mit gespaltenem Kiel	25	32
Weisse, volle Fahne, voller Kiel	18	23
Weisse erste Qualität	16	20
Weisse zweite Qualität	10	14
Weisse dritte Qualität	6	10
Weisse untergeordnete Qualität, viel Kiel, wenig Fahne	1·5	5
Hennfedern erste u. zweite Qualität, licht	12	16
Hennfedern, dunkel	4	11

Port Elizabeth

Federnpreise nach dem »Eastern Herald« vom 10., 11., 12. und 19. October

Port Elizabeth	Preise in Pfund Sterling	
	von	bis
Weisse, ausgesucht, mit gespaltenem Kiel	16	25
Weisse, unausgesucht, mit gespaltenen Kiel	10	15
Weisse mit ungespaltenem Kiel .	kein Angebot	
Weisse erste Qualität (mittel bis lang) .	6	9
Weisse zweite Qualität	3	5
Weisse dritte Qualität	2	3
Hennfedern W. & L., ausgesucht feine Qualität	10	17
Hennfedern W. & L., zweite Qualität . .	6	9
Hennfedern, dunkelgrau, erste Qualität .	4	9
Hennfedern, dunkel, zweite und dritte Qualität	1	6

In der letzten October-Woche zeigte sich in Südafrika in Folge telegraphischer Meldungen des erfolgreichen Londoner Verkaufsgeschäftes vom 1 9. October eine animirte Kauflust; es weisen die Marktberichte von Port Elizabeth für diese Woche folgende Preise auf:

Qualität der Federn gezähmter Vögel in »Lots« à 1 Pf.	Pf. St.	s.	d.	bis	Pf. St.	s.	d.
Weisse; ausgesucht. 1. Qualität. Kiel geschlitzt	27	10		—	32	10	.
Weisse; ausgesucht. 2. Qualität. Kiel geschlitzt	15	.		—	22	.	.
Weisse; 1. Qualität	10	.	.	—	13	10	.
Weisse; 2. Qualität	7	6	.	—	8	15	.
Weisse; 3. Qualität	2	10	.	—	5	10	
Mit breiter Fahnenspitze; beste Qualität	15	10	.	—	17	10	.
Mit breiter Fahnenspitze; ordinär	9	.	.	—	13	10	.
Hennfedern, lichte	9	10	.	—	12	10	
Hennfedern, dunkel	7	15	.	—	9	.	.
Weisse junger Hähne	3	7	6	—	6	10	.
Dunkle von jungen Vögeln	1	12	6	—	3	12	6
Licht und dunkel von jungen Vögeln mit breiter schütterer Fahne	8	10		—	14	10	.
Schwanzfedern von Hähnen	7	5		—	7	17	6
Schwanzfedern von Hennen	4	.	.	—	5	.	.
Schwanzfedern von beiden Geschlechtern, verfärbt	2	.	.	—	3	17	6
Schwarze; lang	9	10	.	—	12	.	.
Schwarze; mittel	4	10	.	—	7	17	6
Schwarze; kurz	2	.	.	—	2	15	.
Verfärbt; lang	5	.	.	—	7	5	.
Verfärbt; mittel	2	17	.	—	3	17	6
Verfärbt; kurz	1	.	.	—	1	15	.
Vliessfedern und Küchleinfedern	.	1	.	—	.	10	6

Abkürzungen der wichtigsten Autornamen.

Bech. = Bechstein.
Bodd. = Boddaert.
Bonap. = Bonaparte.
Briss. = Brisson.
Burch. = Burchell.
Cas. = Cassin.
Cuv. = Cuvier.
Daud. = Daudin.
Desf. = Desfontaines.
Eckl. = Ecklon.
Eyt. = Eyton.
Forst. = Forster.
Gmel. = Gmelin.
Hartl. = Hartlaub.
Illig. = Illiger.
Lath. = Latham.

Less. = Lesson.
Licht. = Lichtenstein.
L., Linn. = Linné.
Murs. = O. dei Murs.
Pall. = Pallas.
Puch. = Pucheran.
Ruepp. = Rueppel.
Scop. = Scopoli.
Stan. = Stanley.
Sundev. = Sundevall.
Swain. = Swainson.
Tem., Temm. = Temminck.
Thun. = Thunberg.
J. Verr. = Verreaux.
V., Vieill. = Vieillot.
Wahlb. = Wahlberg.

SCHLUSSWORT.

Da sich während des Druckes dieser »Beiträge zur Ornithologie Südafrikas« die Nothwendigkeit herausstellte, noch eine dritte Farbentafel, sowie eine Karte hinzuzufügen, ausserdem aber die in Zinkographie hergestellten Zungen trotz wiederholter Verbesserung nicht vollkommen entsprachen und in Folge dessen in Holzschnitt hergestellt werden mussten, so sehe ich mich veranlasst, die diesbezügliche Notiz am Titel des Werkes an dieser Stelle zu berichtigen, so dass nunmehr der artistische Theil des Werkes 3 Tafeln in Farbendruck, 94 Holzschnitte und eine Karte umfasst.

Ausser den, auf meinen Irrfahrten und den, zur Zeit meiner in Schoschong, Linokana, den Diamantenfeldern und Cradock ausgeübten ärztlichen Praxis angestellten Beobachtungen, lag der vorliegenden Arbeit lebendes, wie auch todtes Material zu Grunde. Das Erstere bestand, ausser vielen in der Gefangenschaft Anderer beobachteten Arten und zahllosen, gezähmten Straussen, in einigen 80 Vögeln, welche ich nach der Rückkehr von der Zambesireise durch zwei Jahre pflegte; das todte Material in 510 Bälgen — davon 450 im Pavillon des Amateurs ausgestellt — ferner in 11 anatomischen und 4 pathologischen Präparaten, 89 Eiern und 23 Nestern. Von den Bälgen waren 331 (davon 271 ausgestellt) von mir selbst, 48 von dem Elephantenjäger Dr. *Bradshaw,* 42 von Herrn *Lukas* aus der Transvaal, 20 von dem Taxidermist des »South African Museum« in Capstadt und 69 von Mr. *Walsh* präparirt.

Auch wurde mir zu Zwecken der hie und da so nöthigen Vergleichsstudien in der hochherzigsten Weise volle Einsicht in die ornithologischen Sammlungen des k. k. Hofmuseums in Wien gestattet, für welche grosse Hilfe ich mich zu aufrichtigem Danke verpflichtet fühle.

Ich gedenke nach der Vollendung der nächsten afrikanischen Reise den »Beiträgen zur Ornithologie Südafrikas« eine Fortsetzung nachfolgen zu lassen. Die mit dem geehrten Herrn Mitarbeiter gepflogenen Studien und der Besuch hervorragender, ornithologischer Sammlungen dienten mir zur weiteren Vervollkommnung; demzufolge habe ich auch meinen nächsten Forschungen auf diesem Gebiete (den Ordnungen entsprechend) acht Tagebücher (nebst Reservebüchlein) gewidmet, während der Gebrauch eines photographischen Apparates für Momentbilder mir die Ausarbeitung der Skizzen erleichtern und mich in dieser Hinsicht productionsfähiger machen soll.

Was die materielle Ausrüstung anbetrifft, so wurden Vorkehrungen für das Präpariren, Unterbringen und die Heimsendung von 2000 Vogelbälgen getroffen. Die einzelnen Bälge werden vor der endgiltigen Verpackung durch 8 bis 14 Tage einer öfteren Besichtigung unterworfen, und wenn »entsprechend« befunden, in Düten von schwachem Carton auf weiterhin aufbewahrt. Je eine Lage solcher Düten wird mittelst starker Stecknadeln am Boden eines seichten, dem Leibesumfange des Vogels entsprechend tiefen Flachkasten (eine Art Schublade) befestigt, und letztere wiederum in wohlgeschlossenen Kisten nach Europa expedirt. Durch Ausstopfen der Bälge mit Baumwollcharpie will ich bei jedem Exemplar die entsprechenden Körperdimensionen darthun, um dadurch einer etwaigen, zukünftigen Körperverunstaltung vorzubeugen und den künftigen Präparatoren die Arbeit zu erleichtern.

Wien, Prater-Rotunde, 20. December 1881.

Emil Holub.

ZUNGEN

von 30 der im Texte beschriebenen Arten.

Von **Dr. Emil Holub**
während der dritten Reise (Diamantenfelder-Zambesi 1875 bis 1876) entworfen.

———

Erklärung.

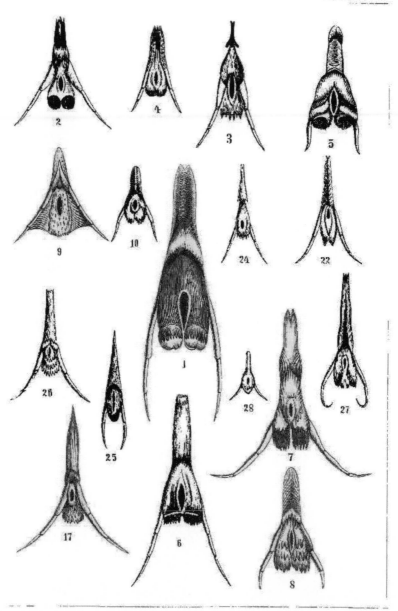

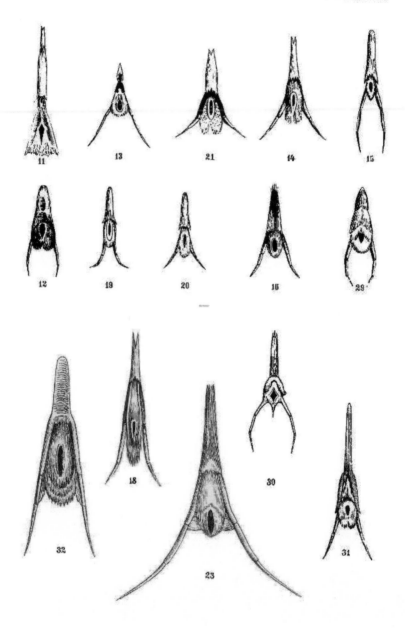

Inhalts-Verzeichniss.

I. Accipitres — Raubvögel.

Accipitres diurni — Tagraubvögel.

I. Vulturidae — Geier.

Accipitres nocturni — Nachtraubvögel.

Strigidae — Eulen.

24

III. Scansores — Klettervögel.

24*

Seite

IV. Columbae — Taubenvögel.

Columbidae — Tauben.

V. Gallinae — Hühnerartige Vögel.

Pteroclidae — Flughühner.

Phasianidae — Fasanvögel.

Tetraonidae — Wald- und Feldhühner.

VI. Struthiones — Straussvögel.

Struthionidae — Strausse.

VII. Grallae — Sumpfvögel.

Otididae — Trappen.

Charadriidae — Regenpfeifer.

Alphabetisches Register.

378 Alphabetisches Register.

Verzeichniss der Illustrationen.

Seite

Farbendruckbilder.

Druck von Friedrich Jasper in Wien.

Errata.

Seite 17 Zeile 4 von unten lies: heimgegangenen statt heimgegangenem
» 29 » 2 » oben » rupicoloides statt rupicoloides
» 30 » 10 » » » Thurmfalken statt Thurmfalk
» 31 » 4 » unten » Desf. statt Derf.
» 32 » 11 » » » Hartsriverthal statt Hartriverthal
» 34 » 4 » » » Ibis statt Wien
» 55 » 7 » oben » ausser man war eben statt ausser wenn man eben
» 59 » 11 » » » angepicht statt angepickt
» 63 » 14 » » » Staul. statt Stoal.
» 65 » 6 » » die Zahl V. zu streichen
» 65 » 13 » unten » Swains. statt Swäin.
» 71 » 4 » » » Jard. statt Sard. und purpureus statt purpurasus
» 71 » 8 » » » sie statt er
» 73 » 13 » » » Jardine statt Jardins
» 81 » 2 » oben » Cuv. statt Luc.
» 82 » 1 » unten » Hausvogels statt Hansvogel
» 85 » 8 » oben » Binsenfasern statt Binsenfasern
» 85 » 17 » » » l'aqnimp statt l'aquinýs
» 90 » 3 » » » Schopffedern statt Schopfhaare
» 93 » 15 » » » radiatus statt rodiatus
» 93 » 16 » » » coudougan statt coudeugnau
» 98 » 3 » » » L. pyrrhostictus statt L. collaris
» 98 » 12 » unten » Dryoscopus statt Drioscopus
» 98 » 8 » » » Selby statt Gelby
» 100 » 19 » oben » erreicht statt erreich
» 102 » 4 » unten » Lanius statt Larius und Telephonna statt Thelephonus
» 105 » 8 » oben nach dem Worte weit, füge hinzu: von der südl. Küste
» 107 » 18 » unten lies: Füsse statt Tarsus
» 111 » 6 » oben » Bäume statt Säume
» 112 » 4 » » » phoenicopterus statt phoenicoptera
» 112 » 6 » unten » Pyrrhocheira statt Tyrrhocheira
» 124 » 5 » oben » Philo. statt Cland.
» 130 » 2 » » » einmal leistete statt einma lleistete
» 135 » 6 » unten » South-Africa statt Southafrika
» 136 » 2 » oben » » » und Soc. statt Cav.
» 143 » 2 » » » um nach statt um von
» 143 » 17 » unten » Bucerotiden statt Vogelarten
» 153 » 15 » » » Os ileum statt Osileum
» 153 » 12 » » » Ilcaflügeln statt Ilemusflügeln
» 154 » 11 » » » progne statt progue
» 162 » 9 » » » sulfuratus statt nilfuratus
» 172 » 6 » » » bicincta statt Bicincta
» 178 » 1 » » » vermögen statt vermag
» 181 » 16 » oben » Tränkestellen statt Tränkstellen
» 183 » 14 » unten » Terrassenwäldern statt Terassenwäldern
» 203 » 5, 10, 19 von oben lies: Oom statt Ohm
» 221 » 4 von oben lies: Stützen statt Füssen
» 230 » 10 » » » betritt statt betrifft
» 244 » 1 » unten » der statt den
» 245 » 11 » » » Spiele und Kampfe statt Spiel und Kampf
» 250 » 9 » oben » allzuoft statt all' zu oft
» 268 » 13 » » » dieses statt diese
» 292 » 4 » unten » Birds of statt Biri of
» 310 » 4 » oben » Plectropterus statt Cygnus
» 331 » 9 » unten » hebridicus statt hebrudicus
» 333 » 4 » » » aufgewiesen statt auf gewiesen
» 197 » 12 » » »

Ferner sind hinzuzufügen den Arten von:

Seite 65 Merops apiaster (Linné) Gray Hand-List. B. M. I Sp. die Nr. 1201.
» 98 Urolestes melanoleucus » I » » » 5964.
» 102 Telephonus quadricolor » I » » » 6045.
» 188 Cothurnix dactylisonans (Tem.) » II » » » 9705.
» 292 Philomachus pugnax » III » » » 10299.
» 329 Casarca rutila » III » » » 10621 und
» 105 Corvus albicollis » I » 6238.

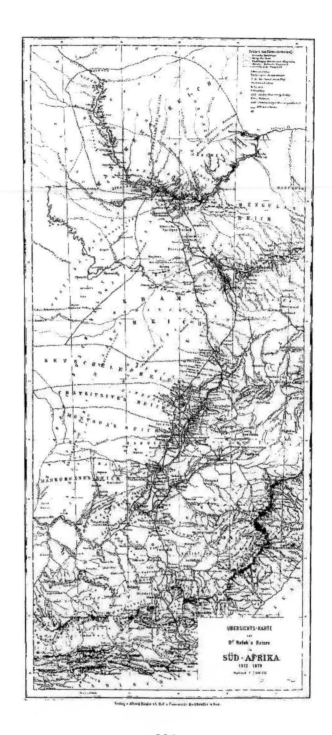

ÜBERSICHTS-KARTE
zur
Dr Holub's Reisen
in
SÜD - AFRIKA
1872 1879

Druck:
Customized Business Services GmbH
im Auftrag der KNV-Gruppe
Ferdinand-Jühlke-Str. 7
99095 Erfurt